ГОСУДАРСТВЕННЫЙ ИНСТИТУТ ИСКУССТВОЗНАНИЯ
МИНИСТЕРСТВА КУЛЬТУРЫ РОССИЙСКОЙ ФЕДЕРАЦИИ

Люди и судьбы
XX век

Книга очерков

О · Г · И

МОСКВА

2002

УДК 930.85
ББК 63.3
Л93

Составитель и ответственный редактор *В.Е. Лебедева*
Редколлегия:
В.Э. Хазанова, М.А. Чегодаева, Т.К. Шах-Азизова

Л93 **Люди и судьбы.** XX век: Книга очерков. — М.: ОГИ, 2002. — 272 с.

ISBN 5-94282-096-1

Пятый сборник группы «Современная художественная культура России» посвящен судьбам людей, чьи имена составили славу прошлого века, людей, чей «благородный пример» воспитал не одно поколение. Мятежный и многослойный век пока слишком близок; еще не отшумели страсти, не отстоялись оценки художественных направлений и явлений.

Но судьба тех, кто творил в эти десятилетия – судьба эпохи, ее история.

В книгу вошли статьи о Шаляпине, Вяч. Иванове, Бердяеве, Гершензоне, Тышлере, Товстоногове и др.

УДК 930. 85
ББК 63.3

ISBN 5-94282-096-1

Люди и судьбы

XX век

содержание

раздел 2

раздел 3

От редколлегии

Время для написания полной истории русского искусства XX столетия еще не наступило. Мятежный и многослойный век пока слишком близок; еще не отшумели страсти, не отстоялись оценки художественных направлений и явлений.

Но судьба тех, кто творил в эти десятилетия, — это и судьба эпохи, ее история. Такое «точечное» исследование создает выпуклую картину художественной жизни, ее движения, завоеваний и утрат, ее «звездных» моментов. Нынешний, пятый по счету сборник группы «Современная художественная культура России», в отличие от предыдущих, посвящен конкретным художникам, выдающимся личностям, из чьих совокупных усилий сложился как целостное особое явление культуры XX век.

Книга начинается статьей о Шаляпине — начало века встает в этом исследовании пропущенным сквозь биографию гения, блистательную и трагическую. Далее читатель встретит магический образ Вячеслава Иванова, сумевшего увлечь за собой весь интеллектуальный мир обеих столиц. В переписке жены и сестры А. П. Чехова явится картина сложных отношений этого своеобразного «треугольника». Письма Н. А. Бердяева и М. О. Гершензона в 1917 году высвечивают резкие противоречия их взглядов на судьбы народов и на революцию. Давние, близкие друзья не нашли общего языка — и не простили друг друга.

Таков **первый раздел** книги, посвященный началу века.

Второй раздел посвящен художникам, чей расцвет совпал с 20–30-ми годами: сценограф В. В. Дмитриев, живописец, график, театральный художник А. Г. Тышлер, скульптор В. И. Мухина. По каждому из них прошлась тяжкая десница советского тоталитаризма, однако каждому удалось создать произведения мирового уровня, работы, которым суждена долгая жизнь.

Три очерка о наших современниках: пылкой Нине Жилинской, философическом Юло Соостере, мистике Николае Каретникове — создают выпуклую картину творческих исканий, борьбы и нравственной победы этих мастеров и этого поколения.

Третий раздел являет собой биографии крупнейших режиссеров второй половины XX века (Товстоногов, Ефремов, Тарковский, Анатолий Васильев). Это время расцвета российского театра и кино, время создания незабываемых фильмов и спектаклей.

Картина художественной жизни, составленная по принципу полиэкрана, получилась динамической и многогранной. Выбранный путь позволяет продолжить работу в этом направлении, ибо здесь возникает множество еще не использованных возможностей; множество художников — героев своего времени ждут своего исследования.

раздел 1

Виталий Дмитриевский

Мифы и маски Федора Шаляпина

Нарастающая динамика отношений и взаимодействия частной и социальной жизни в российском обществе рубежа XIX–XX веков формировали новый менталитет российского человека. В общественном сознании в ранг основополагающих жизненных проблем, этики существования выдвигается суверенитет личности, осознание его становится актуальным и важным не только для мировоззрения художника, но и для мироощущения «частного человека». В «картине мира» русской публики все складывается в романтический образ героя времени, преобразователя жизни, носителя передовых демократических идей. И публичное поведение литератора, художника, артиста, музыканта — создателя нового «программного» героя — будоражит молву, указывает на его общественную значимость, на приобщенность к определенной корпорации, на направленность идейного единомыслия этого представляемого им сообщества, группы, сословия, наконец.

«Русские художники, — заметил Н. Берковский — более других в Европе были правозащитниками того, что слабо еще, стоит нетвердо на сегодняшний день, и тех, кто слаб. Сама человечность была слаба в человеческом обществе... Русский театральный реализм подобен реализму литературному — Пушкина, Л. Толстого, Достоевского, Тургенева, Чехова. Он писал картину всех господствующих сил в жизни, а в глубине картины реяли духовные сущности, которые могли бы пересоздать этот жизненный режим. В одной картине совмещались и силы, создающие жизнь, какова она на сегодня, и силы, призванные пересоздать ее, без романтического порыва одного от другого, что и составляло огромное преимущество русских художников-реалистов, была ли это литература, был ли это театр»[1]. На рубеже XIX–XX веков исключительно возросла роль визуальности, изображения в художественной жизни России. Отсюда повышенный интерес публики к живописи, к зрелищным искусствам, к театру, к стремительно развивающемуся кинематографу, к балагану[2]. В этом проявлялась глубинная духовная закономерность развития общества. «В самом деле, — писал И. Репин, — заметно, что наши современники все больше проявляют склонность воспринимать разного рода идеи глазами, через посредство изобразительного искусства, и вместо прежнего интереса к книгам в наши дни намечается возрастающий интерес к картинам»[3].

В общественной и художественной жизни рубежа XIX–XX веков театр стал мощным притягательным центром, ядром, в орбите которого вращались могучие таланты. На театральных подмостках публике открывался новый мир идей, создавался зримый образ нового современного человека, открывались пути его совершенствования. На театр надеялись, полагали, что в его возможностях воспитать целостную личность, существующую в единстве и гармонии внутреннего и внешнего мира, с идеей братского единения и всеобщей справедливости. От театра ждали объяснения событий минувшего, сущности настоящего, прогнозов на будущее. Театр помогал «частному человеку» обрести опору в жизненных бурях, укрепиться в собственном самосознании. В артистах видели «властителей дум», пророков, наставников, учителей, борцов за справедливость, от них ждали объяснения сущности настоящего, прогнозов на будущее. Театр помогал укрепиться в сознании своей самоценности, значимости. Доступность, распространенность, живая действенность сценического искусства привлекала к нему публику разных сословий и вовлекала в его орбиту выдающихся художников современности. «Театр в наши дни, — писал И. Грабарь, — единственная область, где художник может еще мечтать о большом празднике для глаз, в котором есть где развернуться воображению»[4]. «Никто в театре не хочет слушать, а все хотят видеть», — заметил Л. Бакст[5]. «Краски могут быть праздником для глаз, как музыка — праздник уха, души, — записал Коровин. — Вот эту задачу я поставил себе в декоративной живописи театра, балета и оперы... Какая богатая палитра — театр!»[6]. И деятели искусства, и сама публика в диалоге, в общении находили внутреннюю энергию созидания, стремились приблизиться к высоким идеалам. «Наконец-то, — удовлетворенно замечал К. Станиславский, — люди начинают понимать, что теперь, при упадке религии, искусство и театр должны возвыситься до Храма, так как религия и чистое искусство и очищают душу человечества»[7].

Идея правдоискательства наделяла художника исключительными правами и полномочиями. В общественном сознании зрела надежда на то, что именно в глубинах художественного мира родятся новые откровения и пророчества. Публичное искусство театра приобрело авторитет трибуны, «общественной игры», о театре как о новой религии говорил Питирим Сорокин. «Растворенность человека во всеедином» — провозгласил Вл. Соловьев, а Вяч. Иванов полагал, что «толпа зрителей должна слиться в хоровое тело».

Одновременно в общественном сознании в ранг основополагающих жизненных проблем, этики существования выдвигается личность, ее свобода и саморазвитие (Н. Бердяев, С. Франк). Значимость этого процесса чрезвычайно важна, если учесть, что в русской национальной идее народопоклонение и соборность часто противопоставлялись индивидуальным интересам. Максимализм русского сознания имел своими истоками идеи кардинального переустройства жизни на идеалах свободы, равенства, справедливости, правды, добра, и сцена стала общественной трибуной, мощным притягательным полем. Авторитет художника стремительно возрастает — он воспринимается как идеолог времени, духовный наставник, знающий, как надо жить. «Право же — настало время нужды в героическом: все хотят возбуждающего, яркого, такого, знаете, чтобы не было похоже на жизнь, а было выше ее, лучше, красивее...», — писал Горький Чехову в декабре 1899 года[8]. Идея героя обретала конкретные, образные очертания. Расцвет исторической живописи, портретная галерея великих современников, популярность массовых изданий — серии «Жизнь замечательных людей» Ф. Павленкова, «дешевой библиотеки» издательства «Знание» — один из ответов на эти потребности. В ожидании героев общественное мнение, «молва» «примеривались» к публичным людям, из реальных людей «лепились» «красивые» фигуры, творились мифы, пробуждался особый интерес к человеку «низовой» культуры, к «самородку», выбившемуся «вверх», выступающему «прообразом нового героя», как «борец», носитель социального возмездия.

Между тем идея социального реванша многих настораживала и раздражала своей политической прямолинейностью. И. Бунин позднее, уже в эмигрантскую пору, задавался вопросом: почему так называемые российские «самородки» начала века непременно были «выходцами из низов», «нещадно драны» в детстве, в отрочестве? «Горький, Шаляпин поднялись со дна моря народного», — цитирует он расхожую журналистскую фразу. — Точно ли «со дна?»[9].

Еще в конце 1880-х годов Чехов писал А. Суворину, по сути дела, о себе самом: «Напишите-ка рассказ о том, как молодой человек, сын крепостного, бывший лавочник, певчий, гимназист и студент, воспитанный на чинопочитании, целовании поповских рук, поклонении чужим мыслям, благодаривший за каждый кусок хлеба, много раз сеченый, ходивший по урокам без галош, дравшийся, мучивший животных, любивший обедать у богатых родственников, лицемеривщего и Богу и людям без всякой надобности — только из сознания своего ничтожества; напишите как этот молодой человек выдавливает из себя по каплям раба и как он, проснувшись в одно прекрасное утро, чувствует, что в его жилах течет уже не рабская кровь, а настоящая, человеческая»[10].

Отчетливо звучал социальный мотив и в получивших огромную популярность повестях и рассказах Горького — желание утвердиться в жизни, взять реванш за былое унижение, за босяцкое прошлое.

Сам ход историко-культурного развития активно влиял на отношения художника с властью, с разного рода общественными движениями — и те, и другие стремились ангажировать художника, представить публике своим знаменем.

А сам художник, иногда по убеждению, часто в азарте игры, любопытства, тщеславия, примерял на себя роли и обличья представителей общественных направлений, подчас не замечая, что на каком-то витке «заигрывается», становился пешкой в сомнительных политических манипуляциях. Осознав это, он, как в известной пластической миниатюре Марселя Марсо, срывая приросшую маску с кожей и кровью, обнажал измученное и страдающее лицо Артиста.

* * *

К началу века Шаляпин прочно вписан в художественный и социально-психологический контекст времени. Сценические образы, как и житейский облик и поведение Шаляпина, восхищают публику игровой импровизацией, рождают ассоциации, влияют на моду, взгляды, образовывают вокруг его неординарной фигуры некую духовную и художественную ауру. «Гениальный самородок», «талант из низов» — социальный ярлык прилип к певцу. Но одновременно — «кумир публики», «великий кудесник», «творец-художник»—он становится «символом времени», ему подражают, на него ссылаются, его именем сбрасывают неколебимые, казалось бы, авторитеты.

Примечательно, сам Шаляпин, бывая подчас капризным и необузданным в быту («Пока не требует поэта к священной жертве Аполлон...»), в творчестве тверд, последователен, бескомпромиссен. С 1896 года он поет в Мамонтовской опере, с нарастающим успехом выступает в Москве, в Петербурге, в провинции, наконец, в Европе, в Америке. Честолюбие и слава увлекают певца, но превыше всего он ставит Талант, Искусство, высокий художественный идеал. «Я, конечно, хочу сделать карьеру за границей и сделаю, сделаю! Чувствую, что могу сделать... Я делаю то, что я думаю», — подчеркивает он в письмах[11].

Это профессиональное, художническое качество и, конечно, Божий дар стремительно возносят Шаляпина на олимп и обеспечивают исключительное положение в обществе. «Это именно герой нашего времени», — пишет Юрий Беляев[12]. Молва, однако, перемалывает слухи, сплетни, скандалы, по-своему лепит образ Шаляпина-артиста и человека, часто далекий от оригинала.

К приятельству с Шаляпиным стремятся цари, короли и их многочисленная челядь, «поставщики двора его императорского величества», промышленные и торговые магнаты, владельцы кондитерских, парфюмерных, табачных фирм. «Снимал Шаляпина и чуму», — рекламировал себя бойкий фотограф. Московский «прачечник» Альшванг выставляет на витрине фирмы «подлинный воротничок Шаляпина». Изображения Шаляпина — в торговых домах, салонах, магазинах, фотоателье, на ипподроме, на почтовых открытках, на обертках шоколадных конфет, его именем названы вина, закуски, десерты, обеденные блюда, сигары, папиросы, одеколоны, бритвенные лезвия, расчески... Певец знает «изнанку» славы, он «герой» спровоцированных сенсационных фальсификаций, политических выпадов, раздуваемых молвой.

Юрий Беляев размышлял: «Я боязливо смотрю в ту сторону, где Шаляпин не сам он, а, скажем, здание его таланта, его репутация, подобная Ивану Великому, блеск его золотой шапки, колокола его славы»[13]. «Мифы о Шаляпине» живучи, они преследовали его и на родине, и позже, в эмиграции. Шаляпин иногда противился им, опровергал слухи, рожденные домыслами очевидцев, иногда подчинялся им и тем самым способствовал их распространению.

В массовом сознании рубежа веков первенствуют два мифа — певца Федора Шаляпина и литератора Максима Горького. Они едва ли не самые популярные и главное — социально новые, в чем-то даже экзотические фигуры, что подчеркивается, например, манерой одеваться, носить высокие сапоги с заправленными брюками, косоворотки, подпоясанные шнурком, широкополые шляпы и пр. Встреча их и возникшая дружба для обоих станут роковыми.

* * *

«Я думаю, что обязанность порядочного писателя — быть писателем, неприятным публике, а высшее искусство суть искусство раздражать людей», — декларировал Горький свою общественно-художественную позицию в письме К. Пятницкому в декабре 1901 года[14]. В эйфории революционных настроений идеи и мотивы горьковского провинциального ницшеанства героизируются, транслируются в массовое сознание кумирами публики — Комиссаржевской, Качаловым, Мейерхольдом, тем же Шаляпиным. В «Дачниках» Горький возвестил о приходе новой классовой силы: «Дети прачек, кухарок, дети здоровых рабочих людей — мы должны быть иными! Ведь никогда еще в нашей стране не было образованных людей, связанных с массою народа родством крови...»[15]. Традиция очевидна — вспомним некрасовское: «Дело прочно, когда под ним струится кровь». Кровь пролилась 9 января 1905 года. «Итак — началась русская революция, мой друг, — писал Горький Е. Пешковой, — с чем тебя искренне и серьезно поздравляю. Убитые да не смущают, — история перекрашивается в новые цветы только кровью»[16].

Мрачный задира конторщик Влас в «Дачниках» автобиографичен и одновременно «программен» — именно в нем Горький видит нового «героя времени», «выходца из низов». Имя «Влас» нравится Горькому — фамилию

Власова он даст герою программного романа «Мать» — Власов, Влас, власть... Но и Влас, и Павел Власов были «сочинены», «сконструированы», «придуманы», Шаляпин же пришел к Горькому «из жизни» и воспламенил его воображение: «Я убедился еще раз, — пишет он В. Поссе, — что не нужно многому учиться для того, чтобы много понимать... чуть его души коснется искра идеи, — он вспыхивает огнем желания расплатиться с теми, которые вышвырнули его из вагона среди пустыни... Большое чудовище, одаренное страшной, дьявольской силой порабощать толпу»[17]. Обратим внимание: Горький завидует не божественному артистическому дару Шаляпина, а «дьявольской силе порабощать толпу». А это и есть мечта Горького!

Горький-идеолог создает из Шаляпина плакатно-пропагандистскую фигуру горлана-бунтаря. Именно так выглядит Шаляпин в приветствии писателей «Среды», написанном Горьким к бенефисному спектаклю «Мефистофель» 3 декабря 1902 года. Вместо поздравления — программный публицистический манифест, полный политических поучений и угроз, сконцентрировавший в себе мотивы «песен» о Соколе, о Буревестнике, обличительных монологов из пьес «На дне», «Мещане», «Дачники». Горький, по существу, навязывает Шаляпину бунтарское мышление и обряжает его фигуру в костюм баррикадного лидера.

«Смотрите! — обращается в приветственном адресе Горький от лица Шаляпина к публике. — Вот я пришел оттуда, со дна жизни, из среды задавленной трудом массы народной, у которой все взято и ничего взамен ей не дано! Наслаждайтесь и подумайте — что может быть с вами, если проснется в народе мощь его души, и он буйно ринется вверх к вам и потребует от вас признания за ним его человеческих прав и грозно скажет вам: хозяин жизни тот, кто трудится!»[18]

Видимо, в последний момент адрес решили в театре со сцены не оглашать — Горький передал его артисту после застольной речи в ресторане Тестова.

Уместно задаться вопросом — полагал ли сам певец свой талант «даром грабителям от ограбленных», ощущал ли себя «Солист Императорских театров», кумир российской и европейской публики, получавший, между прочим, свыше 1000 рублей разовой платы за спектакль, желанный гость царствующих особ, великих князей — «жертвой режима», «слугой чужих пресыщенных людей»? Хотел ли Шаляпин выступать в облике «народного мстителя», провозвестника грядущих мятежей? Вряд ли.

Тем не менее миф «революционера» запущен в оборот. К тому же его укрепляют критические трактовки шаляпинских оперных партий. «Могучим крылатым воителем», «вождем небесных революций» называли критики шаляпинского Демона. «Не хватало только, чтобы Демон разбрасывал прокламации «Долой самодержавие», — иронизировал музыкальный критик Н. Кашкин. Ю. Беляев писал о Мефистофеле в интерпретации Шаляпина:

«Сводник, спекулянт и ростовщик жили в этом красном черте, самом близком и самом понятном из всех чертей современного пекла. Он управлял биржей, изобретал концессии, вздувал акции, брал подряды и взятки, открывал ломбарды и кассы ссуд, игорные притоны и дома терпимости..., издавал большую „либеральную газету"... Он — душа погромов, еврейских, армянских... В министерствах, в университетах, в комиссиях, даже на освещении новых храмов видели его, принимали по красному мундиру за сенатора»[19].

А. Серафимович видел в зале разодетых и пресыщенных людей, которые «...уже не думали хорошо или дурно звучит голос, хорошо или дурно играет тот, кто прежде был Шаляпиным. Бездна злобного презрения заливала, давила их. А сатана не унимался. Он оторвал сытую, уверенную толпу от обычной обстановки, от обычного комплекса чувств и ощущений, и все чувствовали себя маленькими, жалкими и ничтожными»[20].

Озорство, бунтарство, эпатаж увлекали Шаляпина. В 1912 году он носился с мыслью об опере о Ваське Буслаеве или Стеньке Разине и делился своими соображениями с Горьким, Глазуновым, Буниным.

Конечно, Шаляпину, по природе и по профессии натуре публичной, театральной, «игровой», навязанная ему социальная роль (разумеется, при сохранении независимости и обретенных привилегий) поначалу была не в тягость. Маска радетеля «свободы, равенства, братства» казалась привлекательной и немало способствовала его славе. Он поет в концертах для рабочих, подписывает распространяемые в «интеллигентских кругах» гражданские манифесты, исполняет «Дубинушку» со сцены императорского Большого театра, а осенью 1905 года с Горьким участвует в шикарном банкете московской элиты по поводу «Манифеста 17 октября» в ресторане «Метрополь» и здесь же пускает по кругу шапку — для сбора денег рабочим-социал-демократам[21]. Спустя двадцать лет этот эпизод обстоятельно и красочно опишет Горький в романе-эпопее «Жизнь Клима Самгина».

Однако «игры в революцию» становились нарочитыми, а подчас и рискованными.

...Борцы за народное благо любили праздновать свои успехи, юбилеи, знаменательные даты раздольно, широко, за обильным ужином, в столичных ресторанах и запечатлевали встречи — на радость публике, для истории — в журналистских репортажах, газетных интервью, на фото. Как-то после застолья в «Альпийской розе» участники «Среды» — Л. Андреев, Н. Телешов, М. Горький, И. Бунин, С. Скиталец, Е. Чириков, Ф. Шаляпин — отправились в фотоателье. Бунин заметил Скитальцу:

«— По вашим же собственным словам „народ пухнет с голоду", Россия гибнет, в ней „всякие напасти, внизу власть против тьмы, а наверху тьма власти", над ней „реет Буревестник, черной молнии подобной", а что в Москве, в Петербурге? День и ночь праздник, всероссийское событие за событием: новый сборник „Знания", новая пьеса Гамсуна, премьера в Художественном театре, премьера в Большом театре, курсистки падают в обморок при виде Станиславского и Качалова, лихачи мчатся к „Яру" и в „Стрельну".

К счастью Шаляпин все обернул в шутку:

— Снимаемся мы, правда, частенько, да надо же что-нибудь потомству оставить после себя. А то пел, пел человек, а помер и крышка ему»[22].

Фотографию растиражировали в виде почтовой открытки. На газетных полосах карикатуристы обыгрывают дружбу Шаляпина с Горьким («Новейшие Орест и Пилат»). Манера «подмаксимков» (так называли ближайшее окружение Горького) одеваться в «простонародном стиле» — любимая тема карикатуристов и фельетонистов. В «Стрельне», после триумфа в «Демоне», из соседнего кабинета донеслись куплеты Мефистофеля с новыми, однако, словами:

> Я на первый бенефис / Сто рублей за вход назначил.
> Москвичей я одурачил, / Деньги все ко мне стеклись.
> Мой великий друг Максим / Заседал в бесплатной ложе.
> «Полугорьких» двое тоже / Заседали вместе с ним.
> Мы дождались этой чести, / Потому что мы друзья,
> Это все одна семья. / Мы снимались даже вместе,
> Чтоб москвич увидеть мог / Восемь пар смазных сапог...

«Восемь» — для рифмы. На фотографии семеро, в сапогах четверо — Л. Андреев, Шаляпин, Скиталец, Горький, но это детали — корпоративный дух «Среды» в куплетах, которые исполнял, кстати, А. Бахрушин, схвачен точно. Горький оскорбился, ужин расстроился, куплеты же вмиг стали популярными. Бунин потом не отказывал себе в удовольствии пенять Шаляпину:

— Не щеголяй в поддевках, в лаковых голенищах, в шелковых жаровых косоворотках с малиновыми поясками; не наряжайся под народника вместе с Горьким, Андреевым, Скитальцем, не снимайся с ними в обнимку в раздало-задумчивых позах, — помни, кто ты и кто они.

— Чем же я от них отличаюсь?

— Тем, что, например, Горький и Андреев очень способные люди, а все их писания все-таки только «литература» и часто даже лубочная, твой же голос, во всяком случае, не «литература»[23]. В оценках Шаляпина Бунин и Горький в ту пору сходились: «Ты в русском искусстве музыки первый, как в искусстве слова — Толстой», — писал Горький Шаляпину в 1913 году[24]. А что касается публичной демонстрации сословно-классового братства, то, как и другие участники фотографического сеанса, артист вскоре освободился от наивной эйфории костюмированных композиций и впоследствии если и облачался в косоворотку русского мастерового и смазные сапоги, то лишь на сценических подмостках в соответствующей роли.

Близость к Горькому не проходит для Шаляпина без последствий — по свидетельству В. Теляковского, артист получает анонимки с угрозами физической расправы[25]. Гастролирующий в Милане Л. Собинов встревожен: правда ли, что из Большого театра уволили Шаляпина: «Вот еще одна бедная жертва революции!» Шаляпин испуган — просит об отпуске для выезда за границу — «на лечение».

Пристрастие к «Дубинушке» журналисты объясняют разными мотивировками, от революционных до националистских. Черносотенное «Русское знамя» смакует инцидент в петербургском Театральном клубе на чествовании Шаляпина: «Весь поток „жидовской грязи" русского актерства хлынул в роскошные залы дома родовитого русского аристократа князя Юсупова... Кто-то запел еврейскую „хаву"... Его примеру последовал и Шаляпин... Мы хотим думать, к чести русского артиста, что это была простая выходка пьяного человека — Шаляпин не нуждается в жидовской рекламе: человек, как Шаляпин, вышедший из народа, не может в душе не презирать это подлое племя... Г. Шаляпин, видя, что скандал принимает не совсем удобные для торжественного события размеры, запел «Дубинушку», покрыв своим могучим голосом крики поклонников и противников „хаве"»[26]. Очевидно, на Шаляпина хотели напялить маску патриота-антисемита — от него ждали ответного хода. Артист брезгливо проигнорировал провокационный выпад.

Параллельно меняется отношение к Горькому и его «программным» героям. «Мы все знаем, — записал 11 мая 1901 года Л. Толстой в своем дневнике, — что босяки — люди и братья, но знаем это теоретически, он же (Горький) показал нам их во весь рост, любя их, и заразил нас этой любовью»[27]. Но люмпенский оскал заявлял о себе то в кишиневских погромах, то в резне студентов. Принимая Горького в Гаспре, Толстой поддержал замысел написать историю трех поколений купечества и заметил: «Вот это надо написать, а среди воров и нищих нельзя искать героев, не надо»[28].

* * *

Миф Шаляпина-революционера рухнул в одночасье вечером 6 января 1911 года. В Мариинском театре на спектакле «Борис Годунов» Шаляпин, в замешательстве подчинившись массовке, стал на колено перед царем — хористы просили о прибавке к пенсии. Возник новый миф — Шаляпин-монархист. Общественное мнение возбуждено. Шаляпин подавлен, его оскорбляют, не понимают, его свободу ограничивают. Во Франции в вагон ворвалась молодежь с криками «Лакей!», «Мерзавец!», «Предатель!». Плеханов вернул подаренный артистом фотоснимок, Амфитеатров и Дорошевич публикуют хлесткие статьи и фельетоны. Артисты МХТа в капустнике демонстрировали брюки Шаляпина с протертыми коленками. Серов прислал артисту газетные вырезки с убийственной припиской: «Что это за горе, что даже и ты кончаешь карачками? Постыдился бы».

В артистическом кабаре «Летучая мышь» исполняются куплеты Л. Мунштейна:

> Раньше пел я «Марсельезу», / Про «Дубинушку» стихи,
> А теперь из кожи лезу, / Чтоб загладить все грехи.
> Я пою при королях, / Все коленки в мозолях.

В газетах в разных вариантах публиковалось фальшивое интервью Шаляпина: «Это был порыв, патриотический порыв, который охватил меня безотчетно, едва я увидел императорскую ложу. Конечно, и я, и хор должны были петь стоя, но порыв увлек меня, а за мною и хор, на колени. Это во мне сказалось стихийное движение русской души. Ведь я — мужик. Красивый, эффектный момент! Я не забуду его до конца моей жизни... Правда, была еще одна мысль. Была мысль просить за моего старого друга Максима Горького, надеясь на милосердие Государя. Но... Об этом я вам сообщать ничего не буду. Это мое личное дело. И, повторяю, эта мысль ничего общего не имела с тем чувством патриотизма, которое наполнило мою грудь. Я никогда еще не пел так, как в тот момент»[29].

Шаляпин уезжает за границу. Он подавлен и глубоко оскорблен, он пишет Теляковскому о намерении не возвращаться более в Россию, в письме М. Волькенштейну признается: «Вообще, я предпочел бы быть мирным сапожником, не интересующим никого на свете...»[30]. В. Дорошевич иронизировал по поводу политических метаний артиста: «Шаляпин хочет иметь успех. Какой когда можно. В 1905 году он желает иметь один успех. В 1911 году желает иметь другой. Конечно, это тоже «политика». А каких он политических убеждений? Это все равно что есть суп из курицы и думать: Какого цвета у нее были перья? Кому это интересно? Г. Шаляпин напрасно тревожится. Немного лавровишневых капель отличное средство и против этой мании преследования, и против маленькой мании величия... Только когда пьешь лавровишневые капли, не надо говорить: За республику! Теперь не время»[31].

Шаляпин пишет Иоле в Москву: «Думаю я только о том, что жить в России становится для меня совершенно невозможным... Нет, это ужасно, и из такой страны надо бежать без оглядки. Прошу тебя, милый друг мой Иолина, подумать хорошенько об этом и не только ничего не строить в деревне на Волге, но постараться по возможности избавиться от всего и даже от дома, чтобы ликвидировать всякие сношения с милой Россией»[32].

Горький принял певца на Капри только после обстоятельного покаянного письма; он решил обратиться через прессу с публицистическим «Письмом к другу», хотел защитить Шаляпина, — не как Революционера-Гражданина, но только как Человека, Художника, Артиста: «Все, о чем поет Шаляпин всегда, для этого он и живет, за это мы бы и должны поклониться ему благодарно, дружелюбно, а ошибки его в фальшь не ставить и подлостью не считать»[33]. Однако в российском окружении Шаляпина решили «Письмо» не публиковать, не будоражить прошлого, не тревожить общественное мнение. Объясняться тем не менее пришлось — теперь уже к репутации певца приклеилось клеймо монархиста, едва ли не черносотенца. Защищаясь от него, артист возвращается к универсальной маске «самородка»: «Я родился крестьянином, был босяком, голодал сам, моя мать умерла с голоду... такие вещи не забываются... А затем пришел успех. Я ничего не просил. Звание Солиста Его Величества, Крест Почетного легиона — все это свалилось как с неба. И я принял эти знаки отличия с удовольствием, говорю откровенно. Разве это преступление?»[34]

* * *

С 1905 года Горький жил на Капри, виделись они редко. Зато с художниками Шаляпин тесно общался и в Петербурге, и в Москве. Именно художники укрепили в общественном мнении 1910-х годов образ Шаляпина-Артиста мира — после триумфов в Европе и Америке это вполне соответствовало реальности и именно художники потеснили циркулирующие социальные имиджи Шаляпина-самородка, революционера, монархиста.

Когда Шаляпин в «Маске и душе» убежденно писал: «От политики меня отталкивала вся моя натура», он, конечно, немного лукавил. Иначе бы не признался в той же книге, что как-то на Капри спросил Горького, не вступить ли ему в социал-демократическую партию. Горький ответил: «Ты для этого негоден. И я тебя прошу, запомни один раз и навсегда: ни в какие партии не вступай, а будь артистом, как ты есть. Этого с тебя вполне довольно»[35]. Диалог (если он, конечно, действительно состоялся, а не был плодом творческого воображения, как некоторые другие сюжеты мемуариста) говорит о том, что в способности Шаляпина нести бремя репутации «самородка-революционера» Горький уже не был уверен, отсюда и его боязнь «вредных влияний», оказываемых на Шаляпина.

Огромное нравственное воздействие, которое оказывали на артиста Коровин и Серов, сильно раздражало и настораживало Горького, — он хотел изолировать артиста от «нездоровой богемы». Художники старше певца на десять лет и были, как Поленов, Врубель, наставниками певца еще в Мамонтовской опере. Погостив в августе 1903 года на коровинской даче, Горький написал Пятницкому: «Художник Коровин был консервативен, что ему, как тупице и жулику, очень идет»[36]. Ревность Горького к художникам не была безосновательной, о чем свидетельствует дневниковая запись Теляковского в мае 1904 года: «Горький имеет на Шаляпина большое влияние. Он перед Горьким преклоняется, верит каждому его слову и совершенно лишен возможности относиться критически к его сочинениям. На Коровина, критикующего как художник Горького, Шаляпин сердится... Общество Коровина очень полезно Шаляпину. Коровин чистый художник и обладает большим чутьем — чувствует настоящее, и его трудно обмануть умственным мудрствованием. Коровин много думал и еще более чувствовал»[37].

Портрет Шаляпина Коровин писал летом 1911 года в Виши. Шаляпин — веселый, радостный, улыбающийся, красивый, в светлом костюме, среди цветов, никаких следов «удрученности» от случившегося «коленопреклонения» и вероломства друзей — на полотне человек «избыточной радости», «солнечный», не отягощенный тревогами. «Духовный мир художника чужд мести» — сказано о Коровине, и радостный мир художника возносит Шаляпина над дрязгами пошлой политической суеты.

Конечно, в портретах Шаляпина со всей очевидностью отражено слияние исключительных художественных натур — самого живописца, автора и «объекта изображения», они целостны, едины, неразрывны. Художники откровенно наслаждаются созерцанием удивительной натуры Шаляпина. Различные грани творческой личности высвечиваются на их полотнах — мятущийся, страдающий у Серова, праздничный, сверкающий у Коровина, фольклорный, богатырски-размашистый у Кустодиева, вальяжно-барственный у Репина. В кустодиевском портрете, пишет В. Лебедева, «сила, красота, яркость, талантливость русского народа обрели свое конкретное воплощение... Эта работа соединяет и концентрирует все представительные черты Кустодиева-художника. Немного найдется во всей живописи XX века работ, с полнотой и яркостью, с блеском и юмором воплотивших характер модели, мир, который он прославил своим творчеством»[38].

С портретом Кустодиева Шаляпин чувствовал особую глубинную связь, он украшал гостиную певца в Петрограде, а потом в Париже.

Каждый, кто брался за кисть, за перо с намерением воссоздать образ артиста, предлагал свою версию Шаляпина, свой «фрагмент» его артистической натуры. Спрос же на полное «жизнеописание», на «целостное воссоздание» артиста в публике возрастал — она хотела понять природу невиданного успеха, узнать тайну, в конечном счете волнующую каждого: подвластна ли человеку его судьба, или он игрушка случайных обстоятельств?

* * *

В 1901 году две англичанки пытались при посредстве В. Стасова встретиться с Шаляпиным; позднее, в 1914 году одна из них, Р. Ньюмарч, выпустила в Лондоне книгу о певце. В 1900–1910-х гг. мемуарные зарисовки, статьи, очерки о Шаляпине публикуют С. Семенов-Самарский, И. Пеняев-Бекханов, Л. Андреев, А. Амфитеатров, С. Плевако, Н. Соколов, П. Сивков, Г. Жуков, А. Рчеулов, А. Липаев, Ю. Беляев, Э. Старк, В. Держановский и многие другие. В 1920-х годах биографию Шаляпина предполагал написать Б. Асафьев. Одновременно в читательской среде циркулирует масса репортерских заметок, интервью, разного рода «свидетельств очевидцев» и пр. Ошибки, нелепости, досужие домыслы, наконец, просто клеветнические оскорбительные россказни и выпады раздражают артиста, и в 1907 году он «наговаривает» журналисту А. Потемкину текст для восьми номеров «Петербургской газеты»[39].

Первая «публичная исповедь» вызвала шквальный читательский интерес, и в 1909 году Шаляпин заявляет репортерам о работе над мемуарами: он хочет опровергнуть ложные мифы, кроме того, намерен «передать опыт молодежи».

Узнав от Пятницкого о намерении Шаляпина писать автобиографию, Горький крайне встревожен, он спешно предлагает Шаляпину соавторство и настаивает на своем монопольном праве излагать жизнь певца. При видимых гарантиях «невмешательства» в повествование он оставляет за собой главное — интерпретацию событий и характеров («только укажу, что надо выдвинуть вперед, что оставить в тени»). «... *я сам напишу твою жизнь, под твою диктовку*, Ах, черт тебя возьми, ужасно я боюсь, что не поймешь ты *национального-то*, русского-то значения автобиографии твоей! Дорогой мой, закрой на час глаза, подумай! Погляди пристально — да увидишь в равнине серой и пустой богатырскую некую фигуру гениального мужика!»[40]

Совместный замысел осуществился только в 1916 году. В Форосе Шаляпин «наговорил» Горькому воспоминания, публикация была объявлена в журнале М. Горького «Летопись» в 1917 году, что неожиданно вызвало афронт «32-х сотрудников рабочей прессы», — они выступали против «откровений человека, запятнавшего себя коленопреклонением»[41]. В извинительно-заискивающем предисловии к публикации М. Горький уточняет: «Помещая его мемуары, редакция рассматривает Ф. Шаляпина исключительно как великого артиста, деятеля искусства. В глазах редакции его автобиография, рассказанная им устно М. Горькому и обработанная этим последним в форме художественного произведения, является ценным и поучительным документом из истории русской жизни, русского искусства. Редакция находит, что если все слои русского общества полагают для себя допустимым посещать спектакли Ф. Шаляпина и придают им большое художественное значение, если наиболее чуткая в общественном отношении рабочая демократия считает возможным принимать участие в качестве зрителей в спектаклях, специально устраиваемых для нее самим Шаляпиным, то журнал не только не делает ничего предосудительного, но исполняет одну из своих культурных задач, сообщая читателям, как и откуда пришел Шаляпин и при каких условиях создалась и развилась его художественная индивидуальность. Никакими иными мотивами редакция, печатая автобиографию Ф. Шаляпина, не руководствовалась»[42].

Покаяние не спасло ни журнал, ни соавторов от дальнейших попреков. Однако на фоне событий последующих месяцев дискуссия потеряла свою актуальность, а вскоре после установления советской власти журнал закрыли и повествование Шаляпина оборвалось на середине.

* * *

В традициях российского общества — воспринимать искусство не только как явление художественное, но всегда осмыслять и остро чувствовать, «проживать» его в сопряженности с общественной жизнью. Некрасовская заповедь — «Поэтом можешь ты не быть, но гражданином быть обязан» — наделяла художника важной социальной миссией, в «гражданственности» общество видело одновременно и долг художника, и добровольное принятие им обязательства выступать защитником народа, его просветителем, наставником, защитником его сущностных интересов. В условиях нарастающего кризиса самодержавной власти и энергичного пробуждения антигосударственных настроений, опирающихся на активную деятельность разного рода оппозиционных группировок и партийных сообществ — эсеров, большевиков, кадетов и многих других, — в среде творческой интеллигенции росла убежденность в неизбежности социальных перемен, направленных на утверждение высоких идеалов свободы, равенства, братства, социальной справедливости.

Жажда гражданских свобод, надежда на обретение новых горизонтов творчества, новой гармонии жизни — общественной, художественной, личной — определяла новый взгляд на окружающую действительность, на происходящие события, наполняла новым смысловым, метафорическим содержанием даже, казалось бы, уже привычные художественные знаки, символы, образы. А. Бенуа в статье, опубликованной в июле 1917 года, писал об памятнике П. Трубецкого Александру III на Знаменской площади в Петербурге: это «...не просто памятник какому-то монарху, а памятник, характерный для монархии, обреченной на гибель.... Это — воистину монумент монарху, поощрявшему маскарад национализма и в то же время презиравшему свой народ настолько, что он считал возможным на все его порывы накладывать узду близорукого, узкодинастического упрямства»[43].

События Февральской революции противоречиво отразились в повседневной жизни людей, не связанных с политической деятельностью. Каковы были их настроения? «Первого марта, я помню, у всех был только один страх — как бы не пролилась кровь», — писал в газете «Русские ведомости» 14 марта А. Толстой[44]. Для многих отчетливо вставал вопрос, заданный себе А. Блоком в «Записных книжках»: «Нужен ли художник демократии?»[45] В эти же дни он записал: «Произошло то, что никто еще оценить не может, ибо таких масштабов история еще не знала»[46]. «Максимализм русского сознания» еще более усилился в условиях кризиса самодержавной власти и пробуждения антигосударственных настроений. Публика, охваченная пылом революционного романтизма, настойчиво требовала от художника исполнения важной социальной миссии. А. Блок предрекал появление «нового человека-артиста, который будет способен жадно жить и действовать в открывшейся эпохе вихрей и бурь»[47].

Эта идея нового человека-артиста опять же материализовалась в фигуре Шаляпина. Когда на банкете, посвященном франко-русскому союзу, Шаляпин в сопровождении А. Глазунова и А. Зилоти исполнил Марсельезу, зал взорвался аплодисментами. С. Маковский назвал это «пророчеством революции»[48].

Шаляпин снова стал носителем революционной идеи, и это неудивительно — политическая жизнь «резонировала» в пылких и эмоциональных художественных натурах. После Февральской революции Рахманинов жертвует 1000 рублей в пользу амнистированных заключенных и публикует письмо, в котором трижды звучит слово «свободный»: «свободной стране, свободной армии свободный художник». Слово «свобода» приобретает сакрально-магический смысл — Шаляпин поздравляет друзей «с великим праздником свободы в дорогой России», на концертах-митингах он исполняет «Песнь революции» собственного сочинения. Из глубины сцены Мариинского театра артист вышел в длинном сверкающем плаще:

К оружью, граждане, к знаменам,
Свобода счастье нам дает...

Этот же концертный номер Шаляпин исполнил летом 1917 года на Севастопольской набережной. «Ему дают красное знамя, его окружают старшины клуба матросов и солдат, участники концерта. Оркестр играет „Марсельезу“. После поцелуев и речей он поет. Наконец, финальный номер — Песня революции», — так описывал концерт репортер «Крымского вестника»[49].

Гимн «Да здравствует свободная страна!» пишет и К. Бальмонт на музыку А. Гречанинова. «На всех лицах было сознание уже одержанной победы, убеждение в том, что „вот теперь все пойдет к лучшему“», — восторженно писал А. Бенуа, вернувшись с многолюдной демонстрации[50].

К лету 1917 года наступает отрезвление. К. Бальмонт писал: «Революция хороша, когда она сбрасывает гнет. Но не революцией, а эволюцией жив человек. Стройность порядка — вот что нужно нам как дыхание, как пища... Революция есть гроза. Гроза кончается быстро и освежает воздух, и ярче тогда жизнь, красивее растут цветы. Но жизни нет там, где грозы происходят беспрерывно»[51]. К. Бальмонту вторит Александр Блок: «Неужели долго или никогда уже не вернуться к искусству?»[52] И. Грабарь в письме Б. Кустодиеву недоумевал: «Просто несчастье эта босяцкая гордость и „презрение к буржуям“, каким она считает каждого человека, носящего не грязный и не мятый воротник»[53]. В Журнале «Аполлон» мрачные предчувствия и настроения были выражены с еще большей откровенностью: «Страшно вымолвить, но ничего не поделаешь: о д и ч а н и е. Это ли не регресс, не возвращение к... грубости неприкрытого художественного варварства[54].

...25 октября на сцене Народного дома шел «Дон Карлос» Верди. Во время второго выхода Филиппа II — Шаляпина раздались орудийные выстрелы. Зрители стали покидать зал. После кульминационной сцены объяснения Филиппа с королевой Елизаветой зал опустел. Спектакль прервали.

* * *

После большевистского переворота в октябре 1917 года Шаляпин снова востребован «как социально-классовый здоровый элемент», как «талант из народа». Он выступает на целевых спектаклях и концертах для солдат, матросов, рабочих, делегатов разного рода съездов, в официозных представлениях, приуроченных к праздникам, встречается с Луначарским, с Лениным для решения острых организационно-театральных проблем. Непременный финал концерта — «Дубинушка».

Доминанта новой социальной роли Шаляпина — присуждение звания народного артиста. Импровизация увлекающегося наркома Луначарского оказалась, вероятно, неожиданной для него самого, она родилась в ходе очередного выступления перед «демократической публикой» Мариинского театра. В антракте после первого акта «Севильского цирюльника» из гримерной срочно вызвали на сцену Шаляпина. Луначарский тут же перед занавесом на публике поздравил артиста с присвоением неведомого до этой поры почетного звания. Видимо, Луначарскому потребовалось время, чтобы убедить власти легитимизировать свою импровизацию, потому что официальное постановление появилось почти через месяц — 13 ноября 1918 года: «Совет Народных Комиссаров Союза коммун Северной области постановил в ознаменование заслуг перед русским искусством — высокодаровитому выходцу из народа, артисту Государственной оперы в Петрограде Федору Ивановичу Шаляпину — даровать звание Народного артиста. Звание Народного артиста считать впредь высшим отличием для художников всех родов искусств Северной области и дарование его ставить в зависимость от исключительных заслуг в области художественной культуры»[55]. (Заметим, слово «республика» нигде не упоминается, оно не очень понятно откуда появилось позже. Пока же Шаляпин— народный артист «губернского масштаба», Северных областей России).

За официальным признанием последовали новые награждения: уже через три дня общее собрание артистов — солистов театра наградило Шаляпина званием Заслуженного артиста государственных театров. Положение обязывает — теперь «Дубинушка» становится ритуалом, по значению она уступает только «Интернационалу». А Шаляпина, в знак особых заслуг, предлагают даже «национализировать» — как художественное достояние нового государства. Это не мешает производить обыски, реквизировать денежные вклады, подношения публики, столовое серебро, вино, постельное белье. Особняк на Новинском бульваре превращен в перенаселенную коммунальную квартиру. Шаляпин затравлен, прежде открытый, жизнерадостный, он становится мрачным, подозрительным — всюду сыск, доносительство, аресты. Он боится за судьбу близких и не устает предупреждать Иолу быть крайне осторожной, ни с кем не разговаривать о политике, даже с друзьями и знакомыми.

Новый режим изымал из социального оборота категории и величины, определяющие существование интеллигенции — личностность, единичность, талант, индивидуальность. Лояльный художник сотрудничает с партией, с властью, устраняющийся от сотрудничества — потенциальный или реальный враг народа.

И. Бунин вспоминал о многолюдном митинге в петроградском Михайловском театре в защиту культуры: «Горький держал свою речь весьма долго и высокопарно и затем объявил:

— Товарищи, среди нас Шаляпин и Бунин! Предлагаю их приветствовать!

Зал стал бешено аплодировать, стучать ногами и вызывать нас... Выходило так, что Шаляпину опять надо было „становиться на колени". Но он решительно сказал прибежавшему:

— Я не пожарный, чтобы лезть на крышу по первому требованию. Так и объявите в зале.

Прибежавший скрылся, а Шаляпин сказал мне, разводя руками:

— Вот, брат, какое дело: и петь нельзя и не петь нельзя — ведь в свое время вспомнят, на фонаре повесят, черти. А все-таки петь я не стану.

И так и не стал»[56].

Финский коммунист-чекист Рахия в пьяном принудительном застолье в столовой Шаляпина философствовал: талантливых артистов и художников надо резать — ни у какого человека не должно быть никаких преимуществ над людьми. Талант нарушает равенство[57].

Интеллигенцию продают и покупают, ее берут в заложники, выставляют щитом перед отечественным и мировым общественным мнением. За крохи свободомыслия интеллигенция расплачивалась чем могла и как могла. Шаляпин за разрешение петь за границей половину гонораров отдавал советскому посольству: «Это было в добрых традициях крепостного рабства, когда мужик, уходивший на отхожие промыслы, отдавал помещику, собственнику живота его, часть заработков, — вспоминал артист. — Я традиции уважаю»[58].

В 1921 году Горький, покидая Россию, советовал Шаляпину: «Ну теперь, брат, я думаю, тебе надо отсюдова уехать»[59]. Чуковскому же Горький признался: «Теперь с нашей властью мне приходится лукавить, лгать, притворяться»[60]. Власть отлично понимает: «даровитого народного артиста» ей не удержать. «Если мы не дадим Шаляпину минимума, который он от нас требует, то рано или поздно он от нас удерет, — это не подлежит никакому сомнению», — признается Луначарский в неофициальном письме сотруднику наркомпроса Е. Литкенсу[61] и параллельно ходатайствует о разрешении Шаляпину выезда на длительные гастроли. Таким образом, Шаляпин реализует совет Горького: статус свободного художника в новой России не предусмотрен.

* * *

До 1921 года в диалоге с Горьким Шаляпин почти всегда уступает ему, после 1921 года упорно стоит на своем. Причины понятны — эмиграция встретила Горького враждебно, язвительным памфлетом бывшего соратника по телешовской «Среде» Е. Чирикова: его брошюра «Смердяков русской революции: Роль Горького в русской революции», вышедшая в Софии в 1921 году, сразу стала популярна в Париже, Берлине и Праге[62]. Роль изгоя Горький принять не мог, он стремительно и кардинально меняет позицию обличителя, автора «Несвоевременных мыслей», на его аллилуйщика,– он принимает от Сталина пост основоположника социалистического реализма, его триумфально возят по СССР, имя его присваивают городам, театрам, заводам, улицам, колхозам, совхозам, кустарным артелям, исправительно-трудовым колониям, стадионам, избам-читальням и пр. Но теперь он лукавит, лжет, притворяется, теперь он понуждает ко лжи близких и, конечно, Шаляпина.

В СССР право на мифотворчество монополизировано властью. Сталиным Горькому уготована судьба «основоположника», Шаляпину — пьедестал Первого Народного артиста. Но Шаляпин за своеволие объявлен «невозвращенцем», «врагом народа», в 1927 году его лишают советского подданства и званий. «Тот, кто сегодня поет не с нами, тот против нас» — строфа из стихотворения В. Маяковского «Господин народный артист» 1927 года. Горький спустя несколько лет разовьет этот тезис: «Если враг не сдается — его уничтожают»[63].

Власть ждет от певца слезного публичного покаяния и немедленного возвращения в Россию, но получает публичный вызывающий — вызывающий отказ. «Что же я после этого — перестану быть Шаляпиным или стану антинародным артистом? — спрашивает певец — ...Я хочу на себя взять смелость, сказав, что я не просто народный, а всенародный артист»[64].

Начинается борьба за возвращение Шаляпина — любой ценой, и миссия эта поначалу поручается Горькому. Теперь сталкиваются два мифа «Враг народа» и «Раскаявшийся блудный сын» — на выбор. Кнут и пряник в одной руке. Совершенно очевидно, что Горький весной 1928 года обещал Сталину вернуть Шаляпина, полагая, что сделать это будет несложно. «Человек он шалый», — сказал он в одном интервью тогда еще в Нижнем Новгороде: мол, покапризничает и вернется[65]. Однако события стали развиваться совсем по другому сценарию.

Всего лишь год прошел после лишения Шаляпина звания и гражданства, Горький едет из Сорренто в Рим специально для встречи с Шаляпиным, имея весомые полномочия: «Очень хотят тебя послушать в Москве . Мне это говорили Сталин, Ворошилов и др., — пишет он Шаляпину. — Даже „скалу“ в Крыму и еще какие-то сокровища возвратили бы тебе»[66].

Предложение вполне реальное — если Горькому подарили особняк миллионера Рябушинского и усадьбу в Крыму, почему бы и Шаляпину не подарить ранее у него же и отобранное? Но, оказывается, для Шаляпина даже желания вождей Сталина и Ворошилова не священны, он брезгливо отвергает пошлость примитивного подкупа.

Миф раскаявшегося грешника у Горького не выстраивается — Шаляпин стал неуправляем, обещание Сталину не выполнено. И Горький выносит свой лживый, оскорбительный приговор: «Он скоро умрет. За эти три года он очень одряхлел, точно уже боролся со смертью, и, не победив, она живого изъела его»[67].

Это написано после триумфального спектакля в Риме, о 56-летнем Шаляпине, которому еще предстоят восемь лет блистательных выступлений в Европе, Америке, Японии, Китае, съемки фильма «Дон-Кихот» Г. Пабста.

Взрыв негодования Горького вызвало переиздание «Страниц из моей жизни» в дополненном Шаляпиным варианте, а затем его книги «Маска и душа», — артист всему миру демонстрировал непокорность, свободу, недосягаемость, это было оскорбительно и для Горького, и для власти.

Сталин, как известно, с конца 1920-х годов выстраивал имидж процветающей социалистической державы, потемкинские деревни демонстрировались Рабиндранату Тагору, Б. Шоу, Л. Фейхтвангеру, А. Барбюсу, Р. Роллану, Г. Уэллсу. В раму этого пропагандистского шоу вписывалась кампания по возвращению эмигрантов — блудных прощенных детей России, счастливо обретающих родину. Одни возвращались сами, за другими началась охота — засылали «послов» к М. Чехову, Стравинскому, Рахманинову, Бунину. «Послами» к Шаляпину снаряжены Екатерина Павловна Пешкова, Станиславский, Немирович-Данченко. От встречи с последним Шаляпин уклонился. «Скажите Федору Ивановичу, что я решительно советую ему ехать в Москву... Здесь его всячески оценят», — умолял Немирович антрепренера Л. Леонидова и передавал слова Сталина: «Пусть приезжает. Дом дадим, дачу дадим, в десять раз лучше, чем у него были!»[68]. Показательно, Сталин повышает ставку в десять раз — примет ли ее Шаляпин? Как вспоминал современник, Шаляпин взорвался: «Дом отдадите? Дачу отдадите? А душу? Душу можете отдать?»[69] Но такие категории вождям были неведомы и непонятны.

В России у Шаляпина жили заложники — дочь, первая жена, это обязывало к осторожности. Тем не менее он писал дочери: «Я у вас там слыву отчаянным преступником... Пошлют на Соловки... Я стар для таких прогулок»[70].

12 апреля 1938 года Шаляпин умер. Но с его кончиной мифотворчество не только не завершилось, но приняло новые масштабы и новую направ-

ленность... В некрологе, опубликованном «Известиями» 14 апреля, М. Рейзен писал: «В расцвете сил и таланта Шаляпин изменил своему народу, променяв родину на длинный рубль. Все его выступления носили случайный характер. Громадный талант иссяк уже давно...»[71]. Однако уже 22 апреля «Известия» дали «поправку» — извинялись «за выражения о творчестве Шаляпина, недопустимые в советской печати»[72]. Задумаемся — кто в те годы мог «поправлять» «Известия Советов депутатов трудящихся»? — не иначе, как самое высокое в стране лицо кавказской национальности.

Сорвалось! Миф раскаявшегося грешника при жизни Шаляпина не реализовался, поэтому на какое-то время вернулись к прежнему — изменник, духовно опустошенный, аморальный, растленный субъект. В фильме «Яков Свердлов», вышедшем в прокат в декабре 1940 года (сценарий Б. Левина, П. Павленко, режиссер С. Юткевич), в кресле развалился «известный певец» в гриме и костюме Мефистофеля (Н. Охлопков), он хмур, пьян. Позади, опершись на спинку кресла, стоит молодой Горький (П. Кадочников), самозабвенно произносит вдохновенный монолог. Идейное противостояние акцентировано с предельной наглядностью.

Но вот проходит всего пять лет, насыщенных, однако, великими событиями. Рабоче-крестьянская Красная армия, переименованная в Советскую и переодетая в офицерские мундиры и шинели с погонами, державной поступью освобождает Европу от фашизма, воссоздавая имперское величие Страны Советов. В этом новом контексте меняется отношение к блудным россиянам, что сразу фиксирует журнал «Новый мир», публикуя в феврале–марте 1945 года воспоминания о Шаляпине известного своей близостью к «органам» литератора Льва Никулина[73]. Первые послевоенные годы декларируют открытость и всепрощение, из Европы потянулись на свой страх и риск эмигранты «первой волны». Литературных функционеров высшего ранга засылают даже к И. Бунину, но проницательного автора «Окаянных дней» трудно провести на пропагандистской мякине, он остается во Франции.

С Шаляпиным теперь проще, его согласия не требуется. Начинается осторожный «пересмотр» его судьбы. В 1948 году в ленинградских и московских творческих союзах скромно отмечают 75-летие со дня рождения певца, современники и коллеги читают доклады о его творчестве, выступают с воспоминаниями. А 15 февраля 1953 года с неожиданной помпезностью в зале Московской консерватории отмечается 80-летие Шаляпина.

Вспомним политический контекст. Решения XIX съезда КПСС призывают усилить борьбу с буржуазной идеологией, с американским империализмом, проводятся в жизнь постановления по идеологическим вопросам 1946–1948 годах, ведутся дискуссии об антипартийных группах в критике, о космополитах, о враждебных течениях в генетике, биологии, экономике, народ подавлен раскрытием происков международного еврейского заговора, коварством врачей-убийц, разгулом государственного антисемитизма. А любимец Сталина М. Михайлов «говорит об огромной силе таланта Шаляпина, поднявшего отечественную культуру на недосягаемую высоту». Перечисляется репертуар артиста, в котором особое место занимала народная песня. «Бесспорное художественное наследство Ф. И. Шаляпина бережно и заботливо воспринято деятелями советского искусства» — таков итог[74]. В пространном отчете «Известий» ни слова об эмиграции, о звании народного артиста — это мелочи. Совершенно очевидно — готовится масштабная разработка новой объединяющей массы национальной русской идеи. И Шаляпин — одно из ее знамен.

Но в марте 1953 года Сталин умер, новые вожди вернулись к «шаляпинской теме» только спустя три года. В 1956 году в ЦК КПСС рассматривалась докладная записка тогдашнего министра культуры Н. Михайлова, в которой подтверждалась правильность лишения Шаляпина звания народного артиста в 1927 году, однако в новых исторических условиях предлагалось «не только имя, но и все наследие Ф. И. Шаляпина вернуть нашей стране»[75]. Проект постановления ЦК КПСС предполагал отметить в октябре 1956 года 60-летие со дня первого выступления Шаляпина в московских театрах и возвращение певцу звания народного артиста. Резолюцию наложил секретарь ЦК КПСС П. Н. Поспелов: «Полагаю, что нет оснований восстанавливать Ф. И. Шаляпину звания народного артиста Республики». Юбилейный спектакль, однако, состоялся — 4 октября перед представлением «Ивана Сусанина» в Большом театре выступил генеральный секретарь правления Союза композиторов Тихон Хренников, прозвучала «Дубинушка»[76]. А 9 августа 1957 года на доме Шаляпина на Новинском бульваре открыли мемориальную доску — выступали П. Марков, И. Козловский, Р. Симонов, Тито Скипа[77].

К концу 1960-х годов возникло намерение создать двухсерийный фильм о Шаляпине. Идея родилась у Марка Донского, народного артиста СССР, признанного кинематографического мэтра. Начав свою служебную карьеру в следственных органах Украины, Донской в зрелые годы переквалифицировался в режиссера, его фильмы о Ленине, экранизации горьковской трилогии и повестей «Мать», «Фома Гордеев» имели успех. Сценарий о Шаляпине создавался совместно с Александром Галичем, первая часть дилогии называлась «Слава и жизнь», вторая — «Последнее целование». Интервью М. Донского в «Советском экране» в начале 1968 года называлось «Шаляпин без легенд»[78]. Прохождение сценария через «инстанции» шло трудно — только 21 марта 1971 года «Советская культура» сообщила о предстоящем начале съемок[79]. К тому времени сценарий уже имел три части — «Душа без маски», «Слава», «Маска и душа». Но тут опять вмешались «органы» — вызывающее поведение А. Галича и последующая его вынужденная эмиграция поставили на фильме о Шаляпине крест — М. Донскому в утешение дали в 1971 году звание Героя Социалистического Труда.

Федор Иванович, как известно, выбрал себе место на парижском кладбище Батиньоль. В 1964 году рядом похоронили его жену Марию Валентиновну. Но для большевистского сознания предсмертная воля не более чем буржуазный предрассудок. В 1984 году «инициативная группа» объявила о намерении перенести прах певца из Парижа в Москву. За содействием обратились к своему человеку в «органах» — писателю Юлиану Семенову, автору нашумевших «Семнадцати мгновений весны», а он уже связался непосредственно с председателем КГБ СССР Ю. Андроповым[80]. Авторитет и всемогущество тайной полиции обеспечило патриотическому мероприятию успех — 29 октября 1984 года состоялось перезахоронение праха певца на Новодевичьем кладбище в Москве. Примечательно –и тут государство и партийные власти на всякий случай дистанцировались от церемонии, препоручив ее проведение «музыкальной общественности» — представителям Союза композиторов и Большого театра.

Посмертные пути Шаляпина и Горького оказались насильственно сближены — урна с прахом основоположника соцреализма и выдающегося общественного деятеля СССР замурована в Кремлевской стене. На первом по государственному рангу кладбище — Новодевичьем, где хоронят только видных большевистских вождей, военачальников, государственных людей, деятелей русской культуры, оказался и Шаляпин — до захоронений Хрущева, Микояна, Коллонтай рукой подать. Могила Шаляпина в Париже восстановлена в изначальном виде — ее, как и прежде, венчает темный мраморный крест. На могиле в Новодевичьем кладбище вместо креста — в вальяжной позе в кресле восседает сам Шаляпин — скульптура не предназначалась для надгробия, а оказалась здесь по воле случайных обстоятельств.

Миф о раскаявшемся грешнике посмертно внедрен в общественное сознание насильственно и закреплен предметно. В 1991 году Шаляпина восстановили в звании народного артиста — уже не Северных областей, а Республики[81]. Из квартир в Москве и Петербурге выселены жильцы — здесь теперь музеи. Однако, что в ту пору позволено столицам, не было дозволено в провинции. Когда в 1980-х годах в Казани, на родине Шаляпина, задумали поставить памятник певцу, старые большевики и ветераны дружно выступили в местной печати против увековечивания памяти «изменнику Родины». Понадобилось пятнадцать лет, чтобы сменился государственный строй, ушли старые поколения, чтобы «общественное мнение» успокоилось и пришло к «консенсусу» — 29 августа 1999 года на открытии памятника Шаляпину в Казани выступали вице-премьер Валентина Матвиенко и внучка певца Ирина Борисовна.

Если трансформировать взгляды М. Бахтина на социокультурную ситуацию России XX века, можно сказать, что в эту пору наступила тотальная карнавализация публичной жизни, активно востребовалась идеологизация сознания, в ходе которой старая картина мира с присущей ей атрибутикой, безусловно, отвергалась и подчас агрессивно, насильственно внедрялась новая картина мира с новыми ценностями, стереотипами и наименованиями, с новыми символами веры. Шаляпин, как одна из самых ярких фигур, оказался вовлечен в диалог политических сил, он оказался носителем этого карнавализированного жития.

Мифы и маски Шаляпина — это отражение напряженного диалога, длящегося весь XX век, диалог культур, диалог власти и художника, диалог тоталитарного, массового и индивидуального сознания, диалог разных ценностных смыслов, диалог, в котором Шаляпин как художник и как человек в конечном счете оказался и победителем, и жертвой.

Примечания

[1] *Берковский Н. Я.* Литература и театр. М., 1969. С. 211.

[2] См.: *Зоркая Н. М.* На рубеже столетий. М., 1976.

[3] Цит. по: *Стернин Г. Ю.* Художественная жизнь России XIX–XX веков. М., 1970. С. 216.

[4] *Грабарь И. Э.* Театр и художники // Весы. 1908. № 4. С. 92.

[5] Л. С. Бакст о современном театре // Петербургская газета. 1914. 21 января. С. 3.

[6] *Спиро С.* О художественной декорации. Беседа с К. А. Коровиным // Русское слово. 1909. 6 сентября. С. 3.

[7] *Станиславский К. С.* Собр. соч.: В 8 т. М., 1954–1961. Т. 5. С. 420.

[8] *Горький М.* Собр. соч.: В 30 т. М., 1949–1956. Т. 28. С. 113.

[9] *Бунин И. А.* Собр. соч.: В 9 т. М., 1964–1967. Т. 9. М., 1967. С. 388.

[10] *Чехов А. П.* Собр. соч.: В 12 т. М., 1954–1957. Т. 11. М., 1957. С. 87.

[11] Встречи с прошлым. М., 1990. Вып. 7. С. 258.

[12] *Беляев Ю. Д.* Шаляпин в «Фаусте» // Федор Иванович Шаляпин. М., 1915. С. 58.

[13] Там же. С. 59.

[14] *Горький М.* Собр. соч. Т. 28. С. 204–205.

[15] Там же. Т. 6. С. 269.

[16] Там же. Т. 28. С. 348.

[17] Там же. С. 184–185.

[18] Литературное наследство. Т. 72. М. Горький и Л. Андреев. М., 1965. С. 167.

[19] *Беляев Ю. Д.* Указ. соч. С. 53–54.

[20] *Серафимович А.* О Шаляпине // Там же. С. 45.

[21] Московские вести // Русские ведомости. 1905. 20 октября. С. 3.

[22] *Бунин И.* Повести и рассказы. М., 1961. С. 582.

[23] Там же. С. 587–588.

[24] *Горький М.* Собр. соч. Т. 29. С. 298.

[25] См.: *Теляковский В. А.* Воспоминания. М., 1965. С. 78.

[26] Скандал в доме кн. Юсупова // С-Петербургские ведомости. 1908. 26 января. С. 2.

[27] *Толстой Л. Н.* Полн. собр. соч.: В 90 т. М., 1929–1958. Т. 54. С. 98.

[28] Там же. Т. 85. С. 245.

[29] О Шаляпине // Столичная молва. 1911. 24 января.

[30] Федор Иванович Шаляпин // Литературное наследство. Письма. Воспоминания о Шаляпине. Статьи, высказывания: В 3 т. М.. 1976–1978. Т. 1 С. 433–434.

[31] *Дорошевич В.* Старая театральная Москва. М., 1923. С. 41–41.

[32] Цит. по ст.: *Грошева Елена.* Из семейной хроники // Музыкальная академия, 1993. № 3. С. 95.

[33] *Горький М.* Собр. соч. Т. 29. С. 187.

[34] Объяснения Шаляпина // Киевская почта. 1911. 21 июня. С. 2.

[35] *Шаляпин Ф. И.* Страницы из моей жизни. Маска и душа. М., 1990. С. 95.

[36] Архив А. М. Горького. М., 1954. Т. 4. С. 130.

[37] Цит. по кн.: Константин Коровин вспоминает... Л., 1990. С. 553.

[38] *Лебедева В.* Борис Кустодиев. М., 1997. С. 36.

[39] *Потемкин А.* Автобиография Федора Ивановича Шаляпина // Петербургская газета. 1907. 26 августа 4 сентября.

[40] *Горький М.* Собр. соч. Т. 29. С. 95.

[41] См.: Летопись жизни и творчества А. М. Горького. М., 1958. Вып.2. С. 585.

[42] *Шаляпин Ф. И.* Автобиография // Летопись. 1916. № 12. С. 9.

[43] *Бенуа Ал.* Жизнь художника. Воспоминания. Нью-Йорк, 1955. С. 498.

[44] *Толстой А. Н.* Февраль прошел // Русские ведомости. 1917. 14 марта. С. 3.

[45] *Блок А. А.* Записные книжки. Л., 1928. С. 180.

[46] *Он же.* Дневник: В 2 т. М., 1928. Т. 2. С. 295.

[47] *Он же.* Записные книжки. С. 244.

[48] *Маковский С.* «Марсельеза» у «Контана» // Аполлон. 1916. № 3. С. 4.

[49] *А. К.* Концерт Ф. И. Шаляпина // Крымский вестник. 1917. 13 июля.

[50] Александр Бенуа размышляет... М., 1968. С. 57.

[51] *Бальмонт К.* Революционер я или нет. М., 1918. С. 33–34.

[52] *Блок А. А.* Записные книжки. С. 194.

[53] *Грабарь И. Э.* Письма. 1891–1917. М., 1974. С. 319.

[54] Вести из Петрограда // Аполлон. 1917. № 2–3. С. 82.

[55] Ф. И. Шаляпин — народный артист // Красная газета. 1919. 13 ноября (веч. вып.).

[56] *Бунин И. А.* Там же. Т. 9. С. 386.

[57] См.: *Шаляпин Ф. И.* Страницы из моей жизни. Маска и душа. С. 388.

[58] Там же. С. 396.

[59] Там же. С. 421.

[60] *Чуковский К. И.* Дневник. 1901–1929. М., 1997. С. 148.

[61] Литературное наследство. Т. 80. В. И. Ленин и А. В. Луначарский. М., 1971. С. 289.

[62] *Чириков Е.* Смердяков русской революции. Роль Горького в русской революции. София, 1921.

[63] *Горький М.* Собр. соч. Т. 25. С. 226–235.

[64] *Левин С.* Беседа с Шаляпиным // Возрождение. 1927. 23 июня (Париж).

[65] *Паклин Н.* Неизвестные письма М. Горького // Новый мир. 1986, № 1. С. 188.

[66] Там же. С. 190.

[67] Архив А. М. Горького. М., 1969. Т. 12. С. 69.

[68] *Паклин Н.* Указ. соч. С. 190.

[69] *Шаляпин Ф. И.* Маска и душа. М., 1989. С. 289.

[70] Там же. С. 289.

[71] *Рейзен М.* Умер Шаляпин // Известия. 1938. 14 апреля. С. 3.

[72] Известия. 1938. 22 апреля. См. также: *Рейзен М., Эфроимсон А.* Чего нам это стоило? // Огонек. 1989. № 2. С. 29.

[73] *Никулин Л.* Воспоминания о Шаляпине // Новый мир. 1945. № 2–3. С. 138–188.

[74] Ф. И. Шаляпин — великий русский певец // Известия. 1953. 17 февраля.

[75] Люди и бумаги // Советская культура. 1993. 24 июля. С. 3.

[76] Памяти Шаляпина // Там же. 1956. 9 октября.

[77] Здесь жил Шаляпин // Там же. 1957. 13 августа.

[78] *Донской М.* Шаляпин без легенд // Советский экран. 1968. № 13. С. 3.

[79] Фильм о Шаляпине // Советская культура. 1971. 7 марта. См. также: *Галич А.* Фёдор Шаляпин. Киносценарий // Соч.: В 2 т. М., 1999. Т. 2. С. 7–168.

[80] *Семенов Юлиан.* Возвращение Шаляпина // Совершенно секретно. 1991. № 1. С. 15–22; см. также: Отец Борис и матушка Наталья // Новый мир. 2000. № 1. С. 165–166.

[81] Звание народный // Советская культура. 1991. 19 июня.

Ирина Уварова

Вячеслав Иванов: российский Бранд

Среди бесчисленных дарований Вячеслава Иванова мне хочется остановиться на одном, если окажется возможным на том остановиться.

Он был искусным ловцом душ, в чем было столько же прирожденного магнетизма, сколько утонченного и глубоко интеллектуального искусства обольщения.

Я постараюсь сосредоточить внимание на том, как он увлек артистический Петербург. Впрочем, не только Петербург. Увлек, обольстил. Навел античный морок. И пошли за ним! И шли, чтобы создать в нашей Северной Пальмире грандиозный античный театр. Его можно было бы именовать так: театр имени Диониса и Иванова–Ницше (на манер того, как позже будет называться другой театр именами Станиславского и Немировича-Данченко). А зрителей обратить в древних греков. Воистину так. И будемте все хоть на миг да греки. Только еще лучше.

И пошли за этим Брандом, чтобы не сказать — за его гамельнской флейтой. Но только как его ни назови, он оказался автором одной из самых неимоверных утопий, собираясь спасти в конечном счете кого-то, а точнее, всех с помощью такого театра.

Но позволю предварить тему неким письмом, в нем сохранился след — след на прикаспийском песке.

Из письма поэта В. Портнова, проживавшего в Баку, в ответ на просьбу сообщить, что́ он знает о пребывании В. И. Иванова в Баку в 20-е годы.

«Я знавал некоторых учеников (в т. ч. известного литературоведа В. А. Мануйлова), но специально о нем не расспрашивал...

Он (Иванов. — *И. У.*) отдыхал в Баку от голода, мороза и разора, и виделся ему Баку по-гетевски: „На Восток отправься дальный (так. — *И. У.*) воздух пить патриархальный“. Его пленяла библейская нетронутость окрестностей: степь, колючки, змеи. Фаланги, жара, безлюдье, пустынное в это время море, караваны из Персии (граница была открыта) — я их тоже еще помню. Он был окружен благоговейными учениками, юными поэтами — студентами только что образованного университета. Кажется, никто из них не стал профессионалом, но несколько образованных филологов из этого кружка вышло. В 1945 году я ходил в литкружок при центральной библиотеке. Однажды там разбиралась пьеса Симонова „Так и будет". Пришли участники постановки. Вдруг выступила пожилая дама и начала критиковать пьесу, ссылаясь на „нашего учителя Вячеслава Иванова". Как я ни был зелен, а понял, что столкнулись две поэтики. Эмпирический театр, состоящий из бытовых сцен, и какой-то другой — со специальной структурой и избранными амплуа. Все очень удивились и не понимали, зачем это нужно. Пьеса Симонова нравилась „похожестью". „Мы добивались простоты и жизненности", — заявила актриса, игравшая ведущую роль. Старая дама (теперь я понимаю, что ей было лет сорок) твердила, что нельзя писать пьесы, руководствуясь только этим; пьеса не может быть слеплена из разрозненных сцен. Мне было за нее досадно, и тяготило ощущение некоторой бестактности. Как все мальчики того времени, я был поклонником Симонова, „простоты и жизненности".

Ученицу Вяч. Иванова звали Сарра Абрамовна Девек. Ее уже нет в живых. Она, по-видимому, была характерным примером „ушибленности" Вяч. Ивановым.

Баку, 24–VI. 1982»[1].

В этом воспоминании, весьма незатейливом, все же что-то есть. Ученическая верность, готовность идти за ним, Учителем, даже тогда, когда идти некуда, кругом либо сыпучие пески, либо вязкие бытовые пьесы, да еще и скверные. И есть два театра — два мира. Мир — Театр Иванова огромен, несоизмерим с иными хотя бы в масштабах. Воистину мир — театр, а люди в нем — актеры, при этом все.

От начала XX столетия он создал свое учение о Театре (о Театре с заглавной буквы). Сам до борьбы с натурализмом на сцене не снисходил, может быть, не замечал столь малых величин. Но за ним двинулись борцы. Они люто ненавидели этот самый натуралистический Театр (с буквы прописной), с его фальшивой простотой и лживой жизненностью. Нет нужды напоминать, кто победил. Во всяком случае, победу эта «жизненность» праздновала на забытой могиле Серебряного века несколько доставшихся нам десятилетий подряд.

Но «Брандом» он не был, он им стал. Был резкий слом судьбы. Такое случается у Шекспира — шел себе мирно человек своей дорогой, как вдруг получил три ослепительных и соблазнительных знака, и вот уж он другой. Правда, Шекспир имел дело со злодеями, которые не попадались на пути нашего героя. Но великий соблазн ему послан был, а откуда — толковать не берусь. Высокопарно выражаясь, он получил удары трех шаровых молний почти одновременно, и природа его изменилась, так и бывает, если молния шаровая, о чем судачит народная мудрость. После чего он и стал Брандом.

Вскоре за ним пошли, потому что теперь он излучал мощную притягательную энергию (энергия — его слово: «энергия искусства»). Однажды он написал о двух богоборческих началах, то были дух растления Ариман и Люцифер, дух возмущения. Он вовсе не был бунтовщиком, но люциферическое свечение озаряло его дорогу несколько «брандовских» лет.

Поначалу же участь его была типична, чрезвычайно типична для интеллигента из разночинцев той поры, когда XIX столетие от Р.Х. перевалило далеко за вторую половину, и всякий клочок российской почвы под ногами становился сомнительным. Он метался от берега к берегу, маялся поисками, одно лишь в пространстве его души никогда не менялось: НАРОД. То было наследство от отца-шестидесятника, ответственность просвещенной личности перед темным народом — отнюдь не последняя причина в его установке на единстве Поэта-символиста и народа-мифотворца. А чем одарила мать? Любовью, конечно, и надеждой на его поэтическое призвание. Он же помнил о ней так, как вообще вспоминали матерей символисты, отводя им видное место в своем пантеоне, близ алтаря Софии, мудрой и прекрасной. Она была восторженной почитательницей Александра II, освободителя, а еще истинной христианкой.

Да, но православие—самодержавие—народность — три черепахи, на которых стояла русская ментальность, вдруг потеряли авторитет; к пятнадцати годам он взбунтовался, впал в безбожие, в ересь цареубийства, но кто из сверстников, а потом и собратьев по общему делу не пережил подобной ломки? Кто не изведал разрушающей силы противоречий и неловких поворотов самосознания? Гимназисты и студенты теряли идеалы, кончали петлей, оставляли отчаянные записки. Отвергнутый Бог уберег его, он не стал террористом. И хотя не отказывал преследуемым революционерам в сочувствии, что входило в кодекс чести русского интеллигента, все же порекомендовал одной даме, собравшей портреты знаменитых борцов с чем бы то ни было, прибавить к ним изображение Венеры Милосской. Но от правительств догадывался дистанцироваться всегда, и от царя, и от опасных большевиков, и от итальянских свирепых опереточных фашистов. Позиция его была скромна и благородна, без театрализованных жестов. Когда по окончании Московского университета он отправился в Германию продлить обучение, а царский режим предусматривал на то стипендию, он от стипендии отказался, не принял, сам зарабатывал, учась. Был в семинаре Моммзена, писал о системе откупов в Риме и удивлялся умилению, с коим Моммзен говорил о государственности, хотя бы и римской. Образование получилось солидное. Он стал серьезным историком и эрудированным филологом.

Усидчивая работа в парижских архивах. Жена. Семья. И он писал стихи. Без его ведома супруга понесла их Владимиру Соловьеву. К нему можно было идти, когда не было сомнений в том, что стихи ему придутся по сердцу. Сборник был назван «Кормчие звезды».

Кончался XIX век, а вместе с ним первая часть жизни Вячеслава Иванова, ученого и поэта. На острие сомкнувшихся столетий и произошел тот самый перелом судьбы, и он стал Вячеславом Великолепным, так теперь его называли, приравнивая к рангу королей.

А что это за три вещих ослепительных знака, полученных им?

Прочел Ницше, познал о Рождении трагедии из духа музыки и доверил себя Дионису, опасному богу.

Получил благословение Соловьева и принялся прививать ухоженную Фридрихом Ницше дионисийскую лозу к укоренившемуся на Руси стволу учения о сверхчеловеке.

Третье же по справедливости следовало бы поставить номером первым: встретил великую любовь в лице Лидии Дмитриевны Зиновьевой-Аннибал. Дама, получившая от него наставление по части Венеры, — это была она. Венера их и соединила, благословив на античный манер. Они встретились в Риме. Вместе были в Греции, в краю античных богов, и сами ощутили себя подобными им. Существами высшего порядка. Во всяком случае, у них изменилось зрение. Ведь люди видят мир, как могут, а пчелы тот же мир видят иначе, и совсем другое видят в том же мире кошки. Что ж говорить о богах, да и греческих к тому же? Уж будьте уверены, они видели то, о чем мы, люди, и не подозреваем. Но Вячеслав Иванович и Лидия Дмитриевна заподозрили. Эллада была самым подходящим местом на земле для того, чтобы совершать экскурсы в глубины психики в надежде достичь едва мерцающего мифологического начала начал. И нельзя эти начинания ограничить лишь влиянием Фридриха Ницше.

На рубеже столетий цивилизация жаждала заглянуть в невидимое, не упускала ни одной щели в стене, отгородившей люд от мертвецов, от нечисти, от скитающихся душ. Я не только про медиумов вроде Яна Гузика, что впечатлял завсегдатаев столичных салонов своим ясновидением, но также и о венской школе психологов, добиравшейся до глубин на свой лад. Тут складывалось учение К.-Г. Юнга о коллективном бессознательном, столь созвучное российским разговорам о народе-мифотворце. Психоанализ Зигмунда Фрейда препарировал древние зоны души, где сохранялись всяческие «табу», которые, кстати сказать, символисты с готовностью нарушали, заглядывая в те же древние зоны.

Самое замечательное было в том, что, нарушая человеческие запреты и неоднократно, Иванов никогда не допускал в себя рефлексию, столь свойственную русскому интеллигенту. Никаких избыточных покаяний, угрызений. Он овладел искусством достигать равновесий и не терпел неразрешимых противоречий. Истинный символист, он сопрягал в пределах одного символа различные грани явлений. Он вернулся к вере, но в немыслимо расширенном варианте. И представить себе невозможно, как это все уживалось: и Дионис, и Аполлон, впрочем, Дионис важнее — он был предтечей страдающего Бога христиан. Но и того мало: православие и католичество со временем соединились в нем на мирных основаниях. В отличие от несчастного пророка Ницше, он, принимая на себя миссию, превышающую человеческие возможности, выходил из испытаний без урона для психики.

Ницше—Эрос—Дионис: кумиры взывали ко вседозволенности. Они открыли Иванову многое и обрекли счастливому назначению стать «популяризатором», толкователем тайных доктрин — и он стал. Не только реформатором нового искусства, хотя бы театра. Но и «знающим», как спасти мир. Через искусство, разумеется, но как? И что нужно сделать для того, чтобы в конечном счете все люди стали бы произведениями искусства? Иванов знал, что и как нужно сделать.

Он посетил раскопки храмов и углубился в изучение Диониса, поскольку восторг перед Ницше не помешал учинить ревизию его учению и упрекнуть в недостаточном доверии этому божеству.

Ницше привлек Диониса для важного дела — для противостояния унынию, депрессии и эсхатологической обреченности, охватившей современников в ожидании конца века и конца света. «Является ли пессимизм необходимым признаком заката, упадка, неудачничества усталых, обессиленных инстинктов?» — спрашивал Ницше[2] и отвечал, приведя примером театр Диониса, страдающего бога мистерий, богочеловека, растерзанного титанами и обреченного возвращаться из царства смерти. Дионис поощрял опьянение — от вина, экстаз — от театра и соблазнял зрителя стать козлоногим сатиром, тварью вольной и от условностей освобожденной.

До поры до времени жизни Ницше и Иванова являют пример двойничества, а к «парности случаев» символист чуток. Оба кабинетные ученые, оба античники. Оба многое обещали классической науке, и оба в обещаниях обманули — и причины для измены были однородны. Оба услышали зов, призыв, музыку сфер, как говорили «новые люди». Вот-вот, именно так: восстань, Пророк!

Пророки новой формации принимали посвящение в чин сверхчеловека «по цепочке» друг от друга. Бетховен. Шопенгауэр. Вагнер. От Бетховена исходил заряд сверхчеловеческих сил, во всяком случае магистерская диссертация Ницше «Рождение трагедии из духа музыки» оплодотворена финалом девятой симфонии, в самом тексте научного труда ощутимо возбуждение особого свойства[3].

Цепочка сработала — возбуждение достигло Вячеслава Иванова.

«Властителем моих дум все полнее и могущественнее становился Ницше», — писал он[4], равняя ницшеанство с любовью к Лидии. И чистосердечно пояснял, как именно ницшеанство помогло совершить выбор между чувством и долгом перед первой, оставленной женой — в пользу чувства.

Он ехал в Россию, паломником — к Соловьеву. Было это в 1900 году. Иванов представил ему Л. Д.: в конце концов молодые поэты «нового тона» именно у Соловьева учились чтить Прекрасную Даму. Была беседа. Иванов готов был принять учение о сверхчеловечестве, но есть ли сие проблема богочеловечества? Похоже, был мягкий диспут. Впрочем, кажется, Вячеслав Иванов уже знал нечто о сверхчеловеке на собственном примере. Во всяком случае, соловьевское понятие «Теург» оказалось ему близко, он уже готов был, подобно халдейскому жрецу, войти в контакт с богами, а позже — и с духами.

Итак, они возвращались в Россию вдвоем — Поэт и Прекрасная Дама. Поэт-символист просто обязан был иметь свою собственную прекрасную даму, они вместе составляли единство, которое китайцы назвали бы Инь-Ян, в чем вся мудрость мироустройства. Дама же воистину была прекрасна — светлая грива белого льва и гордая повадка нежной и сильной львицы, и черные тени в глазницах, словно киногрим Веры Холодной. Уже в Петербурге один молодой поэт, победив стеснительность, спросил, зачем нужно краситься так вызывающе, она смеялась: да ведь это родовая чернь Ганнибалов. Можно представить, как это виделось Иванову — еще один многозначный, многомыслимый знак, полученный от Пушкина, а также от его Пророка, увидевшего вдруг глубины вод «и дольней лозы прозябанье». И лоза-то дионисийская! Разумеется, Л. Д. была еще и сивиллою, во сне увидела круглую башню, поутру пошла ее искать по Петербургу. И нашла. Впрочем, это-то как раз никого тогда поразить не могло, все были экстрасенсы, что-нибудь да видели, в чем находили признак «новых людей», организованных более тонко, более сложно, более высоко. Потому и годились для свершения высших целей.

Итак, осенью 1905 года...

Но предоставим слово другому.

«Триумфальный Въезд Иванова в Россию (приездов было много и раньше, но Въезд один — осенью 1905 года) в одночасье сделал поселившегося на Башне поэта духовным средоточием едва ли не самой рассредоточенной из российских культурных эпох. Не обладая ни поэтическим гением Блока, ни спорадической философской прозорливостью Белого, ни организаторской целеустремленностью Брюсова, Иванов сразу признан был беспрекословным авторитетом во всех означенных сферах, отобрав попутно у Брюсова титул Верховного Мага: стало очевидным, что это звание по праву принадлежит Теургу, а никак не „декаденту“, променявшему на венок — Венец»[5].

Этот текст, отнюдь не вполне лестный, свидетельствует как раз о том, что «Въезд» свершился другим Ивановым, тем, который формировался вдали от Родины пять лет. Он не суетился, локтями никого не расталкивал, в лидеры не лез, все само к нему шло.

Однако в России были к тому времени известны его стихи и его труды об искусстве, их регулярно печатали «Весы», а кто ж в России в ту пору не читал журнал символистов? Читали все, кто испытывал тоску по новым формам. Так что о том, как он смотрит на искусство, на его роль в ближней грядущем, на античный театр, — были осведомлены.

Отчасти и готовы. Вообще античность становилась близкой. В 1902 году Айседора Дункан, босая, без корсета и в греческом хитоне плясала в Благородном собрании, произвела неизгладимое впечатление на зрителей вообще, на символистов особенно, они в том узрели лишнюю надежду на обновление театра и жизни. Может быть, и весь народ запляшет таким образом, когда страна покроется фимелами и орхестрами... Во всяком случае Иванов обещал, что покроется.

Башня у Таврического сада! Редко когда квартирная точка вдруг начинала играть такую роль, формотворческую, могу сказать. Не к салону можно и нужно равнять Башню, а к Смольному. Эстетический штаб художественной революции с конечной целью построить новый мир, преображенный магией искусства. Начались Среды — с вечера среды до утра четверга. На среды пошли все. Не только люди искусства, но и политики, философы, физики. Должно быть, и они поддались убежденности Иванова в том, что с искусством нужно считаться куда более, чем это принято у нас.

Лидия Дмитриевна встречала интеллектуальный и артистический Петербург несколько необычно даже до того времени, когда необычностью никого не удивишь. В алой античной одежде, вольно собранной на плечах. Предлагала считать себя Диотимой, умной и находчивой в диалогах и в беседах с учеными мужами женою Сократа. Сократом же должен был явиться сам хозяин Башни. Правда, к костюмированию он не прибегал. Зато декорации в некотором роде стилизовали обстановку платонова Пира: никаких стульев, канапе, кушеток. Ковры на полу, на коврах подушки. Еще цветы и вино в умеренности. Правда, есть и прозаические пояснения такой экзотике: говорили, что мебель, отправленная из Европы, долго не могла достичь Башни, отсюда и ковры, сидение или полулежание на подушках, весь этот временный бивуачный и богемный антураж. Тем интереснее, если случайность породила миф, как мышь — гору. Мифы в среде символистов были в большой цене.

А что хозяин? Был он таков: «Когда дело касалось поэзии, он чувствовал себя непременным руководителем хора... И наружность его вполне соответствовала взятой им на себя роли. Золотистым ореолом окружали высокий, рано залысевший лоб пушистые, длинные до плеч волосы. В очень правильных чертах лица что-то рассеянно-пронзительное. В манерах изысканная предупредительность граничила с кокетством. Он привык говорить сквозь улыбку, с настойчивой вкрадчивостью. Высок, худ, немного сутул... Ходил мелкими шагами. Любил показывать красивые руки с длинными пальцами»[6].

Но сколько там было споров! А более всего вокруг театра. Кто во что горазд, у каждого был свой проект. Похоже было на ту площадь в греческом городе, где толпились фигляры и философы, и каждый философ кричал свое: «Все от огня» или же «Все от воды», фигляры или балаганщики изображали тут же собою и огонь, и воду. А в 1906 году на Башне появился Всеволод Мейерхольд, готовый воплотить в театральной новой форме заветы древности. Потом стали приходить актеры от Комиссаржевской.

Вячеслав Иванов излагал проект своего театра: античного, грандиозного, в котором (выражаюсь фигурально) Дионис провоцировал зрителя полностью «отпустить вожжи», включиться в оргию, творимую на «скене», но где Аполлон мог бы ввести оргиастическое радение в разумные формы. Система была сложна, Дионис распоряжался музыкой, Аполлон — прочими искусствами, архитектурой хотя бы. Богам предстояло обстоятельно потрудиться: ведь в процессе радения или же исполнения мистерии, или трагедии зрители всем миром должны были пережить преображение, стать произведениями... Вообще слишком многое тут соединялось. Строение театра в архитектурном смысле — так, чтобы зрителю ничто не мешало, распалившись и входя в раж от того, что творится на сцене, с этой сценою слиться. Это была проблема рампы, разъединившей общину. Иванов говорил: само устройство античного театра может с проблемой рампы покончить. А так говорил он и о роли корифея, и. о. хора.

За этим стояло важное положение: Поэт и народ. Поэт, который будет учительствовать мифом, и народ-мифотворец. Миф обретал огромную власть над умами или душами, ведь акции мифа высоки, когда мир не замыкается в коробке о трех измерениях, а человек жаждет оказаться в коробке многогранной. Во всяком случае, совершенно необходимо, чтобы четвертое измерение стало обжито, как собственный дом. Может быть, как собственный храм, где гнездятся постигаемые тайны, а таинственное возбуждает, как гашиш. Вот тут и зазвучало ключевое слово применительно к Театру: слово это было «мистицизм».

Мистический театр! Об этом будут говорить на Башне Мейерхольд, Чулков. И Габрилович, физик и приват-доцент, он же Галич, автор манифеста театра «Факелы» — так собирались назвать этот античный, этот ницшеанский, этот ивановский театр.

Среды только и начались осенью 1905-го, а в начале января 1906-го — уже на Башне обсуждали реальный план театра «Факелы», если только можно употреблять слово «реальный» по поводу великих замыслов символистов. На то хватило полгода. Очевидно, происходило учредительное собрание. Все явились, буквально все, художники новой волны, поэты, вкусившие от плодов символизма, драматурги — искатели ключей к новой драме. Словом, «декаденты», как всех их скопом обозвали недоброжелатели. Однако пришел и Максим Горький, никакой не декадент; авторитет его и тогда был не мал, кроме того, за ним стояло общество «Знание». Из Москвы прибыл Сулержицкий — самому интересно, но и Станиславскому тоже. Короче, всех всколыхнуло, даже Толстого. Дело обещало стать грандиозным, искусство, да и не только театральное, могло обрести иной магистральный путь. На российскую почву пролился дионисов хмель, а наша культура едва не перестала быть центрологической...

Тут не могу не вспомнить отрезвляющую реплику Блока. «Первый № — номер Вячеслава Иванова; над печальной Россией в лохмотьях он с приятностью громыхнул железным листом...»[7]

Хотя, конечно, сказано было позже, когда уже все дионисийство испарилось. Но, как видим и как увидим еще, осадок выпал, забыто было не скоро. Странная все-таки вещь — память культуры. Иногда она пользуется иронической формой сохранности воспоминания, и форма эта весьма прочна.

Но 3 января 1906 года на Башне действительно приступили к решительным действиям. Режиссером нового театра сразу признали Мейерхольда — кого ж еще? Тут и обсуждать было нечего. Едва прибыв в Петербург, он явился на Башню и ни одной Среды не пропустил. Слушал и говорил сам. С Вячеславом Ивановым сдружился, семьи сблизились. Вот он сейчас и делал доклад. Вроде бы все соответствовало Иванову, а в то же время в докладе затаилось свое. Иванов этого не увидел, увлеченный конкретностью программы, плененный единомыслием.

Общего же было много, хотя бы то, что театр такой годился и для трагедии, и для комедии. Но самое главное — им, в их «башне слоновой кости» необходимы, совершенно необходимы были «массы». Чтобы сцена — модель всей Земли, чтобы Зритель — весь народ, весь — не более и не менее. И потому, сказал Мейерхольд, это не будет театр под стеклянным колпаком, но должен быть понятен всем[8].

Когда бы жизнь Мейерхольда не оступилась в трагедию, можно было и сказать про иронию судьбы, не забывшей тот «стеклянный колпак». Тридцать лет спустя Мейерхольд собрался учинить стеклянную крышу на здании своего театра в советской Москве, на Триумфальной площади. Вообще же в том архитектурном проекте, в том здании, стоящем в лесах, было немало давних идей Вячеслава Великолепного[9]... Только все рухнуло, а Мейерхольда уже поджидал ужасный конец.

Однако каким образом эти возвышенные эстеты собирались создать «театр для всех?» И как они собирались достичь души народа? Мейерхольд в той же лекции объяснил: через мистицизм. Вводя в «неземной (сверху — потусторонний) мир»[10].

Мистицизм — вот новая религия, а театр — храм мистицизма. Но что такое храм, какого божества? Софизм очевиден, это божество по имени Театр.

На уровне мистического откровения все равны. Храмовое моление и ритуальная оргия не требуют ни воспитания в лицее, ни библиотечных знаний. Но она гарантирует соборность, столь важную для Иванова. Существовали древние способы вводить всех разом в состояние экстаза, подвести к отгадке непостижимого. Но равенство равенством, а все же обостренной чувствительности Поэта в этом процессе уготовано особое место. Речь шла о поэте-мисте, как называли творца мистической ориентации. Иванов же ходил в мистагогах.

В Манифесте театра «Факелы», написанном Л. Галичем[11], говорится, как в каком-то, никак не определяемом пространстве свободно и непринужденно раскиданы мягкие низкие сиденья таких причудливых форм, будто это и не мебель вовсе. И где-то отодвигается занавес, за ним загорается, как в зеркале, «золотой сон». Но перед тем как золотому сну загореться, зрителям при входе выдадут античный реквизит, их встретят мисты, актеры и поэты, будут читать стихи, вовлекут в хоровое пение и хоровую пляску. «Разогреют», подготовят к погружению в тот золотой сон... Трудно представить в подобной роли Блока, но придется представить Иванова. Как цитировал популярный стих Актер у Горького в пьесе «На дне» — «Честь безумцу, который навеет / Человечеству сон золотой!» О чем следует вспомнить, когда речь дойдет до критики «ивановщины», весьма жесткой и уж абсолютно беспощадной. В том театральном пространстве гипотетического театра «Факелы» не считывается ли «античная» освобожденность от скучных обыденных предметов на Башне?

Манифест содержал косвенную полемику с Николаем Вашкевичем, открывшим в Москве в 1904 году «Театр трагедии» под знаменами Диониса и Иванова, где как раз мистицизм был профанирован и опошлен соприкосновением с грубой материей. Если критики были справедливы, а судя по всему справедливы и были, при самых серьезных намерениях режиссера получилось нечто курьезное. Похоже было на того художника, который создал портрет возлюбленной Соломона, честно расподобив метафоры «Песни песней». О том, что получилось, писал Саша Черный. С тою же добросовестностью Вашкевич доверился текстам Вяч. Иванова, поэзии в них рядом с философствованиями было не меньше, чем у царя Соломона. Вашкевич просил Учителя благословить на ратный подвиг во славу «Дионисова действа». Так что Башня скандальным провалом сего начинания была озабочена. В поспешности по созданию «Факелов» была еще и контрмера против Вашкевича.

На деле же с «Факелами» ничего не вышло. Замыслы Вячеслава Иванова требовали исполинского строительства и той архитектуры, которую создали греки, но которая не была свойственна Петербургу. Средств на строительство не было, по правде говоря, их и не очень искали. Даже и просто помещения, описанного в Манифесте, не искали, кажется, тоже. Впрочем, вели кое-какие переговоры с С. Дягилевым.

Что ж... Но если не состоялся театр, то оформилась и созрела идея, а истинный символист ценил горние идеи не менее чем их земное воплощение, пожалуй, и более.

Дионисизм в России, кажется, не собирался привиться, античность не получалась на холодных ветрах. По этому поводу Иннокентий Анненский выразил печаль: «Жасминовые тирсы наших первых менад примахались быстро. Они уже давно опущены и — по всей линии»[12]. Просматривая «Аполлон», Аркадий Аверченко не упустил удовольствия отозваться: «Мне отчасти до боли сделалось жаль наш бестолковый русский народ, а отчасти было досадно: ничего нельзя поручить русскому человеку... Дали ему в руки жасминовый тирс, а он обрадовался и ну махать им, пока не примахал этот инструмент окончательно»[13].

Как бы не так! Не сразу тирсы были сданы в архив, совсем не сразу. Был еще сборник «Факелы», издаваемый Д. К. Тихомировым, который вполне годился для поддержания славы провалившегося театра.

А Мейерхольд, придя в театр В. Ф. Комиссаржевской в пору ремонта, где все было разломано, разобрано, в этом разорении проникся идеей поменять зрительный зал и сцену местами,. а сцену сделать круглою. Ставить предстояло «Дар мудрых пчел» Федора Сологуба с античным сюжетом, с мистическим колоритом. Можно сказать, написано было «по Иванову». Поставить не получилось, не разрешили так, как задумал Мейерхольд. Иначе же ставить не имело смысла. Идея поменять зал и сцену местами, столь расхожая нынче, по тем временам казалась дикой.

Актеры театра Комиссаржевской, сборища на Башне посещавшие, устроили свои литературные Субботы. Во вторую субботу 21 октября 1906 году был исполнен дифирамб Вячеслава Иванова. Поставили на греческий манер, с ведущим голосом, с античным хором, хор скрывался за занавеской. В сущности, то был дифирамб Вячеславу Великолепному, его античным мечтаниям.

И горели ФАКЕЛЫ в его, конечно, честь...

Тут и увидела Иванова Маргарита Сабашникова, на свою беду, не ведая, что ее ждет вовлечение в семейный союз Ивановых, ибо эти свободные души, и Лидия, и Вячеслав, любили друг друга так безмерно, что присматривали, кого б такой любовью одарить еще. Присмотрели Маргариту, а из этого замысла, как из замысла Театра, путного не получилось. Треугольники в основе брачных союзов в России велись от Чернышевского до Маяковского, утверждая новые высокие отношения и разбивая сердца тех, кто не достиг высот передовых идей. Вот только у Иванова в таких треугольных композициях было начало начал грядущей соборности, чтобы все вместе... Но примем этот рискованный эпизод за примечание к античному театральному началу.

28 октября, в Субботу третью и последнюю, Федор Сологуб читал свою пьесу «Дар мудрых пчел». Неясно, почему прекратились Субботы. Но дионисийство, оглядевшись, не признало Петербург своею новою отчизной, а три субботы были прощанием с нею. Но и судьба Иванова совершала поворот.

Поворот в направлении печали. Умерла Лидия, осиротела Башня без своей Диотимы, и что-то менялось вокруг хозяина Башни. Жизнь утратила ясность, без публики, зачарованной и влюбленной, без готовой на любое безумство «массы», хоть и элитарной... Без ушедшей вместе с Лидией Великой Античной Идеи. По-моему, тогда он стал утрачивать свои магнетические свойства. Нет, разумеется, полное одиночество ему не грозило, хоть одна душа да поступала на верную службу к этой личности, уникальной даже в том поколении, в коем уникальным был каждый третий. Умел, умел влюблять в себя, тонкий был обольститель. Но я о другом: после абсолютизма авторитета, после всеобщего восторга он вряд ли не почувствовал, что в редакции «Аполлона» его порой с трудом терпели... И это журнал «Аполлон», тезка светоносного божества, к которому он, Иванов, отнесся столь благосклонно!

Однако так уж получалось, что у символистов искусство и жизнь состояли между собой в диалоге или, можно сказать, из вида друг друга не упускали. Потому возвращаюсь к пьесе Сологуба, к «Дару мудрых пчел», напомню — написана она была если не по заказу Иванова, то бесспорно стала откликом на его учение. И оказалась пророческой для Иванова. Пьеса была о двух любящих, разлученных смертью. О магических акциях, обеспечивших возвращение мертвого супруга к безутешной вдове на краткий срок, на ложе любви. Хтонические силы, устав от вдовьих жалоб и стенаний, вселили душу умершего в его восковую статую, и она ожила на ночь.

Лидия Дмитриевна умерла внезапно, заразившись скарлатиной, болезнью девочек и юных дев, а не зрелых женщин. Все было нелепо, смутно.

Рядом оказалась Маргарита Сабашникова, не могла оставить в беде. Но тривиальный расклад дел с новой семейной ситуацией, поджидавшей вдовца, был не для него.

Рядом вдруг также возникла Анна Минцлова, дама загадочная, состоявшая в контактах с Рудольфом Штайнером и весьма эрудированная в области тайных знаний о потустороннем мире. Вряд ли она сумела обольстить Иванова, но, кажется, от Маргариты Сабашниковой его отвадила окончательно. Общение вдовца с покойной женой происходило в его снах, но и Минцлова общению помогала[14].

А чем сердце успокоилось? Союзом с падчерицей. И были сны, явления Лидии, и ее советы по поводу дочери, явления мистического порядка. И обстоятельства порядка житейского — пребывание с юной девой под одною крышей. А еще, как в пьесе Сологуба, — возвращение любимого и желанного существа в ином обличии, продолжение Лидии — в дочери Вере. Думаю, для него брачный союз с падчерицей отвечал олимпийским нормам. Инцест, совершаемый высшими существами, не только соблазнительно-преступен, но и благостен, если, конечно, ты ближе к богам, чем к смертным.

Но только и тут не обошлось без античности. М. Ф. Гнесин вспоминал, как Иванов с падчерицей пришел в студию Мейерхольда на урок «музыкального чтения».

«Эта девушка была поистине прекрасна. Запомнилось одухотворенное красивое лицо с поразительными глазами из Эдгара По, кажется, золотистые волосы и золоченый ободок, украшавший ее волосы и украшавший ее. Запомнилась юная стройная фигурка. Мне казалось, что Вячеслав Иванов разговаривал с этой девушкой на латинском языке»[15].

Действительно, она изучала античность. Однажды с подругой пыталась дома сыграть что-то из греческого репертуара, даже попросила помощи у Мейерхольда... Но как мелок был этот осколок великих театральных надежд Вячеслава Иванова! Впрочем, на разницу в масштабах этих двух театральных начинаний на Башне он вряд ли обратил особое внимание, как мы уже знаем, противоречия его не занимали.

Опускаю многие страницы его жизни, чтобы отметить на полях лишь то, что имеет отношение к нашей теме. Октябрьская революция в его космосе видного места не заняла. Но два года он работал в театральном отделе Наркомпроса. В сотрудничестве с советским учреждением противоречия не было тоже: его давние мысли о народе, который будет диктовать театру свою волю, могли при желании оказаться уместными. Неуместной рано или поздно оказалась бы сама его личность, но он покинул Москву. Увез в Закавказье дочь Лидию от брака с Лидией Дмитриевной Зиновьевой-Аннибал и сына Дмитрия от брака с Верой, умершей в 1918 году от туберкулеза. Смерть молодой жены при пожилом муже — удвоенная печаль.

В 1920-м, в Бакинском университете, он вернулся к античности, главное — к Дионису. Защитил диссертацию. Его труд — «Дионис и прадионисийство» был опубликован в Баку в 1923 году. В предисловии писал: «Могущественный импульс Фридриха Ницше обратил меня к изучению религии Диониса», но «В тяжбе пророков прошлое высказалось не за Ницше»[16]. То было достойное отдаление от наставника в сторону исторических конкретностей. Конкретности в конечном счете оказались спорными и оспаривыеми[17]. Но отход от Ницше происходил не из конъюнктурных соображений (или не только из-за них).

В 1924 году он с детьми, Лидией и Дмитрием, смог уехать в Италию. Перед ним снова возник Рим, Вечный город. То был еще и город его собственный. В юности занимался историей Рима, Рим дважды наблюдал дни его счастливой любви — не только с Лидией, но и с Верой он бывал именно здесь, и дважды венчал его Рим на свой на языческий лад.

Что сказать о последнем отрезке пути? Жизнь была тиха, дни и труды шли согласно Гесиоду. Еще одна душа поступила к нему на верную беззаветную службу — в трудах помогала безмерно и ценила, все понимая, самая причудливая женщина на свете, умница и фантазерка,«розовая фламинго», Ольга Александровна Шор, носительница псевдонима с какими-то египетскими значениями, изобретенного ею вместе с Вячеславом Ивановичем, «Ольга Дешарт». Под этим именем она известна каждому, кто знает четырехтомник Вяч. Иванова, ею и сыном Дмитрием подготовленный[18].

...В «Амаркорде» у Феллини дело происходит в Италии тогда же, когда там тихо жил некий русский поэт со своими детьми. Поэт и мыслитель, а также античник. В «Амаркорде» Феллини-отрок увидел Белого Быка, испускавшего белый пар из могучих ноздрей. Бык метнулся и пропал в молочном тумане. Это был Зевс, бог-бык, эталон, по нему можно сопоставлять события иных эпох и судить об их мизерности и недолговечности. И что такое фашисты на земле, где был и есть Вечный Хозяин, явившейся на миг из тумана?

Для Вячеслава Иванова античный эталон был всегда мерой всех вещей. Этой мерой он измерял историю, свою жизнь и свой театр.

Умирая, он подарил дочери Лидии дионисийское кольцо с золотой чеканной лозой, прощание с Дионисом через знак Диониса[19].

ПОСЛЕСЛОВИЕ

Придется вынести отдельно два важных заключения потомков, которые не остались равнодушны к давним призывам петербургского мистагога.

Первое принадлежит С. Аверинцеву. При том что Вяч. Иванов ему дорог как поэт и как ученый, Аверинцев, тоже ученый и тоже поэт, никак не смог найти ключа к дионисийскому экстазу, кроме ключа, которым открываются категории нравственные. «Это увлечение, — писал он, — было построено на тонкой лжи, на актерстве и самозванстве»[20].

В этом суждении, безусловно, присутствует истина. Но истина эта не имеет никакого отношения к театру, поскольку театр, всякий театр, не может обойтись без актерства или самозванства, а может быть, и без тонкой лжи.

Другой наш современник оценил российское ницшеанство куда более жестко. «То, что для Ницше и большинства его европейских читателей было полетом духа и изысканной метафорой, которую лишь варвар может принимать буквально, в России стало базой для социальной практики», написал Александр Эткинд, психолог, в книге, названной, между прочим, словами от Иванова: «Эрос невозможного»[21].

Ну уж и варвар! Если это об Иванове, то варварства в нем как раз и не было. Что же касается социальной практики, до нее у «факельщиков» не дошло, хотя Европа мыслила в том же направлении — массы, народ, театр народный, и психоделических воздействий на зрителя европейцы не чурались, напротив, у них было чему поучиться.

Впрочем, я напрасно вступаю в полемику на стороне Иванова. Оценка эта в ее резкой негативности все-таки хороша и значима. Так не пишут о музейном нафталинном инвентаре. Тем более могу повторить: в тяжбе пророков будущее высказалось не за Иванова...

Или нет?

Много лет назад я тщетно билась над текстом об утопиях Серебряного века (тогда еще мы могли говорить лишь: «начало века», слова «Серебряный век» были недопустимы, идеологический моветон), эстетические утопии выглядели почти безумием. Тогда Б. И. Зингерман написал на полях — никогда не известно, чем и как эти явления отзовутся в будущем. По поводу утопий не следует проявлять излишний скепсис, впрочем, как и безоглядно им доверять.

В кавычки не беру, помню не точно за давностью. Но все же помню.

Точнее, вспоминаю, когда смотрю «Персефону» Боба Уилсона. Она вряд ли подвигнет народы мира предаться счастливой разнузданной пляске. Но она располагает поверить в золотые сны.

Примечания

[1] Архив автора.

[2] *Ницше Ф.* Опыт самокритики // Соч.: В 2 т. СПб., 1998. Т. 1. С. 9.

[3] Девятую симфонию Бетховена можно считать отправной точкой исканий выхода из вселенского тупика чувств и настроений. Сам Бетховен с его трагической глухотой должен был стать художником, особо значимым для символистов. От романтиков они приняли знание о том, что слепому, подобно Дее у Виктора Гюго, и глухому, подобно Бетховену-композитору, открываются внутреннее зрение и внутренний слух, возможность постичь непознаваемое (или закрытое позитивизмом), которое стало острой потребностью нового искусства. Во всяком случае, и финал девятой, и «Рождение трагедии» имели на Иванова воздействие, какое можно приравнять к эротическому мороку.

[4] *Иванов Вяч.* Автобиографическое письмо С. А. Венгерову // Русская литература XX века / Под ред. С. А. Венгерова. М., 1917. Кн. 8. С. 86.

[5] *Фридман И. Н.* Щит Персея и зеркало Диониса: учения Вяч. Иванова о трагедии // Иванов Вячеслав. Архивные материалы и исследования. М., 1999. С. 250–251.

[6] *Маковский С.* Вячеслав Иванов в России //Воспоминания о Серебряном веке. М., 1993. С. 117. Справедливости ради, нужно уточнить: этот портрет пера у Маковского относится к более позднему времени. Тем не менее общий контур уловлен точно.

[7] *Блок А.* Письмо А. Белому от 16 апреля 1912 года // Собр. соч.: В 8 т. М.–Л., 1963. Т. 8. С. 387.

[8] *Мейерхольд В.* Статья о создании нового театра («Факелы»), театральном мистицизме. Черновые наброски. Январь 1906 г. Колич. л. 16 // РГАЛИ. Ф. 998 Оп. 1. Ед. хр. 386. Л. 6.

[9] *Бархин М.* Как создавалось здание театра Мейерхольда // ДИ СССР. 1974. № 5. С. 36–42.

[10] *Мейерхольд В.* Указ. соч. Л. 1, 2.

[11] *Галич Л.* (*Габрилович Л. Е.*) Дионисово соборное действо и мистический театр «Факелы» // Театр и искусство. 1906. 19–11. № 8. С. 11; № 9. С. 137–140.

[12] *Анненский И.* О современном лиризме // Аполлон. 1909. № 1. С. 12.

[13] *Аверченко А.* «Аполлон». Юмористические рассказы. М., 1964. С. 140. Сб.: «Веселые устрицы», изд. 24. Новый Сатирикон. 1916.

[14] *Богомолов Н.* Русская литература начала XX века и оккультизм. М., 1999. С. 43–105.

[15] *Гнесин М.* Из воспоминаний о Мейерхольде // Мейерхольд и другие. М., 2000. С. 445–446.

[16] *Иванов В.* Дионис и прадионисийство. Баку, 1923. С. V.

[17] См. критику «Диониса и прадионисийства» в ст.: *Брагинская Н.* Трагедия и ритуал у Вячеслава Иванова // Архаический ритуал в фольклорных и раннелитературных памятниках. М., 1988. С. 294–329.

[18] *Иванов В.* Соб. соч.: В 4 т. / Под ред. Д. В. Иванова и О. Дешарт. Брюссель, 1971.

[19] *Иванова Л.* Воспоминания. Книга об отце. М., 1992. С. 296.

[20] *Аверинцев С.* Вячеслав Иванов. Вступит. статья // Иванов Вяч. Стихотворения и поэмы. Л., 1979. С. 5–60.

[21] *Эткинд А.* Эрос невозможного. М., 1994. С. 8.

Алевтина Кузичева

М. П. Чехова и О. Л. Книппер
(Дело жизни и образ жизни)

Посетители в чеховских музеев в Таганроге, Москве, Мелихове, Ялте, не сговариваясь, задают одни и те же вопросы: любил ли Чехов Лику — Лидию Стахиевну Мизинову; любила ли Чехова его жена, Ольга Леонардовна Книппер-Чехова, и на самом ли деле его сестра, Мария Павловна Чехова, не вышла замуж из-за брата и всю жизнь посвятила ему, пожертвовав своим личным счастьем?

Уже сто лет устно или в печати высказываются противоречивые мнения о роли О. Л. Книппер в жизни Чехова, о мотивах ее замужества, о взаимоотношениях с М. П. Чеховой. Не то приятельницы, не то соперницы во влиянии на Чехова при его жизни, не то вынужденные подруги — после его смерти. Исследователи, знакомые с семейным архивом Чеховых, знают, что некоторыми родными исключительная роль Марии Павловны в жизни брата, самопожертвование воспринимались как легенда[1].

Конец XX века — рекордное, может быть, время по мемуарам, дневникам и книгам, статьям, авторы которых крушат чужие репутации, разоблачают легенды, на память цитируют многостраничные диалоги и монологи полувековой давности, не утруждая себя доказательствами и не щадя ничьего достоинства. В том числе и достоинства читателя.

Конечно, со временем, через десятилетия, когда всплывут мемуары других современников, дневники других людей, многие разоблачительные инвективы окажутся сознательной клеветой, истеричным вздором, недоразумением или заблуждением, а порой просто человеческой глупостью.

К счастью, история взаимоотношений сестры и жены Чехова сохранилась во множестве документов. В ней есть пропуски, лакуны, изъятия, сделанные, видимо, и той и другой женщиной, и теми, кто имел доступ к архивам до сдачи в государственные хранилища.

И все-таки данных достаточно, чтобы восстановить историю. И не ради модного разоблачения якобы несостоятельных авторитетов, крушения будто бы мнимых легенд. И даже не для защиты от ретивых ниспровергателей и разоблачителей. Нет, судьбы сестры и жены Антона Павловича Чехова интересны в контексте эпохи. Точнее, нескольких эпох, так как прожили они долгую и далеко не простую жизнь.

По внутреннему драматизму их жизненный путь интереснее бытующих легенд и житейского здравого смысла, с позиций которого часто судят известных людей.

Итак, зимой 1899 года, то есть более ста лет назад, две молодые женщины встретились в Московском Художественном театре после представления «Чайки». М. П. Чехова написала брату 5 февраля: «Была я вчера в третий раз на „Чайке". Смотрела еще с большим удовольствием... Вишневский... пригласил меня за сцену и перезнакомил со всеми артистами. Если бы ты знал, как они обрадовались! Книппер запрыгала, я передала ей поклон от тебя... Я тебе советую поухаживать за Книппер. По-моему, она очень интересна»[2]. Обычное знакомство стремительно перерастало в приятельские отношения.

К тому времени Мария Павловна Чехова приобрела большой опыт дружеского общения с молодыми женщинами, которых влекло к ее красивому, уже очень популярному брату. Они бывали в доме на Садово-Кудринской, гостили в Мелихове, даже ездили к Чехову в Ниццу. Их посещали учительницы и художницы, знакомые сестры Чехова по гимназии Ржевской, где она сама преподавала, либо по занятиям в художественных студиях. Среди них особенно часто приходили Лидия Стахиевна Мизинова, Варвара Тимофеевна Дроздова, Александра Александровна Хотяинцева.

И вот впервые ее приятельницей становилась *актриса*. Впервые Мария Павловна входила в яркий, красивый театральный мир. Новые подруги вырабатывают свой стиль отношений. Мария и Ольга (так они подписывали первые письма) понимают, как это важно.

Мария то зовет Ольгу Книппер «очаровательным другом», то капризничает нарочито, требуя «клятв», то фамильярничает («подлый немец»). Ольга осторожнее, но вскоре просит «Машечку» писать побольше о дорогом «писателе», целует в «мягкую мордашку» и уверяет, что новая подруга «умиротворяет» ее. Осенью 1899 года М. П. Чехова шутила в письме к брату, рассказывая о визитах в семейство Книппер: «Хорошо познакомилась с мамашей, т. е. твоей тещей, и с тетенькой, которая любит выпить. Николаша тоже очень милый. Твоя Книппер имеет большой успех»[3].

Поездки в Мелихово, осенние встречи в Москве привели к тому, что в первую же встречу в новом, 1900 году они выпили на брудершафт и перешли на «ты». Конечно, для Маши не были секретом близкие отношения брата с Ольгой, их разговор о женитьбе, состоявшийся в августе 1900 года, когда он провожал Книппер до Севастополя. Именно Машу спрашивала Ольга, говорил ли Антон Павлович с матерью, и просила скорее написать ей.

М. П. Чехова допускала гражданский брак между братом и подругой. Такие отношения связывали долгие годы Ал. П. Чехова и А. И. Хрущову-Сокольникову, Н. П. Чехова и А. А. Ипатьеву. Но венчание? В их возрасте? При его болезни? При профессии, из-за которой Ольга не покинет Москву, не поедет сиделкой в Ялту.

Церковный брак казался невозможным, ненужным, уступкой предрассудкам ушедшего XIX века. На дворе была новая эпоха, язык, интонацию, настроение которой М. П. Чехова и О. Л. Книппер схватывали на лету. М. П. Чехова не хотела коренных перемен, поэтому писала Ольге Леонардовне летом 1900 года: «Меня страшно беспокоит неизвестность... Хорошо бы мне квартирку между тобой и театром»[4].

Они часто разговаривают на своем иносказательном языке. Ольга Леонардовна — реминисценциями из пьес Чехова, Мария Павловна — символикой снов и цветов. Например, передавая Маше свой разговор с братом Володей о предстоящих переменах в ее личной жизни, Ольга добавляет, что мечтает об «особенной, чистой, высокой жизни», что хочет жить, не чувствуя «будничной, мелочной» суеты: «Я хочу создать себе жизнь осмысленную, полную чего-то сильного и положительного»[5].

Предполагала ли она, что сестра покажет ее письмо брату, для него ли или действительно, на самом деле возвышенно мечтала и открывала свое сердце «сероглазой Машечке», однако очевидно, что не только между Ольгой Леонардовной и Антоном Павловичем завязывался сложный узел отношений, но и между Ольгой Леонардовной и Марией Павловной.

27 декабря 1900 года Мария Павловна писала Ольге Леонардовне из Ялты: «Привязалась я к тебе и полюбила тебя очень сильно, да не будет мне это во вред. Пусть новый год даст нам душевный мир и покой... А нашему любимцу полного выздоровления пожелаем... Мне хотелось бы поделиться своим покоем, удобством с тобой, моя дорогая»[6].

Для Марии Павловны это был, быть может, самый поэтичный, самый счастливый год в жизни: у нее был роман с И. А. Буниным, в ее жизни появилась такая умная, интересная подруга, как Ольга Книппер. Можно предположить, как ей хотелось, чтобы так было если не всегда, то долго! И без перемен. Но перемены оказались неизбежны, и М. П. Чехова приняла в них самое активное участие. Она сыграла значительную роль в замужестве О. Л. Книппер с братом и в их семейной жизни. Но не ту, какую приписывали ей расхожие мнения XX века. В одних она превозносилась как сестра, будто бы посвятившая себя брату, в других Мария Павловна осуждалась за то, что якобы ревновала брата и поэтому бросила А. П. Чехова в ялтинском одиночестве.

Взаимоотношения А. П. Чехова, О. Л. Книппер и М. П. Чеховой — не тривиальный треугольник: брат, сестра и жена брата. Поэтому не стоит, как это бывает, как об этом пишут, подозревать Марию Павловну в банальных корыстных причинах вообще не желать женитьбы брата. На Книппер, в частности. Письма дают основания высказать другую догадку: Мария Павловна впервые узнала, то есть познала, привлекательность женской дружбы. Единственная дочь, выросшая среди умных, талантливых братьев, не связанная с матерью глубокими умственными интересами и душевными свойствами, Маша Чехова выросла мнительной, честолюбивой, самоутверждающейся натурой. Ее задевало, что подругам интересен брат, а не она сама.

Ольга Книппер, вероятно, почувствовала или поняла суть характера сестры Чехова и довольно тактично выделила ее неординарность, она сумела разглядеть в ней самостоятельную и интересную личность. Ревность Марии Павловны тут была не меркантильной, материальной. Тем более — не мелочной и пошлой. Если она кого и боялась потерять, то первого и настоящего, как ей показалось, друга. Предчувствуя перемены, она писала О. Л. Книппер весной 1901 года: «Милая Олечка, если бы ты знала, как я хочу тебя видеть, как я давно уже тоскую по тебе... Целую тебя очень чувствительно, по-старому... У меня сердце болит, что я тебя не увижу...»[7]

Даже короткую разлуку, на время гастролей театра в Петербурге, М. П. Чехова — сорокалетняя здравомыслящая женщина — переживала, как юная чувствительная барышня. Со слезами, упреками, извинениями. Такое с ней происходило впервые. Она на самом деле опасалась утратить то, чего в ее жизни дотоле не было. Брат уважал сестру, ценил ее, но с ним нельзя было вести душевные разговоры и поделиться сокровенным, его поглощали свои мысли, в нем шла внутренняя потаенная жизнь, куда он никого не пускал. Сестра же почувствовала в отношениях с Ольгой нечто серьезнее, чем болтовня, чем сплетни, пусть самые невинные. Она обретала для себя сестру-друга. Это был дружеский *союз*.

Умная Книппер потому и написала ей, сообщая о венчании: «Люби меня, это так надо, мы должны быть с тобой вместе всегда». И через три дня: «Будь умница, будь милая, чтобы нам всем хорошо жилось, ведь мы любим все друг друга — правда? Ты ведь меня не разлюбишь — нет, оттого, что я стала женой Антона?»[8] И еще через несколько дней: «Сеструля Маша, не ломай себе голову о наших будущих отношениях, а люби меня по-прежнему, а я счастлива, что у меня есть сестра, да еще Маша... Я, право, не скверная и зла никому не желаю»[9].

30 мая 1901 года Мария Павловна отвечала Книппер: «Ну, милая моя Олечка, тебе только одной удалось окрутить моего брата!.. Тебя конем трудно было объехать!.. Что если наши отношения изменятся к худшему, теперь все зависит от тебя. И вдруг ты будешь Наташей из «Трех сестер»? Я тебя тогда задушу собственноручно... О том, что я тебя люблю и уже успела к тебе за два года сильно привязаться, ты знаешь... Буду ждать с *огромным* нетерпением твоих писем. Как странно — что ты Чехова, что ты будешь для меня тем же, чем была»[10].

Таким образом, не исключено, что в жизни Марии Павловны Чеховой встреча с Ольгой Леонардовной Книппер была событием, а чувство, возникшее в ее душе, — *самым сильным и настоящим чувством*. Потеря подруги вернула бы ее в *одиночество*, свойственное всем Чеховым. Мария Павловна выдает себя в мольбе, обращенной к новой родственнице: «Дашь ты мне приют? Я думаю, что я вам не помешаю, а быть может, сумею и быть полезной. Мое кухонное и столовое хозяйство может пригодиться на первых порах, покупать не надо. Держать квартиру одна я не буду — одиночество тяжело... Неужели между нами ляжет бездна?.. Ведь между нами были исключительные отношения!»[11]

Ольга Леонардовна поняла, что *она* значит для Марии Павловны. Она пишет ей: «Теперь ты опять прежняя Маша... И водочки при свидании дернем, а, Машечка?»[12] В одном из писем того же года полуприказывает в своей манере: «Ты меня должна всегда любить и приголубливать, и я тебя тоже. Хочешь так?»[13] Так ли сложились в дальнейшем их отношения? И как они сказались на человеке, в любви к которому они обе не сомневались, — к Антону Павловичу Чехову.

В конце 1901 года Мария Павловна приезжает в Ялту на Рождество, и доктор Альтшуллер заявляет, что жена или сестра должна оставить Москву и быть около больного, а не тянуть его в Москву, где ему жить вредно. Маша пишет Ольге: «Говорил Альтшуллер серьезно, отчеканивая каждое слово. Я сначала перетрусила, решила не уезжать, но потом, увидавши, что дело идет на поправку... придумала такую комбинацию... И мне думается, что Альтшуллер преувеличил свои опасения. Бог даст, все обойдется, и он будет здоров... Ты успокойся, не волнуйся, желаю тебе блестяще провести свою роль сегодня»[14]. А далее о «комбинации» — нанять новую кухарку и опять изредка приезжать в Ялту на каникулы и в отпуск. И в последних строчках вопрос — не скучает ли без нее Ольга Леонардовна.

Книппер в эти дни внушает мужу: «Мне нужна твоя любовь, она мне красит всю жизнь, дает опору. Знай это и чувствуй... <...> А о комедии думаешь?»[15] И умоляет Машу: «Вы́ходи Антона». На что та через несколько недель уверяет, что брату лучше. В конце письма призыв: «Желаю тебе полюбить меня покрепче»[16].

Но вопрос, ехать ли ей к брату, оставив гимназию и Москву, уже не обсуждался. Ехать должна была *жена*, о чем Мария Павловна рассуждала в письме к брату Михаилу: «Теперь хлопочу, чтобы его супруге дали хоть на одну неделю отпуск, и она могла бы съездить в Ялту. Я ее не пойму — и жалко ей мужа, и скучает она, и в то же время не может расстаться со своими ролями, вероятно, боится, чтобы кто-нибудь лучше ее не сыграл»[17].

Матери Мария Павловна писала несколько иначе. Евгению Яковлевну радовало, когда дочь не скучала; зная это, М. П. Чехова успокаивала мать: «Мы живем ладно, много работаем и гуляем. На днях была вечеринка в Художественном театре, и было так приятно и весело, хотя я смеялась, как бывало в детстве, до слез». И далее уточняла: «Я приехала в 4 часа утра, а Оля еще осталась доплясывать, уж я и не знаю, когда она приехала... Я сказала, что Вы ничего не имеете против того, что она служит в театре, и она очень этому рада»[18].

На самом деле дочь знала, что матери не нравилась женитьба сына на «актерке» и что О. Л. Книппер не переживала из-за недоброжелательного отношения к ней свекрови. Подобное поведение Марии Павловны выдавало ее неровное настроение, а часто даже ее собственное раздражение. Ни переезжать в Ялту, чтобы наладить жизнь брата и уход за ним, ни разъезжаться с Ольгой Леонардовной в Москве Мария Павловна не хотела. Она упрямо держалась около О. Л. Книппер. Вряд ли такая привязанность объясняется только денежными расчетами (оплатой А. П. Чеховым одной общей квартиры, где жили его жена и сестра). Скорее всего ее привлекал как образ жизни О. Л. Книппер (ее знакомства в театрально-музыкальном мире Москвы), так и дружба, возникшая между ними, в которой еще не было охлаждения.

Одну из причин Мария Павловна косвенно назвала в письме к брату Михаилу в марте 1902 года: «За глаза моя невестка мне всегда симпатизирует, и за то спасибо, а может, и по старой памяти. Мы когда-то очень любили друг друга... Ольга Леонардовна не может примириться с моим положением в семье... Ей хочется, чтобы я сошла на нет, и не только в семье, но и в общественной жизни. Ей неприятно, если по старой памяти ко мне обращаются, а не к ней, но что делать, за мной целая жизнь, я уже успела пустить корни и составить себе солидное положение в обществе. Конечно, быть может, у нее это происходит помимо ее воли, и, быть может, от властности характера. Во всяком случае, при проявлении ласки с ее стороны, я всегда радуюсь и готова на жертвы, и это все только ради Антона, откровенно прибавлю»[19].

В обширном эпистолярном наследии М. П. Чеховой немного таких откровенных писем. Оно позволяет предположить, что Марию Павловну удерживало в Москве уязвленное честолюбие. Видимо, она опасалась, что если уедет в Ялту, то потеряет «солидное положение в обществе», то есть магическое — «сестра Чехова». И ее заменит — «жена Чехова».

«Положение в семье», «положение в обществе» укладывалось в два слова — «сестра Чехова». И было ее «капиталом», ее мироощущением, оправдывающим отсутствие семьи, профессии, дома. Вероятно, Мария Павловна не замечала, что такое отношение к жизни грозило превратиться в призвание, в страсть, заменив и поглотив все другие чувства.

Она действительно страдала, едва ей казалось, что Ольга Леонардовна ущемляет ее права, умаляет ее заслуги и приуменьшает ее завоевания. И поначалу откровенно недолюбливала семейство Книпперов, подозревая, что они хотят «усыновить» А. П. Чехова (чего не было на самом деле и не могло быть). Отсюда упреки этой семье в буржуазности и противопоставление ей — семьи Чеховых.

Но она заблуждалась. О. Л. Книппер не стремилась сокрушать «положение» золовки ни в семье, ни в обществе. Мария Павловна поняла свою ошибку. Лишь с годами она осознала, что О. Л. Книппер было свойственно «вкусовое» восприятие жизни. Недаром она рассказывала обо всем осязаемо. Слово «вкусный» — одно из любимых в лексиконе Ольги Леонардовны. Даже наряд, сшитый знаменитой Ламановой, она называла «вкусным».

О. Л. Книппер культивировала бытовой и душевный комфорт, не вмешивалась в чужую жизнь и не допускала вторжений в свою собственную. Именно эти свойства привлекли и увлекли Марию Павловну в начале ее дружбы с Книппер. Сама она, пройдя школу первого московского десятилетия жизни семьи Чеховых, и в силу своего характера, словно боялась жить и радоваться. Может быть, если бы Мария Павловна сразу поняла, что Ольге Леонардовне достает самой себя, своей профессии, своей семьи Книпперов, своего театра, то она наверняка поступилась бы занятиями в гимназии, вечерниками в театре, даже занятиями в мастерской и уехала к брату в Ялту. Тем более что О. Л. Книппер давала понять, что не посягает на «корни».

Так, зимой 1902 года она сделала верный ход, договорившись с золовкой, что именно Мария Павловна по-прежнему распоряжается гонораром за постановки пьес А. П. Чехова на сцене Московского Художественного театра. Ей не нужны были лишние разговоры и заботы, а в Марии Павловне они поддерживали ощущение, что она нужна Ольге Леонардовне. Когда та уехала в Петербург на гастроли, то вслед полетели письма с отчетами, что дрова куплены, за освещение уплачено, сундуки разобраны и т. д. и т. п. Среди мелочей быта и подробностей московской жизни затерялись строки: «Антоша пишет, что кашель его беспокоит и днем и ночью»[20].

Каждый в этом треугольнике ждал любви. Ольга Леонардовна ждала любви от мужа и его сестры и, можно сказать, *позволяла* себя любить. Мария Павловна *завоевывала* признательность О. Л. Книппер и отстаивала свое «положение» перед нею, ибо брат давно его признал и укреплял год от года. Она любила думать, что готова всем пожертвовать ради брата. А он? А. П. Чехов *хотел верить*, что любим.

Внезапная болезнь О. Л. Книппер на гастролях, операция, тяжелый путь в Ялту, возвращение вместе с мужем в Москву и переживания М. П. Чеховой весной 1902 года обнажили драматический парадокс треугольника. М. П. Чехова рвалась сопровождать О. Л. Книппер всюду, куда бы ее ни послали врачи: «Когда ты больна, меня еще больше тянет к тебе, моя дорогая... Если хочешь, я поеду за тобой и осторожно и бережно привезу тебя домой... Болит сердце и из-за Антоши, ему теперь плохо жить в Москве»[21].

Но супруги уехали отдыхать в Любимовку по приглашению К. С. Станиславского, а М. П. Чехова осталась при матери и зазвала в Ялту И. А. Бунина. Они уезжали вдвоем в гурзуфский домик, стоявший на берегу моря.

В августе, по пути в Одессу, Бунин писал Марии Павловне: «Второй день, т. е. с самого отъезда из Гурзуфа, до физической боли тоскую. Опять я в пути, в своем бесконечном пути, и так, как и вчера и сегодня, нет поблизости ни одного более или менее родного человека, хочется плакать от одиночества. Впрочем, этих близких людей у меня на всем свете не более десяти. Вы одна из них, и вчера я даже хотел снова проехать к Вам в Гурзуф провести вечер, так было страшно одиноко, а мне так грустно за последнее время... Прошу Вас немного пожалеть меня»[22].

Мария Павловна отвечала: «Конечно, приятно быть одной из десяти, но было бы еще приятнее... быть единственной. Но все — от Бога!» А через некоторое время спрашивала открытым письмом, где он, что с ним: «Не новое ли увлечение? Ваша Амаранта»[23].

Если Марии Павловне хорошо, как она писала, «хозяйствовалось» в Ялте, то совместный отдых А. П. Чехова и О. Л. Книппер завершился неожиданно. А. П. Чехов внезапно уехал. Так бывало и раньше, и родные знали за ним такое свойство. Но Ольге Леонардовне были неизвестны подобные порывы мужа. Оскорбившись, она вспылила и отправила М. П. Чеховой сердитое письмо, в котором назвала свекровь и золовку *жестокими* людьми, выговаривая за то, что будто они говорили кому-то, что А. П. Чехову лучше бы жить в Ялте, в своем доме, а не на чужой даче и т. п.

М. П. Чехова ответила со сдержанным гневом, что ни с кем не говорила о семейных делах, что была занята своей личной жизнью и обвинения против нее и Евгении Яковлевны несправедливы: «Что нам делать — не сотрешь же себя с лица земли! Жить надо, и брата жаль... Хороши же у тебя понятия о близких твоего мужа!.. Ты любишь отчитывать людей и, вероятно, просто меня отчитала... Будь здорова и знай, что я никогда не желала тебе зла и не желаю уже потому, что ты жена моего брата Антона, которому я желаю полнейшего счастья»[24].

Подозрения и упреки, конечно, были нелепыми, потому что Мария Павловна никогда не злословила, не жаловала сплетников, а Евгения Яковлевна судачила только с кухаркой Марьюшкой. Но Ольга Леонардовна не желала ни приносить извинения, ни оправдываться. Это было не в ее характере. Словно исполнив совет мужа — терпеть и молчать в течение первого года замужества, она теперь не захотела сдерживать себя.

Мария Павловна дала прочесть брату письмо Книппер. Видимо, она тоже решила нарушить свой обет молчания. Он прочел и написал жене: «Твое письмо очень и очень несправедливо, но что написано пером, того не вырубишь топором, бог с ним совсем. Повторяю опять: честным словом клянусь, что мать и Маша приглашали и тебя и меня — и ни разу меня одного, что они к тебе относились всегда тепло и сердечно. Я скоро возвращусь в Москву, здесь не стану жить, хотя здесь очень хорошо. Пьесы писать не буду... Мать умоляет меня купить клочок земли под

Москвой. Но я ничего ей не говорю, настроение сегодня скверное, погожу до завтра»[25].

На мягкий укор мужа Книппер ответила недоумением: «Я действительно писала Маше сильно расстроенная, и даже не помню, что писала... Если бы Маша действительно любила меня по-прежнему и относилась бы сердечно, она бы *никогда* (курсив. — О. Л.) не показала тебе моего письма и чутьем бы отгадала, в каком настроении я его писала... Когда Маша присылала мне письма, которые, я знала, могли бы взволновать тебя, — я их скрывала от тебя и не впутывала тебя в наши отношения, несмотря на то, что многое было, чего не должно было быть. Ты от меня никогда ничего не слыхал»[26].

Выяснение отношений, семейные ссоры и взаимные упреки А. П. Чехов всегда считал делом скучным, ненужным и вредным. Всю жизнь он старался предупреждать такие моменты и всегда просил об одном: быть справедливыми. О чем он написал и жене: «Нельзя, нельзя так, дуся, несправедливости надо бояться. Надо быть чистой в смысле справедливости, совершенно чистой, тем паче, что ты добрая, очень добрая и понимающая. Прости, дусик, за эти нотации, больше не буду, я боюсь этого» (11. 24).

Это, конечно, был кризис во взаимоотношениях между М. П. Чеховой и О. Л. Книппер, но опять *ничего* не изменилось. Только А. П. Чехов почувствовал себя еще более одиноким. Черту подвела Ольга Леонардовна. Ожидая золовку из Ялты, она поставила в ее комнату цветы и написала мужу спокойно-небрежно: «Пожалуйста, не думай, что я Машу обижаю, и не оправдывай ее. Я не зверь, а Маша далеко не такой человек, который даст себя в обиду. Она сильнее меня. А я кажусь такой, потому что говорю громко и кипячусь»[27].

Итак, громко-тихая ссора, разрядившая чувство вины, которое в глубине души испытывали обе женщины перед А. П. Чеховым, окончилась их примирением. Опять они вместе ходили в театры, к портнихам, в магазины, в гости. Изменился лишь тон переписки А. П. Чехова и О. Л. Книппер. Чехов скрывал свое отчаянное нездоровье и свое настроение, но оно прорывалось в словах: «если только я тебе нужен» (11. 20); «не сердись же, родная моя» (11. 21); «будь женой, будь другом... не терзай меня»... Я тебя люблю сильнее прежнего и как муж перед тобой ни в чем не виноват» (11. 31); «брось, дусик, осматривать дачи, все равно ничего не выйдет» (11. 33); «Ах, дуся моя, дуся, время уходит!» (11. 35); «Я очень хочу тебя видеть и потрогать тебя за щеку, за плечо» (11. 40); «не хандри и не распускай нервов» (11. 44).

Ольга Леонардовна задавала риторические вопросы, на которые оба знали ответ: «Как я буду жить без тебя, родной мой?!»; «Как мне трудно без тебя!.. Когда мы будем вместе, голубчик мой?!»; «А тебе хочется меня видеть?»; «Ты меня не забыл? Не разлюбил?»[28] Она жаловалась на усталость от репетиций, на нездоровье. Он утешал, успокаивал, а его собственные нездоровье и настроение фактически не принимались домашними в серьезный расчет.

14 октября 1902 года А. П. Чехов приехал в Москву, где прожил полтора месяца. Собирался зимовать за границей, но 27 ноября выехал в Ялту. Написал жене с дороги: «Живи тихо, не горюй, не сердись» (11. 74).

Зимой он работал над рассказом «Невеста» и пьесой «Вишневый сад». Отчаянно мерз в ялтинском доме. Жене он писал: «В комнатах так холодно, что приходится все шагать, чтобы согреться... Холодно до гадости» (11. 89). Из окон дуло, он простыл, поднялся жар. Этот комнатный проникающий холод, наверно, был опаснее и коварнее мороза на улице. От холода или по другой причине у А. П. Чехова болели зубы, разламывалась голова, мучил кашель, горлом шла кровь.

Мария Павловна приехала на рождественские каникулы в самый разгар болезни брата. Судя по письмам, ее огорчило, что И. А. Бунин не приехал в Ялту, хотя и обещал. Она писала ему в Одессу, что брат ждет его, рассказывала, как встречала Новый год у Ф. К. Татариновой, где было весело. И подписывалась: «Целую Вас. Ваша М. Чехова».

А. П. Чехов остался дома из-за плеврита, который он переносил на ногах, уверяя всех, что все пустяки, «горе гореванское». Но в письмах к жене признавался: «Мне грустно, что у меня столько времени ушло без работы и что, по-видимому, я уже не работник» (11. 123). Жизнь в Ялте, по его словам, «истощилась». А. П. Чехов, видимо, смирился с тем, что ни сестра, ни жена не приедут в Ялту. *Сами*, по своему желанию, без его просьб. И повторял печально: «Ну, да все равно».

В Москве зима опять промелькнула незаметно. М. П. Чехова и О. Л. Книппер, по их любимому выражению, «не кисли». Опять были выставки, театры, спектакли, гости. Ольга Леонардовна обещала, что это последняя «одинокая зима» мужа. В день его рождения в Ялту полетела телеграмма: «Пьем мускат здоровие Антония... Оля Маша». Письма Книппер наполняли рассказы о том, как прекрасен был, например, обед на зимней даче, куда ездили большой компанией: «Кулебяка с осетриной, уха из стерлядей... утка, каплун, пломбир, кофе, фрукты — вкусно?.. И после такого обедища покатили мы на лыжах... Я насладилась»[29]. Она писала нарочито весело, вероятно, желая поднять его настроение, и все время просила не осуждать ее, помнить, любить: «Ты пишешь, что ничего тебе не хочется — и меня не хочется? Целую, целую и целую»; «Я тебя отхожу, оттаешь у меня. Зацелую, заласкаю, так что гнать будешь»; «Хочу быть влюбленной в тебя... Посылаю веточку ландыша. В каждом цветочке мой поцелуй. Я их перецеловала. Твоя Оля»; «Ты не кисни и знай, что такой ссылки, как эту зиму, у тебя больше не повторится. Даю тебе слово. И ты сам должен твердо в это верить... Целую и ласкаю тебя, обнимаю горячо, согреваю на своей груди. Твоя собака»[30]; «Мне так совестно перед тобой — ты представить себе не можешь! Не называй меня никогда женой, слышишь? Выдумай другое слово, умоляю тебя... Что ты думаешь обо мне?»[31]

А. П. Чехов во всем оправдывал жену: «Ты нисколько не виновата, что не живешь со мной зимой... Ведь ты любишь театр? Если бы не любила, тогда другое дело» (11. 179). Он писал, что гордится ею, читая похвальные отзывы в прессе. Но и сестру он никогда ни в чем не упрекал. Когда однажды она, скрыто оправдываясь в том же, о чем прямо говорила О. Л. Книппер, привычно пожаловалась на тоску, бессонницу, словно призывая пожалеть ее, А. П. Чехов ответил: «Здоровье у тебя хорошее... дело есть, будущее, как у всех порядочных людей, — что же волнует тебя? Нужно бы тебе купаться и ложиться попозже, вина совсем не пить... Не есть мяса» (11. 220).

Он знал, что в Москве сестра не скучает и не тоскует, занятая своей живописью, уроками в гимназии, московскими развлечениями. То она вместе с Ольгой Леонардовной в ресторане, то на вечеринке, то вместе ходили, например, на грибной рынок, о чем Книппер писала в Ялту: «Весенний морозец... Народу простого масса, толкотня. Мы купили по корзине и ходили как кухарки. Накупили сухих грибов, груздей, рыжиков, две редьки... Приехали с рынка, закусили грибками со сметаной и зеленым лучком... Завтра вечеринка у Срединых, будут Бальмонты, новый поэт Волошин. Мне, верно, не придется, т. к. и днем и вечером репетиции»[32].

В Ялте Мария Павловна занималась благоустройством дома, к которому привязывалась с каждым годом все сильнее и сильнее. В 1903 году после встречи А. П. Чехова с профессором А. А. Остроумовым возник разговор о покупке имения под Москвой. Доктор нашел, что Ялта вредна для Чехова. Но сестра написала ему: «Позволь мне дать тебе маленький совет: не торопись покупать имение, повремени немного... Такого чудесного дома, как у нас в Ялте, уже не соорудишь»[33].

В. Н. Ладыженский запомнил в пересказе А. П. Чехова его разговор с сестрой: «Когда незадолго перед его кончиной Мария Павловна призналась ему, что и она долго не могла примириться с Ялтой и неизбежной потерей Мелихова, а теперь ей здесь все дорого, Чехов грустно заметил:

— Вот так не любя замуж выходят. Сначала не нравится, а потом привыкают»[34]. В этом неожиданном сравнении писателя была угадана грядущая судьба М. П. Чеховой, ее любовь к ялтинскому *дому*, ставшая главным делом всей жизни, каким для О. Л. Книппер уже был и до конца ее дней оставался *театр*.

Лишь А. П. Чехов это угадал, а также главную причину неустроенности их жизни. Понял и принял свое одиночество, признав случившееся как данность судьбы. Тогда как у М. П. Чеховой и О. Л. Книппер на понимание того, что помешало им разделить его одиночество, ушли годы и годы.

Тогда же, в 1904 году, обе не признавали настоящую причину. Уже после смерти мужа О. Л. Книппер записала в своем дневнике о М. П. Чеховой: «Ведь все это была ревность, и больше ничего. Ведь любили мы друг друга очень. А ей все казалось, что я отняла у нее все... и держала себя какой-то жертвой. Сначала я все объяснялась с ней, говорила много, горячо убеждала, умоляла...

Но все не ладилось, и, в конце концов, я махнула рукой... Ведь я же не высказывала никаких хозяйственных прав или наклонностей, всегда считала Ялту ее домом, и мне так больно было слышать, когда она говорила, что у нее теперь нет ни дома, ни угла, ни сада... Не вышло с первого дня... А если бы все так было, как я мечтала, я бы, вероятно, остыла к театру... Но я сразу почувствовала, что тут не может быть полной жизни, полной гармонии»[35].

М. П. Чехова тоже в эти годы подозревала и упрекала О. Л. Книппер в ревности к тому положению, которое, как ей казалось, она занимала в семье, около брата, в общественном мнении. И тоже, видимо, могла сказать, что если было бы все так, как она мечтала, то «остыла» бы к гимназии, к Москве и уехала к брату в Ялту. Но не «вышло», и у нее также не получилось ни полной жизни, ни полной гармонии.

Обе «ревности» оказались мифическими, надуманными. Каждая из женщин ощущала себя «жертвой», тогда как жертвенности не было в их природе — ни у сестры, ни у жены А. П. Чехова, что он понимал и принимал, не предъявляя к обеим высоких требований, а тем более претензий, не ущемляя полноты и гармонии их жизни, освобождая от чувства вины или неловкости.

Но, видимо, это чувство вины было. Именно оно стало одним из источников мифа о сестре, посвятившей свою жизнь брату, и о жене, составившей счастье последних лет А. П. Чехова. Быть «сестрой Чехова» и «женой Чехова» оказалось и подарком судьбы, и ее испытанием, что непросто в обыкновенной житейской ситуации. И они не смогли с ней справиться.

Они не сразу осознали, какая высокая миссия им уготована — быть рядом с великим человеком, помогать ему. Обе были заняты лишь своими интересами. Обе хотели *личной*, но не *семейной* жизни. Книппер путешествовала, переживала триумф вместе с театром на европейских гастролях, размышляла о театре, рассказывала в письмах о приемах, где угощали зернистой икрой, голубыми форелями, шашлыками из рябчиков, персиками и сливами.

О. Л. Книппер посвятила себя любимому театру, а М. П. Чехова, оставив гимназию, настраивалась на тихую обывательскую жизнь состоятельной женщины, имеющей возможность путешествовать, построить дивную дачу в Мисхоре рядом с дачами известных художников, певцов, богатых врачей и фабрикантов. Она оставила занятия живописью. И однажды на вопрос Ольги Леонардовны, не привезти ли ей из Европы красок, ответила: «Привези носовых платков получше»[36].

Она, как говорили в начале века, «нервилась» без меры и без серьезного повода, за что получала выговоры от невестки, советовавшей не создавать из мелочей ад, не драматизировать жизнь. Они не скрывали друг от друга свои увлечения, свои любовные романы. М. П. Чехова запросто спрашивала, например, О. Л. Книппер в 1908 году: «А ты все кутишь? Когда же твоя свадьба с Зарудным?» И шутливо предлагала выходить за него замуж: «Более подходящего тебе трудно найти». О себе могла откровенно написать тогда же: «Я влюблена... Предмет мой женат и имеет много детей»[37].

Но постепенно обе поняли, что тихо погрязают в мелочах, буднях, что теряют то ощущение жизни, на которое были настроены Антоном Павловичем Чеховым, мужем и братом. В 1908 году Ольга Леонардовна пишет: «Во мне самой что-то перерабатывается, довольно мучительно. 10 лет я актриса, а, по-моему, я совсем не умею работать, создавать, как-то не углублялась, не относилась вдумчиво к себе и к своей работе. Хочется другого. Чувствую пустоту, неудовлетворенность и большую дозу избалованности; и когда чувствуешь, что молодость прошла, делается стыдно»[38].

Если раньше она порой говорила словами Чехова, то теперь все чаще начинает думать созвучно его героям. И признается Марии Павловне: «Работала не так, как надо, все эти годы; мерещится что-то новое, но еще не могу поймать, не могу справиться, то есть не новое, а то, что было много лет назад, а это Станиславский ломал в своем увлечении характерностью, чисто внешней. 10 лет я актриса и, кажется, работала как-то бессознательно, выезжала на так называемом своем обаянии. А теперь надо чего-то другого. Мучительно сознание, что много времени прошло даром, т. к. не умела глубоко и сосредоточенно работать»[39]. Здесь недостает признания, что и жила, может быть, *не так*. На это уйдут еще долгие-долгие годы. Но отныне О. Л. Книппер-Чехова будет страшиться утерять то, что открылось в работе с К. С. Станиславским и Вл. И. Немировичем-Данченко. Она шлифует свои роли, она следит за формой, ей важно не снизить уровень.

Она ощущает свой творческий потолок, особенно после того, как увидела последние работы В. Ф. Комиссаржевской, Э. Дузе. Да, *не великая* актриса, но Ольга Леонардовна уважает свой природный дар и не истратит, не истреплет его в житейской суете, дрязгах и мелочах. Недаром в одном из писем она говорит: «А жить надо просто и внимательно, с любовью делать свое, хотя бы маленькое дело, и с любовью делать его большим»[40].

Она признавалась Марии Павловне в эти годы: «Как я завидую твоей интересной, тихой, интимной работе — если бы ты знала, как я завидую!»[41] Через какое-то время она уверяла Марию Павловну: «С какой радостью я сидела бы с тобой и помогала бы тебе!»[42] Но ее уверения были сродни тем, которыми она заполняла письма к мужу, что с радостью сидела бы около него. Радость ее была *в ней самой*, в *ее* работе, а не в чужой, в ее *образе жизни*, в *Театре*.

К тому же Мария Павловна и не захотела бы помощи в своей работе. В своем *деле*. Оно уже превращалось в Дело *жизни*. Сестра Чехова, пережив *свой кризис*, ощутив, что спокойное, безбедное существование убаюкивает ее, а простая роль «сестры Чехова», живого экспоната в доме брата, куда приходило все более и более уже не только гостей, но и *посетителей*, ее, честолюбивую, энергичную, не устраивала.

Она относилась к натурам, которые живут внешней признательностью, благодарностью. Не будучи деспотом, собственницей чужих душ, Мария Павловна Чехова была из тех, кому важно *делание*. Не жертвенность, а возведение алтаря, который постепенно превращается в пьедестал, в памятник. А. П. Чехову? себе? — *Деянию*.

Честолюбие Марии Павловны сыграло известную роль. Не довольствовавшаяся внешними знаками уважения к «сестре Чехова» именно она, сестра А. П. Чехова, уже немолодая женщина (ей было около пятидесяти), решилась сдвинуть громаду — издание его творческого наследия. Такое не под силу заурядному человеку. То, что помешало ей в 1899–1904 годах оставить гимназию, Москву и поселиться с братом в Ялте, теперь помогло приступить к большому труду и осуществить его.

Подготовка вместе с братом Михаилом шеститомника, отклик российского общества на выход писем А. П. Чехова подтвердили ее ожидания, ее скрытое, может быть, даже неосознанное устремление быть доброй покровительницей, умеренной благотворительницей, снисходительной и терпимой хозяйкой, верной хранительницей наследия А. П. Чехова и фамильных ритуалов, оберегающей семейную честь.

Когда этот образ ставился близкими под сомнение, М. П. Чехова обижалась. В связи с одним бытовым недоразумением она писала Книппер в 1914 году: «Ты всегда относишься ко мне жестко и ставишь меня в роль упрашивателя. Все, что у меня есть, я не считаю своим. Мне только хочется, чтобы всем было удобно и приятно». Мария Павловна искренне удивлялась, когда выяснялось, что в ее Доме не всем и не всегда «удобно и приятно». Подобное случалось, когда превыше родственных чувств, человеческого сострадания ставился Дом.

Странный, почти мистический парадокс жизни и судеб обеих умных женщин обнаружился через 10 лет после смерти Чехова. По разным причинам они более всего любили гурзуфский домик и маленькую бухту, куда укрывались: Ольга Леонардовна — от любимого-нелюбимого Театра, Мария Павловна — от любимого-нелюбимого Дома. Здесь они говорили о главном, порой — тайном. Здесь однажды шутили меж собой, что есть «большая жизнь», та, что за оградой садика, и «маленькая», та, что внутри души. И надо бы не умалять «маленькую» во имя внешней, общей, «большой». И обе мечтали *выстроить* свою жизнь так, чтобы быть *Чеховыми*. Для чего тратилась природная жизненная энергия, требовалась способность оставаться самими собой, проявлялась крепость духа. А главное — необходимость преодоления опасности, которая уже обнаруживала себя. Внешнее становилось важнее внутреннего. В мирных благополучных буднях дореволюционной России такое создание образа Сестры и Жены А. П. Чехова со всеми нравственными потерями было бы не более чем вопросом *частной* жизни М. П. Чеховой и О. Л. Книппер.

Однако грядущая эпоха не оставит их без внимания, сделает их общественно значимыми, идеологически необходимыми, придаст им государственный статус. Обеих женщин ожидал путь скорби, потерь, страха, малодушия, ослепления, терпения, прозрения. В 1917 году О. Л. Книппер писала в Ялту: «Куда поведет страну этот плебс... Ну, а пока радуйся солнцу, небу, саду... Хочется выжить... Я верю в далекое прекрасное будущее, но думаю, что нам уже не придется его дождаться... Я все жду чего-то, как над нами обвалится дом, говорит Раневская и я вместе с ним... Не знаю, откуда придет помощь, не знаю, кто вылечит, кто выведет на путь праведный нашу опозоренную, многострадальную страну, но почему-то твердо верю, что это будет»[43]. М. П. Чехова писала из Ялты в это же время младшему брату М. П. Чехову: «Болею сердцем за Россию и проклинаю насильников... Что-то будет с ней. Все-таки есть какая-то надежда... что кто-то или что-то спасет Россию... нас тоже пугают «варфоломеевскими ночами»[44].

Год спустя Ольга Леонардовна еще посылала весточки в Ялту: «Москва похожа на деревню... Один фонарь на Арбатской площади... Если бы жил Антон, как бы он умел разобраться во всем, уловить настоящее, существенное и отбросить все ненужное... Если бы знала, как стало неинтересно играть на сцене... Куда теперь спрячется искусство, какими путями оно пойдет... Не знаю, ничего не понимаю... Как это могло случиться, как мы подошли к этой страшной катастрофе... Не хочется терять веру... А ты мечтаешь об эмиграции? Куда нос-то покажешь после наших «революций»? Оскорблять будут»[45].

Летом 1918 года О. Л. Книппер удалось передать письмо с оказией в Ялту. Она рассказывала: «Газет не читаю, ходят разные слухи, легенды, сказки. Читаю: Франция в XIX веке: волнения и политические бури... Собираюсь уроки давать... Ах, какая разруха кругом!.. Масса дам ходят с унылыми, тихими, покорными лицами... Я не жалуюсь, а только рисую тебе картину»[46].

Через несколько месяцев удалось переправить еще одно письмо: «Смотрю на портреты Антона и думаю — почему его нет в такое время. Насколько было бы легче жить!.. Все зарабатывают на стороне, т. к. на жалованье жить немыслимо... Разговоры только о еде... Всюду едят конину, продают и собак! Ах, как хочется в Гурзуф!.. Не знаешь, о чем писать. Главное, что живы... Читаю письма Антона, взяла из музея. Я отупела ко всему... Когда привозят дрова, такое чувство, точно Иверскую привезли»[47].

Когда среди актеров, с которыми О. Л. Книппер гастролировала в 1919 году по югу России, начались разговоры об эмиграции, она признавалась М. П. Чеховой: «Наши думают о выезде за границу, я не очень за сие предприятие»[48]. В последующих посланиях она писала: «Судьба нас гонит дальше... Боже, когда же кончатся эти скитания?.. Катимся, а куда — ничего не знаю... Как я хочу в Москву!.. Маша, почувствуй, когда наш пароходик понесет нас по Черному морю... Господи, как мне противно и зазорно ехать за границу... Живи, и я буду жить, может, и увидимся! С тоской и любовью... Я еду пассивно... Страшно. Помолись за нас и за меня...»[49].

О. Л. Книппер звала с собой М. П. Чехову: «Дом в Ялте есть на кого оставить... Как-нибудь прокормимся... Ну, Маша, думай хорошенько и пускайся в путь... Целую, обнимаю и жду. Оля»[50].

Но Мария Павловна осталась.

С января 1918 года до конца 1920 года власть в Ялте переходила из рук в руки: то большевики, то немцы, то Добровольческая армия. Не кончались налеты, грабежи, расстрелы, убийства. Жители замерли в страхе. Связь с Москвой нарушилась. Письма передавали с оказией. Они попадали по адресу через недели, месяцы или пропадали совсем. П. Ф. Иорданов, тот, кто помогал А. П. Чехову организовывать в Таганроге музей, хлопотал вместе с ним об установке памятника Петру I, о пополнении фондов городской библиотеки, завершил свое письмо к М. П. Чеховой словами: «Разбираться в причинах, почему вся Россия стала «Палатой № 6», я не могу, а суда истории мне не дождаться»[51].

Каким-то чудом донесся из Москвы вопль Ф. О. Шехтеля: «Нас тут окончательно поработили, морят голодом, всячески истребляют, занавешивают красными тряпками, обклеивают идиотскими декретами, издеваются над нашей живучестью, грубо упраздняют все, что дышит божеством, и за бездарностью не могут выдумать черта. Терпеть это насилие — я более не могу»[52].

Порой доходили весточки из Алушты, где оказался И. С. Шмелев: «Принесло мертвой зыбью и меня с семьей к берегам тихим... Конвертов нет! Чернил нет, марок нет!!! Ничего нет. И писем нет. Ибо почтовых вагонов нет... Я теперь все отрицаю, ибо надоело утверждать... Словно после кораблекрушения... У меня осталось еще перо № 86 (берегу его как последний символ культуры). Итак — я жив... Изныла душа»[53].

В годы Гражданской войны М. П. Чехова пережила кончину матери, разрыв с братом Иваном, потерю московской квартиры, доносы, налеты, домашний террор своей прислуги, разлуку с О. Л. Книппер, которую она увидит только в 1925 году. За это время Дом в Ялте официально превратился в музей, а Московский Художественный театр — в государственный театр. Их несло течение «большой» новой жизни, а они держались за воспоминания о *прошлом*, сохраняя *ту жизнь в этой*. Писали письма на прежней бумаге, поздравляли друг друга с днем Ангела, звали родных прежними именами. И перечитывали письма Чехова, словно подпитывая ими душу. Встречи с Ольгой Леонардовной придавали сил Марии Павловне.

Теперь до конца жизни она останется для золовки «золотой Олей», «душенькой», «обожаемой невесткой», «леди», «божественной Олей», «лордшей». Когда однажды М. П. Чеховой передали сплетни об О. Л. Книппер и Н. Д. Волкове, она ответила: «Ольга Леонардовна молодец. Она плюет на всех и поступает так, как ей нравится. И правильно поступает. Жизнь нам один раз дается! Она храбрая, я на ее месте боялась бы родственников, как я это всю жизнь делаю и делала, т. е. боюсь»[54].

На самом деле М. П. Чехова никогда не боялась родных. Она опасалась одного: чьих бы то ни было посягательств на ялтинский дом. Как писал ее младший брат, М. П. Чехов, «дом был для нее всем... Маша любила только дом, всех остальных — только жалела...

В нем, в этом доме, для нее заключалась вся ее нелепо устроенная жизнь — и Антон, и мать, и погибшая молодость, одним словом, все, все, все. Чем больше я ее изучаю, тем больше понимаю это несчастное существо, и мне становится ее жаль... Она же всегда одинока...»[55] «И что это за такая дрожь над этим домом, что нельзя подпустить к нему никого чужого! Точно к ребенку. Впрочем, этот дом для нее — самое близкое и дорогое в жизни»[56].

Как О. Л. Книппер помогал жить созданный ею образ жизни, так и М. П. Чехова спасалась в житейском море новой эпохи на своем маленьком корабле, каким оказался ялтинский дом. В это время их *личное прошлое* становилось достоянием общества. Они читали о себе в книгах, мемуарах. Обе готовят издания писем Чехова, составляют комментарий, порой уводя в тень некоторые важные факты, события былого.

Каждая живет несколькими жизнями. *Внешней*, в которой Ольга Леонардовна Книппер — народная артистка, председатель месткома, представитель театра на официальных приемах у Калинина, Тухачевского, в иностранных посольствах. Поверх туалетов, привезенных из Берлина и Парижа или сшитых у Ламановой, ей повязывают в Колонном зале пионерский галстук. Мария Павловна Чехова тоже почетный пионер, почетный житель города Ялты, депутат и т. п.

У каждой есть домашняя, *личная* жизнь со всеми ее заботами о квартире, еде, одежде. Ольга Леонардовна все довоенные годы шлет в Ялту продукты, ибо там нет самого необходимого, а Мария Павловна в тех же удобных ящиках посылает в Москву белую сирень.

И была скрытая ото всех *потаенная жизнь души*, где они оставались наедине со своей совестью. Мария Павловна усмиряла сомнения и угрызения молитвами, а Ольга Леонардовна — чтением писем мужа.

«Большую» жизнь они допускали в свою переписку очень осторожно, хотя там встречаются слова «лишенцы», «бывшие», «пятилетка», «чистка», «соревнование», но все-таки предпочитали обсуждать события этой жизни наедине друг с другом.

«Большая» жизнь страны входила и уходила из ялтинского дома вместе с толпами экскурсантов, а в Московский художественный академический театр — вместе со зрителями. После рабочего дня и после спектакля М. П. Чехова и О. Л. Книппер, обе бессемейные, бездетные, оставались в маленьком кругу друзей, знакомых. А ночами — наедине с *той*, ушедшей жизнью.

Когда в 1932 году О. Л. Книппер написала в Ялту, что театру хотят присвоить имя А. М. Горького, М. П. Чехова ответила: «Я не могу придти в себя от нелепости и бестактности этого факта. Ты понимаешь? Ты чувствуешь? Считаю это за оплеуху всему нашему прошлому. Какая связь у нас с Горьким?!!»[57]

Сохранилось семейное предание, будто когда в 1934 году ялтинский Дом-музей посетили А. С. Бубнов, глава Наркомпроса РСФСР, И. А. Акулов, прокурор СССР, и Вл. И. Немирович-Данченко с женой, то Мария Павловна сама водила гостей по дому. В саду Бубнов спросил, где любимая скамейка А. П. Чехова. Указывая на нее, М. П. Чехова якобы ответила: «Вот любимая скамейка Антона Павловича Чехова имени Горького!»

М. П. Чеховой не раз писали и говорили, что И. В. Сталин любит произведения А. П. Чехова и что это важно для благополучия музея. Но Мария Павловна была всегда очень осторожна и предусмотрительна. В письмах она, как и О. Л. Книппер, не допускала рассуждений о событиях в стране, о положении в Ялте, в Крыму, о газетных сообщениях. Лишь иногда позволяла реплики, выдававшие ее отношение к людям и событиям.

Но в 1935 году О. Л. Книппер и М. П. Чехова совершили поступок, явно неосторожный по тогдашним временам. Ольге Константиновне Чеховой, племяннице О. Л. Книппер, первой жене Михаила Александровича Чехова, понадобилась справка, что в роду М. А. Чехова нет евреев. Любимая актриса Гитлера должна была быть вне подозрений и сомнительных фактов своей жизни. Между тем Н. А. Гольден, мать М. А. Чехова, была еврейкой.

М. П. Чехова обратилась к таганрогскому краеведу, архивисту М. М. Андрееву-Туркину. Наверно, он мог отказаться, так как уже пережил арест, тюрьму, увольнение с работы. Тем не менее он послал в Ялту копии документов, удостоверяющих рождение Ал. П. Чехова от православных родителей. На их основании М. П. Чехова и М. П. Чехов составили и заверили в ялтинской нотариальной конторе 26 августа 1935 года справку о родословной своей внучатой племянницы, по которой выходило, что ее бабушка и дедушка со стороны отца, то есть Михаила Александровича Чехова, русские.

Кончался документ словами: «Во всем роде нашем, как со стороны отца, так и со стороны матери, лиц нехристианского исповедания не было». И подтверждалось, что Ал. П. Чехов был женат на «московской жительнице Н. А. Галдиной, русской и православной»[58].

О. Л. Книппер и М. П. Чехова на языке тех лет, конечно, считались «бывшими», но на особом положении. Официальная власть и господствующая идеология признали их и присвоили себе. Сестра и жена А. П. Чехова получали награды, общественное признание, восседали в юбилейных комитетах, возглавляли торжества по случаю «круглых» дат (например, 75-летие со дня рождения А. П. Чехова).

М. П. Чехова принимала в Доме-музее почетных гостей. Всем им она рассказывала о дружной семье, выбившейся из нужды, о брате, помогавшем бедным, обездоленным и мечтавшем о светлом будущем.

Две «памяти» сосуществовали в жизни О. Л. Книппер и М. П. Чеховой. Одна — для журналистов, официальных воспоминаний. Другая — оживала при встречах с немногими оставшимися в живых современниками, в которой, например, Марии Павловне, по ее признанию, «было тяжело и грустно ковыряться». С каждым годом обе «памяти» все более проникали друг в друга.

Властям и обывателям был важен отшлифованный полувымысел. Исследователям, приступившим к изданию сочинений и писем А. П. Чехова, нужны были точные данные, справки, комментарии. Однажды, в связи с кончиной одного из давних знакомых еще из «*той*» жизни, Мария Павловна сказала Ольге Леонардовне: «Мог бы и твой супруг быть сейчас в живых. Но я совершенно не мыслю, как бы он себя чувствовал в нашей современности»[59].

О современности они говорили в любимом гурзуфском домике, оставаясь наедине. Здесь было все, как тогда, как в начале века, и потому вспоминались строки из рассказа «Дама с собачкой»: «Так шумело внизу, когда еще тут не было ни Ялты, ни Ореанды, шумит и будет шуметь так же равнодушно и глухо, когда нас не будет. И в этом постоянстве, в полном равнодушии к жизни и к смерти каждого из нас кроется, быть может, залог нашего вечного спасения, непрерывного движения жизни на земле, непрерывного совершенства».

М. П. Чехова признавалась Ольге Леонардовне в 1939 году: «Я, Олечка, очень устала от своей службы, от этой вечной борьбы за существование нашего музея... Дом разваливается, трещит по швам... Одним словом, глаза бы мои не глядели!»[60]

Но наутро вставала и, несмотря на свои 75 лет, шла пешком в город, хлопотала, просила, писала. И умела доставить радость самой себе. Например, надеть на встречу старого Нового года бриллианты, испечь пирог, побаловаться настоящим кофе или даже заказать новые туалеты.

Ольга Леонардовна тоже по-прежнему любила красиво одеться, утешиться поездкой за город и писала в Ялту: «Чувствую, что я еще не умерла, ибо умиляюсь на красоту почти до слез»[61]. Много работала. В 1935 году состоялось 700-е представление «Вишневого сада». Весной 1940 года она особенно звала Марию Павловну в Москву: «Очень хочется повидаться и поговорить и поглядеть друг на друга... В апреле будет премьера «Трех сестер», на которой ты обязана быть... Уж очень много пробудит воспоминаний и трудно будет воспринимать просто и ясно... Пойдем с тобой вместе, когда приедешь»[62].

Театр и Дом не отпускали прошлое сестры и жены А. П. Чехова. Оно оставалось для них *настоящим*. В этом был феномен судьбы обеих женщин, проживших очень долгую жизнь, прошедших несколько разных эпох.

Домашнюю жизнь они хотели восстановить и сохранить в былых формах. У каждой свой маленький круг друзей, «двор», где они королевы, а точнее — «барыни», как шутливо звали их домашние. Но «барыням» предстояло пережить еще одну войну, послевоенную разруху и голод. И все очевиднее обе понимали, что не столько Театр и Дом продлевают их жизнь и делают существование жизнью. Но глубочайшая душевная потребность друг в друге. Та самая, которую так *ждал и не дождался* Антон Павлович Чехов.

Мария Павловна, как она писала, «приручила» Ольгу Леонардовну: «Во все времена нашей общей горести и радости я с нежностью относилась к тебе. Правда, иногда ты этого не чувствовала, и, пожалуй, даже не ценила, но этого и не нужно было... Я добилась того, что ты признала меня близкородной и уже не отойдешь от меня далеко...»[63] Тут главное — строки: «этого и не нужно было...». Несколько десятилетий ушли на то, чтобы понять, что любят потому, что просто любят, а не за что-то или во имя чего-то.

Ольга Леонардовна в связи с выходом книги «Дом-музей А. П. Чехова» писала Марии Павловне в 1949 году: «Ведь не твоя заслуга, что ты родилась сестрой Чехова, а главное, что ты сделала своей мыслью и своим трудом для его памяти... Пойми, я не критикую, а хотелось бы, чтобы книжка была поинтересней, повкусней...»[64]

Итак, они стали наконец дороги друг другу не как сестра и жена Чехова, а сами по себе. Теперь им не мешали ни Театр, ни Дом, а осталось то, что всегда было ясно человеку, который породнил их, — Антону Павловичу Чехову. Но *тогда* они не поняли его. *Не могли понять*.

Мария Павловна умоляла Ольгу Леонардовну: «Пожалуйста, не умирай раньше меня. Я не могу, чтобы вместо тебя было пустое место»[65]. А Ольга Леонардовна часто писала ей, цитируя из «Юлия Цезаря»: «Увидимся, так, верно, улыбнемся». И незадолго до их вечной разлуки приободряла: «А жизнь я люблю со всей ее непонятной иногда кашей и жду все лучшего»[66].

В физическом и душевном долголетии Марии Павловны Чеховой и Ольги Леонардовны Книппер что-то очевидно, а что-то загадочно. Что-то от века, а что-то от вечного.

Примечания

[1] С. М. Чехов утверждал: «Инстинктивно она стремилась сохранить брата для себя, не отдать его кому-либо другому» (РГАЛИ. Ф. 2540. Оп. 2. Ед. хр. 119. Л. 96–97). Со слов отца и самой М. П. Чеховой, С. М. Чехов писал: «Если бы Мария Павловна хотела бы выйти замуж, она, безусловно, осуществила бы это, т. к. поклонников у нее было много. Она была обаятельна, и ей делали предложение поручик Егоров, художник Левитан, помещик Смагин, художник Браз, режиссер Санин и другие. Но в том-то и дело, что она предпочита-

ла быть свободной, не связанной брачными узами... Она по-настоящему никогда никого не любила» (там же. Л. 606).

[2] *Чехова М. П.* Письма к брату А. П. Чехову. М., 1954. С. 102–103.

[3] Там же. С. 131.

[4] ОР РГБ. Ф. 331. К. 105. Ед. хр. 2. Л. 6 об.

[5] Там же. К. 77. Ед. хр. 14. Л. 14, 14 об.

[6] Там же. К. 105. Ед. хр. 2. Л. 7, 8.

[7] Там же. Ед. хр. 3. Л. 6, 8 об., 11 об.

[8] Там же. К. 77. Ед. хр. 15. Л. 4 об., 5, 10.

[9] Там же. Л. 18 об.

[10] Там же. Ф. 331. К. 105. Ед. хр. 3. Л. 14, 14 об.

[11] Там же. Л. 16 об.

[12] Там же. Ф. 331. К. 77. Ед. хр. 15. Л. 19 об., 20.

[13] Там же. Л. 23.

[14] Там же. Ф. 331. К. 105. Ед. хр. 4. Л. 18 об.

[15] Переписка А. П. Чехова и О. Л. Книппер: В 3 т. М., 1934. Т. 1. С. 185.

[16] ОР РГБ. Ф. 331. К. 105. Ед. хр. 4. Л. 18 об.

[17] РГАЛИ. Ф. 2540. Оп. 1. Ед. хр. 483. Л. 28 об.

[18] ОР РГБ. Ф. 331. К. 79. Ед. хр. 30. Л. 26 об., 27.

[19] РГАЛИ. Ф. 2540. Оп. 1. Ед. хр. 483. Л. 33.

[20] ОР РГБ. Ф. 331. К. 105. Ед. хр. 4. Л. 1.

[21] Там же. Л. 7, 7 об., 8.

[22] Там же. Ф. 331. К. 87. Ед. хр. 50. Л. 3.

[23] Там же. Ф. 429. К. 3. Ед. хр. 12. Л. 8 об., 11. В. Н. Муромцева-Бунина сочла ошибкой памяти упоминание И. А. Бунина, что он был в Ялте в конце 1902 года. Но мемуаристка точно определила настроение И. А. Бунина в то время: «Душевного покоя у Ивана Алексеевича не было, а жизнь он вел беспорядочную среди бесконечных романов, флиртов и всяких женских дружб. Только уезжая в деревню... начинал он вести здоровый образ жизни и не брал в рот вина» (см.: *Муромцева-Бунина В. Н.* Жизнь Бунина. Беседы с памятью. М., 1989. С. 211).

[24] ОР РГБ. Ф. 331. К. 105. Ед. хр. 4. Л. 14 об.

[25] *Чехов А. П.* Полное собрание сочинений и писем: В 30 т. Письма. Т. 11. М., 1982. С. 15. В дальнейшем ссылки на это издание даются в тексте с указанием номера тома писем и страницы.

[26] Переписка А. П. Чехова и О. Л. Книппер: В 3 т. М., 1936. Т. 2. С. 454.

[27] Там же. С. 487.

[28] Там же. С. 492, 498, 501, 545.

[29] ОР РГБ. Ф. 331. К. 76. Ед. хр. 30. Л. 18 об.

[30] Там же. Л. 19 об., 21, 23 об., 25.

[31] Там же. Ф. 331. К. 76. Ед. хр. 31. Л. 44 об.

[32] Там же. Ед. хр. 30. Л. 33

[33] *Чехова М. П.* Письма к брату. М., 1954. С. 216–217.

[34] А. П. Чехов в воспоминаниях современников. М., 1986. С. 219.

[35] Ольга Леонардовна Книппер-Чехова. Воспоминания и статьи. Переписка с А. П. Чеховым (1902–1904). М., 1972. Ч. 1. С. 380.

[36] ОР РГБ. Ф. 331. К. 105. Ед. хр. 7. Л. 17 об.
[37] Там же. Ед. хр. 10. Л. 10, 13.
[38] Ольга Леонардовна Книппер-Чехова...: Ч. 2. С. 86.
[39] ОР РГБ. Ф. 331. К. 77. Ед. хр. 25. Л. 23.
[40] Ольга Леонардовна Книппер-Чехова...: Ч. 2 . С. 108.
[41] ОР РГБ. Ф. 331. К. 77. Ед. хр. 30. Л. 11 об.
[42] Там же. Л. 26.
[43] Там же. Ф. 331. К. 77. Ед. хр. 36. Л. 19 об.
[44] РГАЛИ. Ф. 2540. Оп. 1. Ед. хр. 485. Л. 14, 14 об.
[45] ОР РГБ. Ф. 331. К. 77. Ед. хр. 39. Л. 7 об., 11, 16 об., 18 об., 21 об.
[46] Там же. Ед. хр. 40. Л. 17 об., 21 об.
[47] Там же. Ед. хр. 41. Л. 1, 3, 5 об.
[48] Там же. Ф. 331. К. 37. Ед. хр. 42. Л. 14 об.
[49] Там же. Ед. хр. 43. Л. 1., 1 об., 11, 11 об., 12.
[50] Там же. Л. 12 об.
[51] Там же. Ф. 331. К. 90. Ед. хр. 68. Л. 2 об.
[52] Там же. Ед. хр. 12. Л. 17 об.
[53] Там же. Ед. хр. 22. Л. 1, 2.
[54] Там же. К. 106. Ед. хр. 12. Л. 12 об.
[55] РГАЛИ. Ф. 2540. Оп. 3. Ед. хр. 32. Л. 48.
[56] Там же. Ед. хр. 36. Л. 19 об.
[57] ОР РГБ. Ф. 331. К. 78. Ед. хр. 7. Л. 25
[58] РГАЛИ. Ф. 2316. Оп. 3. Ед. хр. 146. Л. 1.
[59] ОР РГБ. Ф. 331. К. 105. Ед. хр. 34. Л. 2 об.
[60] Там же. Л. 4 об.
[61] Там же. Ф. 331. К. 78. Ед. хр. 13. Л. 15.
[62] Там же. Ед. хр. 15. Л. 6.
[63] Там же. К. 105. Ед. хр. 34. Л. 15.
[64] Там же. К. 78. Ед. хр. 25. Л. 5, 5 об.
[65] Там же. К. 106. Ед. хр. 6. Л. 10.
[66] Там же. Ед. хр. 31. Л. 9 об.

Мария Чегодаева

Николай Александрович Бердяев и Михаил Осипович Гершензон летом–осенью 1917 года

Ссора Н. А. Бердяева и М. О. Гершензона, происшедшая 28 сентября 1917 года в доме Лосевой на открытии сезона в журнале «Народоправство», членом редакции которого Бердяев состоял, несомненно, дорого обошлась обоим. Рушились многолетние связи, и, как оказалось, навсегда. И хотя обмен письмами как будто прояснил отношения и мир внешне был восстановлен, и уже несколько дней спустя Гершензон желал по телефону Бердяеву «всяких благ», когда тот в начале октября уезжал в Петроград, будучи избранным во Временный комитет (Временное правительство) от общественных организаций; и Бердяев слал открытку в Судак жене Гершензона, жалуясь на болезнь своей супруги Лидии Юдифовны, — той близости, того доверия, которое царило между ними вернуть уже оказалось невозможным.

Невозможным прежде всего потому, что вспышка взаимного раздражения была не причиной, а лишь внешним проявлением того отчуждения, которое нарастало в течение всего лета 1917 года, разрастаясь как снежная лавина. Рано или поздно она должна была сорваться, и как всякая лавина, захватила многие пласты, сокрушив все вокруг себя. Распались не только личные связи двух «приятелей», как определял их отношения Гершензон, многие годы встречавшихся чуть не ежедневно, друживших домами, бывших на «ты». Буря истории вторглась в тесный кружок московских интеллигентов — писателей, историков, философов, один из очагов интеллектуальной жизни России середины 1910-х годов.

Из воспоминаний дочери М. О. Гершензона Н. М. Гершензон-Чегодаевой

«В то время круг писателей и философов Москвы жил особенно напряженной умственной жизнью и общение их между собой было чрезвычайно интенсивным. Они часто собирались, горячо и много спорили, читали и обсуждали свои произведения. В 1913–1917 годах у нас в доме (на Арбате в Никольском переулке) особенно часто бывали Л. И. Шестов, В. И. Иванов, А. Белый, философы Г. Шпет, Франк, Эрн, Н. Бердяев, Д. Н. Жуковский, юрист Б. А. Кистяковский, поэты Ю. Н. Верховский и В. Ф. Ходасевич, издатель М. В. Сабашников, А. Ремизов, а также многие другие, приходившие реже. <...> Голоса в столовой нас очень занимали, и мы подолгу не спали, прислушиваясь к ним. А в особенно интересных случаях, в ночных рубашках стояли у двери в столовую, слушая то, что там делалось. Никогда не забуду одного вечера, когда мы так стояли босые, слушая чтение А. Белого, потрясавшего нас своей непонятностью. Его поразительный голос, то интенсивный и звучный, то внезапно замиравший, вдруг вскрикивал: «Я — есть я!» Помню звуки громких споров, доходивших до крика (особенно кричал Бердяев), страстные вопли Цявловского, который в азарте спора о Пушкине вскакивал с места и бегал по столовой <...>

В 1914–1915 годах мои родители были очень близки с Бердяевыми, не только с ним, но и с его женой, красивой, величавой дамой (немножко поэтессой) Лидией Юдифовной и ее сестрой Евгенией Юдифовной. Их настоящее отчество было «Иудовны», но они заменили его выдуманным. Бердяевы жили в Б. Власьевском переулке, и одно время общение между нашими домами было частым. Знакомство с Бердяевыми кончилось нехорошо. Они резко оборвали отношения, не сойдясь в политических убеждениях. Сохранилось несколько тяжелых писем, отразивших этот разрыв»[1].

Стихия всеобщего раскола, прокатившаяся в послефевральские месяцы по всей стране, превратившая художественные и философские споры в схватку политических страстей, не пощадила и этот тесный интеллигентский круг. Кажется, вся земная оболочка России лета 1917 года была перенасыщена атомами распада и отторжения. Частный эпизод за чайным столом в доме Лосевой был лишь одним из проявлений этого «перенасыщения». Не обратившись к фактам, не ощутив атмосферу тех дней, мы не поймем глубоких подспудных истоков столкновения Бердяева и Гершензона — столкновения двух интеллигентских Россий, в это лето вставших друг против друга.

По-разному сложилась жизнь обоих героев драмы. Бердяев, войдя в редакцию журнала «Народоправство», сразу стал в нем центральной фигурой, идеологом и ведущим автором. Начавший выходить в июле 1917 года — горьком трагическом месяце военного разгрома и петроградского мятежа — еженедельник «Народоправство» с первого номера принял остро политический характер, заняв четкую позицию в жестокой борьбе, развернувшейся в это время в России. Бердяев — в огне сражений. Его страстные блестящие статьи не могут не влиять на умы. В своей публицистике он встает перед нами во весь рост — деятельный, убежденный, непреклонный. Закономерно его избрание в члены Временного правительства.

Гершензон с апреля месяца живет с семьей в Судаке, пишет немного и не на политические темы, ни к каким партиям не примыкает, ни в какой борьбе не участвует. Мы видим его в воспоминаниях его дочери, в письмах к жене и друзьям, взволнованного, возбужденного — и бездействующего, раздираемого сомнениями...

Из воспоминаний Н. М. Гершензон-Чегодаевой

«Зимой была февральская революция. Все события этой напряженной зимы самым близким образом вторглись в нашу детскую жизнь. Папа с такой страстной надеждой и волнением переживал происходящее, что заряжал своими чувствами всех окружавших его людей. В это время самое ощущение жизни стало иным, весь воздух, пропитанный ожиданием нового, стал особенным, праздничным. Для нас было праздником то, что новое значение приобрел красный цвет; идя гулять, мы с восторгом повязывали себе на рукава красные тряпки. В то время в Москве выходило много газет разных политических направлений. Папа покупал по десятку газет в день, беспрестанно бегая за ними на улицу. Весь его обычный режим нарушился, он то и дело сбегал со своего верха вниз к нам, так как не был в состоянии усидеть там один. В большом возбуждении пребывали и все его друзья. Каждый день кто-нибудь приходил, споры звучали еще громче прежнего...»[2]

Политика властно ворвалась в мир высоких мыслей, философских религиозных исканий, утонченной поэзии. Газеты оттеснили книги и рукописи: то, что совершалось в России, казалось каким-то чудом, осуществлением того, ради чего жили, о чем мечтали лучшие русские люди. Так и вижу горящие глаза своего деда, читающего 2 марта 1917 года в одной из только что купленных на Арбате газет «Программу первого общественного комитета Временного правительства», вижу, как сбегает он с газетой в руках вниз к жене и детям, как читает вслух пункты «Программы», еще вчера казавшиеся невозможной, несбыточной фантазией:

1. Полная и немедленная амнистия по всем делам политическим и религиозным, в том числе террористическим покушениям, военным восстаниям и аграрным преступлениям.

2. Свобода слова, печати, собраний и стачек с распространением политических свобод на военнослужащих, допускаемых военно-техническими условиями.

3. Отмена всех сословных, вероисповедальных и национальных ограничений.

....

Председатель Государственной думы Родзянко.

Председатель Совета Министров кн. Львов.

Министры: Милюков, Некрасов, Коновалов, Мануйлов, Терещенко, Вл. Львов, Шингарев, Керенский.

Отмена сословных ограничений, отмена национальной и религиозной дискриминации, отмена цензуры; чуть позже — отмена смертной казни! Была ли где-нибудь в мире в те годы столь полная демократия, столь абсолютная политическая свобода?

Из воспоминаний Н. М. Гершензон-Чегодаевой

«В целом наша жизнь шла прежним чередом. Доживались последние месяцы этой жизни. Нас давно звали в Крым наши друзья — Жуковские, у которых в Судаке была своя дача. Мама решилась повезти нас в Судак на все лето, и мы уже в апреле выехали из Москвы. Это первое путешествие по революционной России запомнилось мне на всю жизнь. Уже с самого начала все вагоны были переполнены, главным образом солдатами, возвращавшимися с фронта. Не только все коридоры были забиты людьми и вещами, но и на крышах вагонов ехали люди, так что над головами все время слышались шаги и движение. Мы ехали без папы, втроем с мамой. Папа, как обычно, оставался в Москве по своим делам и должен был приехать позднее»[3].

Письмо из Судака М. О. Гершензона И. В. Жилкину, редактору газеты «Русское слово». 27 июня

«Дорогой Иван Васильевич, здесь я чаще читаю Рус. Слово, нежели в Москве; не встречая Вашей подписи, умозаключаю, что Вы в отпуску, да и само по себе это вероятно. Но пишу Вам в надежде, что как-нибудь письмо дойдет до Вас. Когда это случится, то напишите и Вы мне, потому что хочется знать о Вас.

Что делается, что делается! Каждый день я кладу газету с таким чувством, что все должно рухнуть, а на другой день просыпаюсь с чувством, что все совершающееся — радость сплошная, что все устроится и это чудо свободы утвердится навеки. И вместе с тем кажется, что такое счастье не может быть прочным, оно слишком велико и невиданно на свете, так мне кажется среди дня. Это я Вам о себе рассказываю. Вечером приходит почта, и я ложусь спать в безнадежности, и долго не могу уснуть; утром уверен в счастливом исходе, а среди дня томлюсь сомнениями. Среди дня — зной и призрачность. Я ничего не делаю и даже мало читаю. Лежу на берегу, лежу дома, хожу иногда далеко, иногда упорно думаю, особенно рано утром, а больше ничего не думаю. Встаю в 7 или раньше, варю себе чай на спиртовке, и тут голова свежая, а в 9-м часу встают мои, пьем кофе, потом идем лежать на берег, тут я глупею на весь день, до вечера, когда начинается томительное ожидание газеты. У М[арии] Б[орисовны] все-таки много мелкой работы по хозяйству, а у меня никакой.

Напишите же о себе и о Зинаиде Андреевне. Почта московская пересылала мне повестки писательского кружка, и я жалел, что не мог прочитать доклады Белого, Шпета. А сборник «Марр», видно, не дошел, хотя И. А. Новиков обещал его к 15 мая. Вы, чего доброго, на Кавказе. Прочтите в Рус. Мысли март—апрель рассказ М. Б. «Призывы».

М. Б. и я шлем Вам обоим сердечный привет, и я, став на цыпочки, мысленно обнимаю Вас и остаюсь

любящий Вас М. Гершензон[4].

Из воспоминаний Н. М. Гершензон-Чегодаевой

«Папа почти все время был со мной. Мы по целым часам просиживали среди маков, которыми он очень любовался, и на пляже около моря. Я сразу обнаружила, что судакский пляж наполнен замечательными сокровищами — чудесными разноцветными камешками, и начала с азартом собирать их. Папа забрал их себе и долго хранил в ящике своего письменного стола»[5].

В вечную красоту моря, гор, бездонного южного ночного неба, цветущих маков и обкатанных волнами крымских камешков, собранных детскими руками, врывались кровавые стоны страны, раздираемой войной и революцией. Развернем же страницы, которые с таким мучительным нетерпением, едва дождавшись почты, развертывал Гершензон, живший в эти месяцы тем, что несли газеты — единственные вестники и глашатаи неведомой российской судьбы. Можно не сомневаться: с особенным чувством ждал он прибытия «Народоправства» — еженедельника, в редакцию которого входили близкие ему люди — Бердяев, Ходасевич, главным редактором которого являлся известный литератор Георгий Чулков. «Народоправство» — в значительной степени выразитель идей, чувств, настроений того круга, к которому принадлежал Гершензон, с которым связан всей своей жизнью.

Первый номер «Народоправства» выходит в те самые дни, когда в Галиции развернулось наступление и армия генерала Л. Корнилова, прорвав немецкую оборону, захватила 7 тысяч пленных и 48 орудий, заняла Галич и вышла на реку Ломница. В те дни, когда в Петрограде недовольные правительством воинские части и рабочие крупнейших заводов начали волнения и демонстрации, кончившиеся вооруженными столкновениями с правительственными войсками, массовым кровопролитием и арестами. Официальные сообщения о событиях 3–4 июля гласили: «Ликвидация мятежа. Утром 4 июля в Петроград прибыли вооруженные части войск и флота. Около 12 часов эти части и полки выступили в сопровождении частью вооруженных рабочих к Таврическому дворцу с лозунгами «Долой Временное правительство», «Долой министров-капиталистов», «Вся власть Советам рабочих и солдатских депутатов». Правительство вызвало из Павловска конную гвардейскую артиллерию и две сотни 1 и 4 Донских казацких полков, четыре роты измайловцев и две роты семеновцев. Действия войск начались в полном подчинении распоряжения главнокомандующего, осуществляя план решительного прекращения беспорядка и ареста его участников»[6]. Со стороны правительственных войск погибло пять казаков. Со стороны мятежников около 400 человек.

Бердяев выступает с передовой статьей «Свободный народ».

«Русский народ вышел из долгого исторического рабства и переходит к жизни вольной, к народовластию и народоправству. Велико было долготерпение русского народа, и оно внушило иностранцам мысль, что русский народ — раб в душе. И вот теперь русский народ должен показать миру, что он поистине свободный народ.<...> Только те, которые остаются рабами в душе, могут относиться к своему государству и своему отечеству как к чужому, навязанному им, враждебному. Народ достоин гражданственности, когда он научится управлять собой. <...> Но целью, во имя которой русский человек должен научиться управлять собой и управлять другими, не может быть корыстный интерес отдельных людей или классов. Такой целью может быть лишь благо целого, благо России, благо всего народа, подъем народа до более высокой жизни в правде и истине. <...> Потеря всякой дисциплины в народе, всякой способности к самоуправлению и самоограничению и подчинению себя высшим целям превращает восставший народ в диких зверей. <...> Русский народ ныне держит экзамен на демократию, история испытывает его «доблесть», его гражданскую зрелость.

Что такое русский народ? <...> Русский народ — один великий народ, а не смесь разрозненных частей, преследующих свои интересы. Русский народ имеет свое лицо в мире, не похожее ни на один народ, свою историю, свое великое прошлое и великое будущее. <...> Сейчас происходит в России болезненный и мучительный процесс перехода к новому сознанию и новому свободному патриотизму. <...> Свободный народ не может потерпеть диктатуры какого-нибудь класса».

Бердяев утверждает, что национальные чувства сильнее, чем классовые интересы, классовая рознь; что существуют интересы всей России, а не отдельных классов.

«Народ тогда только достоин наименования свободного и граждански зрелого народа, когда он сознает свое национальное единство, свою целостность, как внутри собственного государства, так и вне его. <...> Постыдно думать, что русский народ до тех пор составлял единое и великое государство, пока он жил в рабстве и принуждении, и перешел к анархии и распадению, когда стал свободным. И еще постыднее думать, что русский народ лишь до тех пор составлял доблестную армию, пока его принуждали к этому как раба. Если бы оказалось, что для русского народа возможны или покорность и принуждение из-под кнута, или рабский бунт и анархия, то народ этот был бы обречен на гибель. <...> Произойдет возвращение к истокам русской истории и вновь нужно будет собирать великую Россию. Слишком многие сейчас проповедуют это возвращение назад и с легкостью отрицают весь труд русской истории, все жертвы, принесенные народом для создания единой, великой и сильной России. <...> Но русскому народу предстоит великая роль в истории»[7].

Тему наступления поднимает статья пишущего под псевдонимом Бориса Кремнева Георгия Чулкова, так и озаглавленная «Наступление». «На скверном ломанном русском языке изо дня в день „интернационалисты" пишут в своих газетках о том, что войну ведут капиталисты, что война эта „захватническая, грабительская" и потому надо бросить оружие и брататься с немцами. <...> Наша война революционная, потому что мы ведем ее <...> против Германии императорской. <...> Говорят, что русская революция еще не кончилась. Да, это не ложно. Та революция, которая началась в Европе в июле месяце 1914 года, еще не кончилась. Она кончится победоносно тогда, когда Гогенцоллерн покинет свой трон, как покинул его Романов»[8].

«Борис Кремнев» — псевдоним Георгия Чулкова.

Что касается петроградских событий, то «Народоправство» всецело разделяет официальную версию о том, что мятеж был делом рук германских шпионов и их агентов большевиков. «Безумие и ненависть — вот стихии, которые повели свое наступление.<...> Бактерии безумия и ненависти были привезены к нам в запломбированном вагоне через Германию. <...> Германия решила отравить источники России. К счастью, вся ее организация уже начинает раскрываться»[9], — пишет проф. Б. П. Вышеславцев в том же № 1 «Народоправства». В запломбированном вагоне прибыли в Россию из эмиграции члены РСДРП и других революционных партий.

Дальнейшие номера журнала развивают те же темы — главные темы российской жизни лета 1917 года. Н. М. Иорданский — постоянный автор «Внутреннего обозрения» дает оценку событиям минувшей недели июля, прежде всего петроградскому мятежу. «Истекшая неделя полна крупнейшей важности политическими событиями. <...> Петроград 3 и 4 июля стал ареной контрреволюционной борьбы. Подстрекнутые большевистскими агитаторами и темными лицами пулеметчики и примкнувшие к ним солдаты и рабочие хозяйничали в городе. <...> Происходил бунт, а не беспорядки. Он заключал в себе страшные опасности для идей русской революции. Это особенно ясно теперь, когда обнаружилось, в какой близости к германскому шпионажу стоят руководители петроградского восстания и проповедники гражданской войны вместо войны с внешним врагом. <...> Об аресте Ленина, Зиновьева, Каменева, Троцкого отданы распоряжения. Расследования, начатые по поводу событий 3 и 4 июля, с несомненностью устанавливают, что петроградское восстание было организовано при участии германских правительственных агентов. <...> Наступил грозный час! <...> Германцы наступают, а перед ними бегут в тыл воинские части, боевой дух и дисциплину которых успели разрушить ленинские агитаторы и происки германских шпионов. И в тылу эти темные силы не дремлют. <...> С врагами необходима борьба»[10].

Статья была написана в дни, когда в Москву и Петроград уже доходят известия о срыве наступления. 6 июля австро-германские войска нанесли контрудар и прорвали русский фронт. Началось отступление всех русских армий.

В № 3 (17 июля) Бердяев публикует статью «В защиту социализма». «Торжествует ли в России социализм? По внешности — да. Всюду в народных массах победа за социалистическими лозунгами. Мир не видал такого разлива социализма. Может показаться, что Россия из абсолютной монархии мгновенно превратилась в социалистическую республику. <...> Самые серые обыватели, мещане, городская прислуга, все, которые своим политическим индифферентизмом и неразвитостью поддерживали старый строй, сочувствуют крайним социалистическим партиям. Вчерашние черносотенцы сделались большевиками. <...> И все-таки неверно, что социализм торжествует в России, что торжество это идет вглубь и что сам социализм этот — подлинный. <...> Такая „интеллигентская“ и образованная выдумка, как социализм, совершенно чужда крестьянам и массе рабочих. Слово же „социализм“ скрепляется с насущными, элементарными, самыми близкими нуждами трудящихся масс, и потому они живут под его обаянием. <...> Солдаты, крестьяне, рабочие думают, что социализм принесет непосредственное благо ему самому, сейчас уменьшит его горькую нужду. И демагоги, желающие перетянуть массу на свою сторону, бессовестно пользуются этой темной тягой к социализму. И получается фиктивное торжество социализма, за которым может скрываться его идейное поражение. Социализм есть сейчас лишь русский способ делать политическую и бытовую революцию. <...> Революционный социализм в России может быть лишь навязчивым воспоминанием о старом рабстве и гнете, перенесением в новую свободную Россию старой подпольной психологии. <...> От «развития революции», неизвестно против кого направленной, пора перейти к социальному творчеству»[11].

24 июля. Четвертый номер «Народоправства» преисполнен тревоги. Иорданский в своем «Внутреннем обозрении» приводит телеграмму генерала Корнилова: «Армия обезумевших темных людей, не огражденная властью от систематического развращения и разложения, потерявшая чувство человеческого достоинства, бежит. На полях, которые нельзя даже назвать полями сражения, царит сплошной ужас, позор и срам, которых русская армия еще не знала с самого начала своего существования». Временное правительство признало необходимым карать за речи и призывы к восста-

нию, на фронте восстановлена смертная казнь. «Нужно ли доказывать, насколько дезорганизующими хозяйственную жизнь страны оказались чрезмерные, а в военное время, безусловно, недопустимые требования городского пролетариата», — пишет «Народоправство». Идут переговоры о создании коалиционного правительства. Партия народной свободы (кадеты) и представители торговли и промышленности ставят свои условия: «Обе политические и общественные группы выдвигают на первый план общенациональные задачи, продолжение войны в тесном единении с союзниками, отложение всяких социальных изменений до созыва Учредительного собрания. <...> Когда пишутся эти строки, переговоры об организации коалиционного министерства еще не окончены»[12].

Все тревожнее, все взволнованнее звучат голоса авторов журнала. Что происходит с революцией? Что происходит с Россией, с русским народом? «За последние две недели мы пережили много страшных и грозных часов, — утверждает проф. Н. Н. Алексеев. — В прошедшие грозные дни повсюду раздавался клич: „Спасайте революцию!“ <...> Господа! Что значит „спасать революцию“ и как мы будем ее спасать? Пережитые нами грозные дни были продуктом революции <...>, мы жали то, что посеяли весной.<...> Много нужно сказать о нашей революции — много „последних“ „жестоких“ слов <...> И во-первых, нужно сказать нашей революции, что с самого начала своего развития вступила она на совершенно пагубную позицию по отношению к государству. Хотели построить государство не на властвовании, а на силах нравственного убеждения, на увещании, на моральном внушении — какое-то странное толстовское „непротивленческое“ государство. <...> И вот оно разваливается»[13].

В этом же № 4 «Народоправства» помещена принципиальная программная статья Бердяева «Правда и ложь общественной жизни» — трагическая оценка всей современной русской истории. «Последние годы перед революцией мы задыхались во лжи. Провокация сделалась устоем русской государственности старого режима. Атмосфера была насыщена предательством. <...> В последние месяцы перед переворотом муть сделалась нестерпимой, нельзя было дышать. <...> Старый режим уже долгое время жил ложью. Старая русская монархия утонула в мути, во лжи, в предательстве и в провокации. Она не столько была свергнута, сколько сама разложилась и пала. Русская революция не столько была результатом накопления творческих сил <...>, сколько результатом накопления отрицательных состояний, процессов гниения старой жизни. Это очень облегчило торжество революции в первые дни и очень отягчило ее в дальнейшем развитии. Силы разрушительные взяли верх над силами творческими. Болезнь оказалась слишком застарелой, последствия ее перешли в новую Россию и действуют как внутренний яд. Ложь по-прежнему царит в нашей общественной жизни. <...> По-прежнему нет любви к правде, нет признания самодовлеющей и абсолютной ценности правды, которой нельзя жертвовать ни для каких утилитарных и корыстных целей, партийных, классовых или личных. Прежде уста, ненавидевшие и презиравшие Николая II, говорили об „обожаемом монархе". <...> Весь ужас в том, что давно уже „божье" было воздаваемо не Богу, а „кесарю". <...> Но после низвержения старых кумиров, освободились ли мы от всякого низкопоклонства, от всякого воздаяния божьего царству кесаря? Нет, не освободились. <...> Началось новое идолопоклонство, появилось много новых идолов и земных божков — „революция", „социализм", „демократия", „интернационализм", „пролетариат" и т. п. Все эти идолы и божки также принадлежат царству „кесаря", как и старый идол царского самодержавия».

Бердяев говорит, что революции — лишь преходящие и болезненные моменты в истории народов, когда вскрываются гнойные нарывы; что превращение революции в «божество» есть идолопоклонство, забвение истинного Бога. «Прежде Россия подменялась династией, теперь Россия подменяется революцией, которой она тоже принесена в жертву. <...> Во имя „революции" теперь допускается такая же ложь, какая раньше допускалась во имя „монархии". <...> Много лжей и неправд начало господствовать в русской жизни. Все эти демагогические выкрики о „буржуазии" и „буржуях", к которым была причислена и вся мыслящая и образованная Россия <...> с самого начала была безобразной ложью. Безобразной ложью было прикрытие дезертирства <...> громкими словами об интернационализме и братстве народов. Вся эта ложь разложила армию и уготовила нам неслыханный позор измены и бегства с полей сражений. <...> Безобразная ложь преклоняться перед массовой стихией революции. <...> Только правда, не зависящая от быстрой смены дней и часов, от изменчивых инстинктов масс, может освободить нас. <...> Голос правды и элементарного нравственного инстинкта заставляет признать, что в нынешний грозный час дело идет о спасении родины, спасении России, а не революции»[14].

Все драматичнее, все тревожнее становится русская жизнь. № 5 «Народоправства» от 1 августа сообщает о министерском кризисе и неудаче переговоров о коалиционном правительстве. «Люди, у которых „интернационализм" вытеснил понятие „родины", не могут быть ее поборниками и защитниками. Выход — в создании твердой власти, опирающейся на право. Ответ Временного правительства на финляндское стремление к отложению от России — роспуск финляндского сейма — был чужд колебаний и был по существу юридически правилен. <...> Твердая политика привела к защите прав русского народа»[15].

В «Народоправстве» звучат и другие ноты. «До сих пор русская культура создала нам тип национальной интеллигенции, любовно относящейся к чужим национальностям. <...>, в проповеди общечеловеческой правды, видящей свое национальное призвание, — пишет В. Зеньковский в статье

«Единство России». — Эта идеология обладала редкой силой притяжения и создавала почву для объединения всех народностей в России. Удержится ли эта идеология и дальше? Не потеряет ли русская интеллигенция своей лучшей особенности, или же в законном росте своего национального самоутверждения она за чечевичную похлебку национализма продаст свое духовное первородство, силу и обаяние своей внутренней правды?»[16]

В тот же день — 1 августа Гершензон пишет из Судака Жилкину[17]:

«Дорогой Иван Васильевич, Ваше милое письмо доставило нам большое удовольствие, но жаль, что к Вам и после отдыха не вернулась нужная бодрость. Ее нет и в Ваших статьях (мы их теперь регулярно читаем — в них только грусть и умное раздумье, словно Вас непрестанно точит мысль: как помочь? Что делать? И нет ответа. Я приблизительно так же чувствую, а иногда и хуже; тогда я чувствую, что отступление у Кимполунга какого-нибудь, исчезновение керосина, трудности железнодорожного проезда — все это отмирают какие-то органы *во мне*, это *я* разлагаем, расхищаем кем-то, как будто привычный быт, порядок, культура составляют *мое* жирное тело — и оно теперь распадается. Мучительно! И ведь разумом я это распадение приемлю равнодушно; мне жаль, что оно многих людей мучит, но самые эти блага не внушают мне никакой нежности. Верно, так надо, чтобы ветхий Адам с болью умирал в нас; ему хочется порядка и удобства, чаю внакладку, и погулять, музыку послушать, а ему ничего этого не будет — его раздирают крючьями. Старый Адам — это моя уютность, возросшая на всемирном зле: самое сладкое и самое страшное, что есть на земле. Оттого и так трудно.

Так что Вы неверно представляете себе мою жизнь здесь. Кругом красиво, но во мне, да, во мне совершается все то, что теперь совершается, — да оно только во мне и совершается. Я вовсе не в апатии, напротив. Марии Бор. легче тем, что у нее много домашнего дела, а я без обязательной работы. Написал я здесь ровным счетом печатный лист и то только по ранним утрам, между 7 и 9 часами, да переделал статью свою, еще из «Русской Молвы», в брошюру, которую по возвращении продам какому-нибудь издателю.

Здесь все читают «Рус. Слово» уже потому, что из столичных газет оно одно приходит скоро и аккуратно, на 3-й день. Ваша статья о впечатлениях на кадетском съезде вызвала всеобщие похвалы, и правда она очень хороша по художественности и благородству тона. Вы с большой мягкостью нанесли сильный удар по кадетству. Во мне оно возбуждает гораздо более враждебные чувства, чем даже большевизм, потому что большевики горячи и часто свято-искренни, а кадеты холодны, корректны, расчетливы. Большевизм вообще замечательное явление (я хочу сказать — максимализм в нашей революции, ее утопизм). Для меня ясно, что революция терпит крушение, но не менее того я уверен, что потомки скажут: причины, вследствие которых русская революция не удалась или мало удалась, — были прекраснейшими в ней, как Дон-Кихот сумасшедший, был, без сомнения лучший человек в Испании. Я предпочитаю такую неудачу — от утопизма, которая оставит на века семена великих вопросов, кадетской удаче, какой хочет и, наверное, достиг бы Милюков.

Будьте здоровы, милый Иван Васильевич, жму Вам и Зинаиде Андреевне руки. Весь Ваш М. Гершензон»[18].

Свое отношение к большевизму Гершензон подробно изложит позднее в письме к Бердяеву, но ясно одно: он не верит в причастность большевиков к германской агентуре, не разделяет, да и не может разделить, ненависти к интернационалистам, непременно говорящим «на скверном ломаном русском языке». Ох, уж эти обязательные враги-инородцы, повинные во всех российских бедах и неудачах! Авторы «Народоправства», как и Временное правительство даже не задумываются над тем, почему русские солдаты, вместо того чтобы расстрелять на месте «шпиона»-агитатора, призывающего бросать оружие, внемлют ему и бегут с фронта; почему так легко поддаются «вражеским провокациям» рабочие. Мужик в солдатской шинели не ощущает войну, идущую на «немецкой» земле, за тысячу верст от его рязанской или вологодской губернии, как спасение России. Куда больше штурма Львова — австро-венгерского Лемберга — его волнуют вести из деревни, где односельчане делят землю и его бабу без него, конечно, обделят...

Национальные вопросы в «Народоправстве» — отнюдь не случайность. Во все более нагнетающейся атмосфере гибели, развала, правительственного бессилия националистические тенденции нарастают с каждым днем. Не обходят они и Бердяева. 9 августа, в № 6 «Народоправства» появляется его очередная значительная статья — четвертая за два месяца «Германские влияния и славянство». «Борьба партий и классов, политические и социальные страсти многих заставляют думать, что русская революция протекает в атмосфере страшной войны. <...> Реально в России сейчас существуют только две партии — партия патриотов, желающих спасти родину, не потерявших здорового национального и государственного чувства <...> — и не патриотов, отрицающих самостоятельную ценность национальности, равнодушных к родине, к ее чести и достоинству, предающих ее или из фанатической приверженности к отвлеченным утопиям и личным интернационалистическим идеям, или из низкой корысти и продажности. <...> У русского народа нет своего „слова“: „социализм“, „интернационализм“ — не русские слова». Бердяев утверждает, что «германский дух, мужественный и насильнический, поработил русскую душу раньше, чем начал порабощать тело России». Цитируя известные слова Маркса о русском самодержавии, он называет Маркса немецким империалистом, ненавидящим славянство.

«Социализм может быть национальным, — пишет дальше Бердяев, — но в России социализм сделался оружием сил, враждебных нашей расе. Он отклоняет Россию от исполнения ее славянского предназначения. Русское и славянское чувство и сознание всеми силами должно быть пробуждено. Нам необходима мобилизация национального духа. Германскому сознанию Маркса о мировом цивилизаторском призвании германской расы на востоке мы должны противопоставить свое русское сознание о миссии славянства, которое еще не сказало своего слова миру. Мы верим, что сильная Россия даст бóльшую свободу миру и всем народам, чем сильная Германия. <...> Революция вызвана войной и может быть осмыслена лишь в связи с войной. У немцев в мировой борьбе есть своя идея. Есть ли идея у нас? Русские проявили такую слабость, что отдали себя во власть немецкой идее. Но последнее наше слово еще не сказано»[19].

А чувство всеобщего распада неумолимо нарастает. «В тяжелую годину преобразованное Временное правительство будет нести бремя верховной власти, — обращается к населению министр-председатель Керенский. — Если контрреволюция поднимает голову, Временное правительство обязано ответить на это арестами. <...> На саботаж, на нерадение, на бойкот со стороны рабочих правительство должно ответить репрессиями и принудительными мерами»[20]. Быстро увяли на российской почве слабые ростки демократических свобод! «Как могло случиться, что, сбросив старое иго, мы построили новые тюрьмы и установили новые казни, перед которыми бледнеют виселицы самодержавия? <...> Мы ко многому привыкли и не нам учиться терпению. Обычны для нас и белые столбцы газет, и неожиданные ночные визиты, и высылка без суда, и грозный окрик: „Во фронт перед начальством!“ Всем этим нас не удивишь, и все это слишком знакомо. Попробовали мы жить по-другому, да и вернулись домой. <...> Все как раньше, все по-старому, как полагается, как испокон веков заведено у нас», — напишет В. Дорватовская[21] в статье «Французский учебник», опубликованной в № 12 «Народоправства».

ИЗ ВОСПОМИНАНИЙ Н. М. ГЕРШЕНЗОН-ЧЕГОДАЕВОЙ

«Жизнь в Судаке подходила к концу. Вторая половина лета была для моих родителей особенно тревожной. Назревали огромные политические события, и мы постоянно присутствовали при взволнованных разговорах взрослых. Мы прекрасно знали все, что было доступно нашему понима́нию о Временном Правительстве, о Керенском, Антанте. Папа нам все объяснял, серьезно и внимательно отвечая на наши вопросы. К осени начались разговоры о подорожании продуктов, о наступающих продовольственных трудностях. Папа уехал в Москву один, недели за две-три до нас»[22].

М. О. ГЕРШЕНЗОН — М. Б. ГЕРШЕНЗОН МОСКВА, 29 СЕНТЯБРЯ 1917 Г.

«Милый друг Маруся, третьего дня я был у Бердяевых, сегодня — у Жилкиных. С Жилкиным говорил по телефону, он приехал ко мне и сидел несколько часов, а сегодня я зашел к ним обедать. Теперь уже определенно могу сказать: с провизией трудно, много труднее, чем было. С виду Москва совершенно та же. Лотки полны фрукт, как обыкновенно осенью. Тот же вид трамвая, не хуже, так же скучают извозчики, хотя от Жилкина на Смоленский рынок — 5 руб. Значит, все по-старому, только рубль равен 20 коп. или меньше, да некоторые предметы, как масло, яйца, крупа, исчезли. Бердяевы материально теперь благоденствуют: он получает как член редакции «Народоправства» 400 руб. в месяц, да верно рублей 200 в «Русской Свободе», да гонорар за статьи. Он сказал мне, что мы можем прилично прожить на 600 руб. Редакция «Народоправства» вчера открыла сезон вечером: Вяч. Ив[анов] читал доклад «Религия и политика», умный и с красивыми стихами. Это в доме Лосевой на Смол. Рынке. Я пошел и потащил также Жилкиных. Домой вернулся в 2, потому что прения шли до 1 ч., а потом пили чай. Радостно встретился с Вяч. Ив[ановым] и Верой К[онстантиновной]. Дело было так: они лето провели в Сочи, потом врач послал Веру в Эссентуки; там она соскучилась, и В. И. поехал к ней, прожил с нею там 3 недели, и оттуда они прямо приехали сюда. Вера К. бросила курсы и ради заработка хочет открыть у себя групповые уроки франц. и англ. яз. Она похорошела, В. И. стал совсем седой, лицо худое и дряблое. Он там жил вяло, невдохновенно, почти не писал. Были еще Ходасевич, Рачинский, А. Толстой, сидел возле меня и ласкался как котенок. Все кланяются тебе. Но об этом вечере надо написать тебе отдельно»[23].

М. О. ГЕРШЕНЗОН — М. Б. ГЕРШЕНЗОН МОСКВА, 1 ОКТЯБРЯ, 1917 Г.

«Милая Маруся. Эти дни я много уходил из дому, отчасти из-за холода, отчасти, чтобы побывать у всех. Был, все по часу-полтора, у Шестова, Петрушевских, Булгакова и Вяч. И[ванова]. Дм[итрий] М[оисеевич][24] необыкновенно исхудал лицом, я его еще не видывал таким. Он помалкивал, а Е. С[25]. говорит черносотенно, так что я замолчал. Булг[аков] перенес летом тяжелую операцию — грыжа мочевого пузыря, теперь здоров и хорошо выглядит. Они уже больше месяца здесь. Булг[аков] весь ушел в церк[овный] собор. Вяч. Ив. настроен разумно, но уже подался в сторону черносотенства, которое затопило весь здешний круг; во всем соглашается со мной, но уже обещал статьи в «Народоправство», уже избран в комитет «Лиги русской культуры». Он с лица как-то посерел, лицо дряблое, редкие волосы серы.

Расскажу тебе коротко о том вечере и его последствиях. Вяч. прочитал реферат умный; он говорил, что революция внеположна народу, не выросла из его духовных глубин и еще только должна быть углублена. Дальше следовала словесность: она должна быть углублена религиозно, тогда все будет хорошо, — а что значит «религиозно», этого он, конечно, не сказал, да и не мог сказать. Но первая его мысль верна. Затем начались прения. Бердяев, Вышеславцев, прив. доц. Кечекьян, Алексеев[26] и др. до часа ночи жесточайшим образом поносили революцию, революционную интеллигенцию, которая растлила народную душу (это Бердяев, криком, стуча кулаком по столу: «Ее мало вешать, мало расстреливать» и т. д.), и народ, показавший свой звериный лик (это Вышеславцев). Я был истинно поражен, потрясен. Жилкин сидел бледный — я, говорит, больше сюда не ногой. Когда кончилось, оставалось нас человек 20. Лосева пригласила в столовую чай пить. Тут у меня с Н[иколаем] А[лександровичем] вышел коротенький, но жаркий разговор в повышенном тоне. Я сказал: им (революционной интеллигенции) больно за живого человека, а тебе нет. Он — как! Мне не больно? — Я: тебе больно за отвлеченную Россию, за «ценность». Он встал, не допив чашки, и ушел. На другой день он прислал мне письмо на 8 стр., что я присвоил себе роль нравственного судьи, что судить, больно ли ему, значит вторгаться в его интимную личность, что я покорно пошел за демосом-победителем, что я забыл собственную статью в «Вехах» и, наконец, что если я нахожу возможным одобрять большевизм, то между нами не идейная, а нравственная пропасть. Письмо по тону донельзя раздраженное, полное оскорбительных слов. Я прочитал — и отложил ответ. А вчера утром написал и послал с Настей; написал добро и дружелюбно, только о том, как я смотрю на их деятельность — и на позицию левых, оставив без ответа все его «личности». Шестова на том собрании не было. 4 дня назад он был у Бердяевых, и Н. А. в присутствии посторонних так грубо оскорбил его, что Шестов ушел не простившись; через полчаса Н. А. по телефону извинялся перед ним, но это ни к чему не привело. Шестов туда не идет и не пойдет. Оказалось, что Шестов сказал ему дословно то же, что и я: ты любишь твои идеи, а не людей и родину. Бердяев эти 4 дня и не подумал придти к Шестову, или Лидия Юд[ифовна]. Он нестерпимо исполнен самомнения, и дамы поддерживают его в этом. Белого я еще не видел <...> Были только Жилкин и Шестов. Политически я оказался совершенно на той же точке, как Шестов, если поглубже, и, как Жилкин, на поверхности, точно мы сговорились; с остальными — на противоположных полюсах»[27].

Письмо Н. А. Бердяева М. О. Гершензону от 29 сентября 1917 г.

«У меня осталось тяжелое впечатление от вчерашнего, и у меня явилась потребность прямо высказать тебе, Михаил Осипович, то, что лежит у меня на душе. Это легче сделать письменно, так как при личном разговоре люди перебивают друг друга и не дают возможности высказаться до конца. Я считаю совершенно недопустимым суд над моей совестью и сыск в моей душе, которые ты признаешь для себя возможным публично производить. Меня давно уже возмущает твоя манера по поводу всякого идейного и общественного спора нравственно судить личность и вторгаться в душу другого человека. Ты это делаешь уже не в первый раз. Я это считаю вообще недопустимым и никак не могу допустить этого по отношению к себе. Сам я отличаюсь крайней резкостью и раздражительностью в спорах, но я не произношу нравственного суда над личностью и не вторгаюсь в чужую душу. Когда я так резко и раздраженно нападаю на революционную интеллигенцию, я имею дело с общественным и историческим явлением, с известным миросозерцанием и с противными мне идеями, а не с душой стоящего передо мной человека. Ты же ни о чем не можешь говорить, не задевая душу человека и самых интимных ее сторон, не произнося нравственного суда над личностью. И это создает для меня невыносимую атмосферу общения. Я допускаю самые резкие и крайние нападения на мои идеи, на мое миросозерцание, но не допускаю нападений на мою нравственную личность. Анализ моей души по поводу идейных столкновений я считаю недопустимым. Сочувствую ли я страданиям народа, есть ли у меня боль за народ, это — интимное дело между мной и Богом. Я — христианин и в грехах своих отвечаю перед Богом, перед Христом и Его церковью, а не перед теми, которые ведут со мной общественные споры. То, что наши разговоры и споры не могут держаться на идейной высоте, что не отдают себя целиком самому предмету разговора и спора, не погружаются в самую тему, этот излюбленный тобой психологизм я считаю страшным злом и деморализацией, прикрытой морализмом. Нарушается дистанция как необходимое уважение к личности. В этом отношении западно-европейские люди стоят выше русских: у них есть охранение личности от всяких посягательств, уважение к ее интимному достоянию. Это и преимущество культуры. Ты был всегда неспособен соблюдать границы интимного достояния личности и ее нравственной неприкосновенности. Ты совершенно не можешь погрузиться в предмет разговора, ты немедленно переходишь на личность. И потому с тобой никогда не чувствуешь себя в безопасности. И это нужно наконец тебе прямо сказать. Ты взял на себя прерогативу нравственного судьи и из морализма допускаешь нравственно непозволительное отношение к людям. Твое презрение ко всяким идеям представляется мне чудовищным и запрещает разговоры с тобой. Я до конца и всерьез принимаю идеи и вижу в них величайшие реальности. И только такое номиналистическое отношение к идеям освобождает от кошмара психологизма и морализма.

Скажу еще несколько слов по существу наших споров. Неужели ты окончательно забыл, что ты был одним из главных инициаторов «Вех», что тебе принадлежала самая резкая статья против революционной интеллигенции, к душевному облику которой ты выражал отвращение? Как случилось, что к моменту революции, когда расковались прежние стихии и в темные массы брошены те самые идеи и настроения, которые ты беспощадно осуждал, ты растерял весь свой духовный багаж; плывешь по течению и употребляешь чуждые тебе уличные слова? И ты начал выкрикивать слова о «буржуазности», о «контрреволюции», «без аннексий и контрибуции» и т. п., хотя слова эти пусты и пропитаны чудовищной ложью. На это больно смотреть. Ужасно, что лучшие писатели России проявили так мало духовной самостоятельности и не нашли в спорах своих слов в самую трудную минуту всей истории. Разреши и мне быть на несколько минут моралистом. Мне не импонирует твое сентиментальное и бездеятельное народолюбие. Ты — самый кабинетный, самый оторванный от общественной и народной жизни человек, какого я только знаю. Ты никогда ничего не делал для народа, всегда был антиобщественным и охранял свой душевный покой от сложных тяжелых и вненаучных впечатлений. Жизнь твоя прошла в разборе старых писем, рука привыкла к ним, и в этой области ты сделал много ценного. Если для тебя самое важное и дорогое — служение страдающим крестьянам и рабочим, то почему же ты никогда ничего не делал для страдающего народа? Я никогда от тебя ничего не слышал о социализме, о классовой борьбе с буржуазией, о вопросах социально-экономических. Ты почти ничего не знал в этой области, малоподготовлен для решения этих вопросов. И я утверждаю, что ко всему этому у тебя сентиментальное, лже-чувствительное отношение, которое никогда не сопровождалось активностью. Сентиментализм я считаю великим злом, пока в истории все правит на жестокости. Мы, русские, нуждаемся в другого рода добродетелях, более суровых и мужественных, в добродетелях воли и закона и характера, в сознании ответственности и долга в отношении к родине, достойном гражданина. Я все-таки всегда был более общественным человеком, чем ты, более активен, я больше, чем ты, соприкасался с людьми из народа, более отдавал служению России. Поверь, что в течение этих страшных и кошмарных месяцев мне много приятнее, много душевно комфортабельнее было бы писать в тиши книгу о Я. Беме и отдаваться мистическим и эстетическим созерцаниям, к которым имею прирожденную склонность, чем кипеть в адском котле общественной жизни. Твои нервы лучше могли сохраниться, чем мои. Многое в твоих оценках я объясняю тем, что ты, в сущности, толстовец, не сводящий концов с концами в своем мировоззрении. Мне же все это толстовство религиозно и морально чуждо и враждебно. Если ты считаешь возможным нравственно одобрять большевиков, социал-демократов и социал-революционеров, то между нами существует нравственная пропасть, мы молимся разным богам. Это — не политический, а прямой и религиозный вопрос. Кстати, посоветуй Жилкину воздержаться от статей, какие он писал о Московской Совдепии. Сейчас громко говорить о людях, что они настроены контрреволюционно, то же самое, что в старом строе было делать донос о революционности. Это подвергает жизнь людей опасности. Все это я должен был высказать тебе по душевной потребности, чтобы не было больше недоразумений.

Николай Бердяев[28].

Письмо М. О. Гершензона Н. А. Бердяеву от 29 сентября 1917 г.

«Милый Николай Александрович!

Ты написал мне письмо в сильном раздражении и наполнил его оскорбительными словами. Я не стал бы отвечать на него, а просто через несколько дней, остыв, пришел бы к вам, потому что я к вам привязан и могу простить тебе вспышку гнева. Но твое письмо показывает, что ты чудовищно заблуждаешься относительно меня, принимаешь меня за кого-то другого; оттого, как ни обидно писать, вместо того, чтобы придти и пожать руку, я должен написать тебе.

Когда же ты слыхал от меня эти крики: буржуи, контрреволюция? Когда я бежал впереди колесницы победителя-демоса? И когда славил революционную интеллигенцию? Если бы я был таков, то печатно славословил бы, а я за время революции не написал ни одной публицистической статьи. А не писал потому, что мое чувство противоречиво, что я в одно и то же время и радуюсь, и ужасаюсь. Вот моя мысль в ясном виде. Я думаю, что лучшие люди России разделились на две партии: партию сердца и партию идеи, идеологии; одним больно за живого человека, за нуждающихся и обремененных, другим — тебе в том числе — не менее больно за ценность — за государственность, за целость и мощь России. Люди сердца тоже имеют свою идеологию — интернационализм и пр.; и друг против друга восстали две идеологии, одна за счастье и свободу отдельного человека, другая за сохранение сверхличных ценностей. Это — на той и другой стороне — лучшие, самые духовные и искренние люди России; и к обоим лагерям примкнули корыстные, дурные: к Ленину — жадно ищущие урвать себе клочок «счастья», к Струве и тебе — жаждущие вернуть раньше завоеванное «счастье», промышленники и землевладельцы. Рабочие и крестьяне грабят Россию во имя личности, Рябушинский и П. Н. Львов губят во имя национальных ценностей! Повторяю: сердце, психология имеют свою идеологию, и оттого ты должен был бы уважать их. Козловские мужики, грабя усадьбы, руководятся не одной мерзкой алчностью, как вы третьего дня за столом единогласно утверждали; в них говорит многовековая обида, очень принципиальная, дикая в своем выражении, но совершенно идеалистическая, я сказал бы, святая обида Спартака, за которой видна жажда выпрямиться, отстоять свое человеческое достоинство, попираемое жестоко столько веков. И «разным» рабочим нужны не шальные деньги: им нужно показать миру свою самоценность, показать, что они не только механические орудия, и они делают это по невежеству в диких формах. В итоге выходит так, что те ради личности губят высшие ценности, а вы ради ценностей беспощадны к личности. Такою мне видится теперь Россия. И вот я стою неопределенно: я всем сердцем с униженным, замученным народом, в котором так бурно пробивается чувство человеческой гордости, чести, достоинства личности; но разумом я знаю важность и красоту ценностей, их нужность самостоятельную, но, между прочим, как раз и для отдельной личности. Я не могу стать на одну сторону, как ты, и проклясть другую. Ты определенно стал за ценности, и меня ужасает твое, Кечекьяна, Вышеславцева нечувствование святой личности, пробуждающейся в народе и ваша каннибальская жестокость к ней. Вы такие же большевики вашего клана, как Ленин и Зиновьев — своего, и думаю, что как раз большевизм один только и вреден сейчас. Тот спор в целом естествен и благотворен; так должно быть: пусть личность и ценность борются и снова, как столько раз уже, найдут временный модус вивенди, на котором тогда временно успокоятся и пышно расцветут до нового столкновения. Но сейчас не время слишком обострять борьбу; положение России так ужасно, что надо бы как-нибудь уступить друг другу и найти компромисс. Ты — из самых рьяных; ты непримиримо кричишь: только ценности! И не уступаешь ни йоты. И я дорожу ценностями, но не скрою, они ужасают меня своим прожорливым людоедством. Теперь ты понимаешь, что я сказал тебе третьего дня у Лосевой. В моих словах не было никакого нравственного неуважения и не было вторжения в твою личную психологию. Я сказал: мне больно за человека, а тебе нет, т. е. сказал то, что теперь написал подробно. Тебе больно, как мне кажется, за ценность, а не за личность конкретную, сейчас живущую.

Теперь скажу еще: я не только люблю тебя лично, но высоко ценю, хотя и с некоторым ужасом, за твое беззаветное служение ценностям. Такое служение есть служение Богу, но и честный большевик служит Богу, исповедуя личность. Ты поистине беспощаден. Смотри, до чего ты доходишь: ты почти готов порвать со мной из-за расхождения идейного, т. е. и здесь ты готов заклать мою личность из-за сверхличной ценности, из-за идеи. Не будь большевиком хоть в этом: люби меня просто как меня. С тобой невозможно стало говорить, ты кричишь, не даешь возразить и тотчас впадаешь в ярость. Нас мало, приятелей, давайте хоть мы не умножим в нашем углу русской розни, чтобы еще больше не повредить России и ее великому делу»[29].

Понедельник, 2 октября. М. О. Гершензон продолжает письмо к жене: «Вчера вечером был Ходасевич, сидел поздно. Он — секретарь редакции «Народоправства». Оказывается, тот вечер так поразил его, что он на следующий день отказался от секретарства — а это 300 р. в месяц. Что он рассказывает — очень гадко: Н. А. попал в мерзкую компанию и незаметно для себя стал бардом крупной промышленности и черносотенства. Теперь там говорят, что Шестов, я и Белый — вредны, так как питаем подлый и пагубный большевизм. Вот дурни! А в сегодняшнем № «Народопр[авства]» подлейшая антисемитская статья Чулкова, под псевдонимом к тому же. Сегодня мне принесли новое письмо от Бердяева, ответ на мое, опять 8 стр. У него такой неразборчивый почерк, что я отложил чтение до свободной минуты, только видел, что примирительное; начинается: милый М. О. , кончается: я не хочу ссориться»[30].

Но хотя письмо Бердяева и начинается со слов «Милый Михаил Осипович!», примирительным его назвать трудно.

Письмо Н. А. Бердяева М. О. Гершензону 2 октября 1917 г.

«Милый Михаил Осипович!

Я очень оценил тот добрый порыв и те добрые чувства, которые побудили тебя ответить на мое резкое и раздраженное письмо так, как ты ответил. Душевно это меня очень примиряет с тобой; но по существу ответ твой меня не удовлетворяет. Прежде всего скажу несколько слов о том, что составляло сердцевину моего письма. Ты все-таки не можешь отрицать, что у тебя есть склонность переносить идейный разговор и спор на почву психологического и нравственного анализа личности, всегда граничащего с судом и осуждением. Быть может, это связано с тем, что ты принадлежишь к «партии сердца» и потому не можешь удержаться в плоскости идей. Для меня это очень тягостно. Я принципиально не одобряю вторжений в интимную личную психологию и личную нравственность и особенно не выношу этого по отношению к себе, должно быть вследствие скрытности и гордости моего характера. Мне необходимо было прямо тебе это сказать и подтвердить. Такая черта, что и у тебя, есть и у Шестова, есть она даже у Булгакова, хотя в меньшей степени. В вашем обществе я всегда себя чувствовал западным европейцем, верящим в реальность объективного разума и объективных идей. «Партию сердца» я отвергаю по разным очень глубоким основаниям, но, между прочим, потому, что она приводит к самым большим жестокостям и злобному фанатизму и в конце концов к голоду. Накормить голодных не могут никакие революции, бунты и утопии. Накормить может только развитие промышленности и сельского хозяйства, лишь увеличение производительности труда и социальные реформы, согласные с объективными данными. Источник зла, горя и страдания — тут совсем не в том, что существует кучка эксплуататоров, помещиков и капиталистов, а в реальном зле человеческой природы и природы мира, в низком уровне культуры, в медленном течении овладения стихийными силами природы. И неравенство было великим благом, источником творчества и культуры, оно давало максимум благосостояния. Чувство злобной ненависти к господствующим классам я считаю нравственным извращением, и оно недопустимо с религиозной точки зрения. Ты отрицаешь грешность человеческой природы, ее звериность, неизбежность для нее жить в государственной, церковной и культурной действительности, т.е. под законом. Счастье на этой земле невозможно, но для минимума человеческого благосостояния и человеческой жизни необходимо государство с его орудиями принуждения, необходим правовой порядок, источник цивилизации с ее нормами. Без этого жизнь человека превратится в звериный хаос и ад. В России начался звериный хаос и ад, обнажается греховная природа человека, которая может жить лишь в суровой государственности. Жестокость государственности и цивилизации есть все-таки максимум человеколюбия и гуманности, ибо эта жестокость противится звериной жестокости в защиту настроению к требованию строгости и законности, которые только и делают человека человеком. Я суровый государственник, потому что я религиозный пессимист по мотивам аскетическим, и социально-мечтательные представления кажутся мне развратом и нравственной распущенностью. Мне всегда были омерзительны утопии, все казались глупыми и распущенными, более уродливыми чем старый меч государственный. Ты освящаешь социальную зависть и месть низших классов общества. Это нравственно недопустимо для человека, который стоит на духовной почве. Ты с отвращением упоминаешь имя П. Н. Львова. Я его лично знаю и в последнее время часто с ним встречался.

Я скажу тебе, что он нравственно выше и благороднее большинства представителей «революционной демократии». Я нравственно и эстетически не могу допустить отношение к дворянам и помещикам как к злодеям и подлецам. Это оскорбление памяти моего отца и матери, моих дедов и прадедов, которые были дворяне и помещики и вместе с тем были благородными людьми и в свое время носителями высокой культуры.

И промышленники не злодеи, а создатели материальной культуры, необходимой для народа и государства. Я убежден в том, что буржуазия всегда в России была прогрессивнее, чем рабочий класс, и более связана потерями целого. И ее нужно не проклинать, а направлять и облагораживать. Кто же как не твоя «партия сердца» напоила Россию злобой и ненавистью. Это она призывает к резне и жаждет крови, она сотрет неотъемлемые права человека. «Партия сердца» порождает жестокость, погромы, самосуды, насилие над личностью, над словом, над жизнью, разделяет весь народ на два враждебных лагеря. Неужели «кадеты» проповедуют жестокость? Кадеты повинны в слабости и попустительстве. Меня ужасает отсутствие нравственной чуткости в твоем восприятии всей действительности. «Партия сердца» толкает весь народ к позору, деспотии, голоду и звериному состоянию. Человек — дикий зверь, если он не несет в себе внешних законов, не творит их и не подчиняет себя им. Личность только начинается с того момента, когда впитает глубокое содержание. Христианство признало бесконечную ценность человеческой души и придает мало цены звериной жизни человека на этой земле. Эмпирические средства человека имеют абсолютное знание, имеют лик божьего духа в человеке, т. е. ценность. Лично я знаю — одно. Партия знания и партия личности — одна партия. Ты очень ошибаешься, если думаешь, что для большевиков существует личность. Они всегда личность человека приносят в жертву своему идолу всемирносоциализма, они как-то не видят лика человека, не знают души человека. Все фанатики коммуний всегда отрицали личность. Личность существует для «партии идей». Служи знаниям и служи Богу, без него нет личности. Все религии мира ставят ценности выше личного блага и требуют жертв от личности во имя достоинства личности. «Партия сердца» антирелигиозная партия, она отрицает жертву. Это соблазн Великого Инквизитора, отрицание свободы и достоинства человека во имя блага и счастья, всегда призрачного. Нравственность основана не на сердце, а на воле, на долге, на жертве. Но жертвенное служение ценностям дает и минимум благ людям, оно и кормит людей. Нет двух истин, а всегда одна — абсолютное добро, закон, Бог. Ты же желаешь сидеть между двумя стульями и попадаешь в состояние гамлетизма. Ты не хочешь пожертвовать твоей чувствительностью и ложью сострадательности, а это долг человека. Вот что. Ты забыл, что всю весну говорил мне о «контрреволюции» и «буржуазии» и даже обвинял меня и Струве в желании спасти «буржуазию и контрреволюцию». Это, видимо, мое право совсем отойти от тебя. Все также страсть все время излагать нравственность — основная цель жизни. Ты же в другом лагере, в лагере господ... Прости, если поссоримся. Я не хотел ссоры.

Николай Бердяев»[32].

ИЗ ПИСЬМА М. О. ГЕРШЕНЗОНА М. Б. ГЕРШЕНЗОН

«Бердяев уехал в Петроград — он выбран в члены Временного Совета от общественных организаций; перед отъездом я вызвал его к телефону и пожслал сму всяких благ; на второе его письмо я не ответил. С Шестовым у него, как со мной, — тоже писал ему письмо...»[33]

«Насчет Н. А. Бердяева я ожидала, что это так будет, — отвечает Мария Борисовна. — И не жалей об этом, лучше пусть сразу все будет ясно. Поклонись от меня Льву Исааковичу [Шестову] и Вяч. И[ванову]»[34].

«Революции хороши тем, что они выявляют истинное положение, отвергают всякую условную и лицемерную ложь», — писал Бердяев в статье «Свободная церковь и собор»[35].

В буре Февральской революции поднялись из темных глубин человеческих душ пласты, казалось бы навсегда погребенные под слоем общечеловеческой культуры, интеллигентности, демократичности, обязательной в среде передовых людей России. Вскрылись давние сословные и национальные раны, проснулись вековые обиды, взяло верх над «культурным слоем» чувство своего клана, своего класса. И оскалились звериные клыки, готовые смертельной хваткой вцепиться во вражеское горло; и захлестнула страну стихия ненависти и раздора, взаимных обвинений и обид. В конфликте Бердяева и Гершензона, как в капле воды, отразилась вся Россия 1917 года, расколотая на противостоящие друг другу стихии...

Из энциклопедического словаря Брокгауза и Эфрона, 1891 г.: «Бердяевы. В XVII ст. Б. служили в стольниках (один из них, Гавриил Осипович был стольником Петра Первого), дворянах московских и стряпчих. Пять Б. упоминается при осаде Смоленска в 1634 г. Восемнадцать членов этого рода владели наследными имениями в 1699 году. Николай Михайлович Б. (ум. в 1823 г.) был генерал-поручиком при Екатерине II, а его сын Михаил Николаевич — генерал-лейтенантом при Николае Павловиче»[36].

Россия... Великая древняя история, могучая государственность, великие ценности. Можно понять Николая Александровича: его предки, русские дворяне не злодеи и подлецы — это соль нации, ее наиболее деятельная, просвещенная часть, те, кто вершили судьбу России, создавали ее великую культуру, писали ее законы. Бердяев по праву и «зову крови» ощущает себя «государственником».

Статьи «Гершензоны» в Брокгаузском словаре, естественно, нет. Есть статья «Евреи». «Право русских подданных проживать повсеместно в Империи заменено относительно Е. дозволением жительства только в 15 губерниях, именуемых губерниями постоянной еврейской оседлости. <...> Министру просвещения предоставлено право принимать меры к ограничению в учебных заведениях числа учеников из детей Е. В некоторые учебные заведения Е. вовсе не принимаются. <...> Определено не допускать Е. до участия в земских избирательных собраниях и съездах, а следовательно, и к выбору в гласные и на земские должности»[37] и т. д., и т. д.

Россия... Вековое рабство; измученные, обездоленные, лишенные человеческого достоинства целые сословия, целые народы. Евреи — лишь часть всех «униженных и оскорбленных», «неизъятых от телесных наказаний» — это в XX веке! — всех гонимых и бесправных. Как и на чем можно было примирить эти две России?

Когда Бердяев упрекает Гершензона в том, что тот никогда ничего не делал для народа, и не без гордости замечает, что больше, чем Гершензон, «соприкасался с людьми из народа», он забывает, что Гершензон не только по рождению принадлежал к «людям из народа», одной из самых обездоленных его категорий, но и оставался таковым вплоть до Февраля, отменившего все национальные ограничения.

Бердяев мог не знать или забыть, а Гершензон никогда, вероятно, не забывал, как в 1905 году во время еврейского погрома его забивала ногами разъяренная банда черносотенцев. Ему ли было не знать, что такое звериный лик толпы! Но вряд ли мог он забыть и то, что погромы шли под знаменами русского «патриотизма», незыблемой российской государственности. Как могли звучать для него, для Шестова, для сотен, тысяч российских людей нерусской национальности высокомерные слова «Бориса Кремнева» о «скверном ломаном русском языке» «интернационалистов»? Как мог воспринять он «подлейшую антисемитскую статью Чулкова» в десятом номере «Народоправства»:

«Самоопределение России и Максим Горький». «... это пристрастие Максима Горького к еврейскому народу находится в непосредственной связи с его второй мыслью о преимуществе западной культуры. <...> Все органичное, все связанное с чувством живой земли, все христианское чуждо евреям по существу. Образованный, умный честный еврей никогда и никак не поймет той правды, имя которой Земля. <...> Еврейство опасно не столько грубым житейским материализмом, сколько отвлеченным спиритуализмом, который так сближает его с философствующей протестанской Германией. <...> Может быть, не случайна эта исключительная симпатия Максима Горького к еврейству и явно германофильские тенденции «Новой жизни», которую он редактирует совместно с господином Гиммером. <...> Я не чувствую враждебности к еврейскому народу, но я не могу не протестовать, когда дело спасения России ставят в связь с успехами иудаизма. Кто из нас, не видя в списке представителей городского рабочего класса и нашей мужицкой армии почти ни одного русского имени, не испытывал чувства человека, который поймал шулера, передернувшего карту?»[38]

Многое можно «вменить» большевикам, но осенью 1917 года вся пресса, включая интеллигентское «Народоправство», муссировала один вопрос, одно «качество» — национальную принадлежность Троцкого, Зиновьева, Каменева... Когда-то в подобных случаях интеллигенция не подавала руки и, уж конечно, сочла бы позором для себя выступать на страницах журнала, редактируемого подобным автором.

Рядом со статьей «Бориса Кремнева» в десятом номере «Народоправства» достаточно двусмысленно звучит статья Бердяева «Патриотизм и политика»: «В непосредственном патриотическом порыве есть непосредственная жизненная правда, которой может и не быть в политике. В России должно начаться организованное патриотическое движение...»[39]

Воистину, прав был В. Зеньковский[40], когда опасался, не продаст ли русская интеллигенция «за чечевичную похлебку национализма» общечеловеческие ценности! В стране, где чуть ли не четверть населения составляли люди не русской национальности, — идеи о «русской расе», «русской исторической миссии», «пробуждении русского и славянского чувства» и т. п. могли только оттолкнуть — и оттолкнули в стан «интернационалистов» миллионы российских граждан.

Не ощущал ли Николай Александрович Бердяев слабости позиции, навязанной ему коллегами по «Народоправству»? Не здесь ли причина его истерических срывов, его неспособности даже в пределах одного письма удержаться на доброжелательной ноте, его немыслимых в кругу Вячеслава Иванова и Андрея Белого криков: «Их мало вешать, мало расстреливать»? Умный тонкий провидец, разглядевший подводные камни грядущей истории, распознавший опасность большевизма куда зорче и вернее прекраснодушного Гершензона с его «партией сердца», как мог не ощутить Бердяев всей опасности шовинистических «ловушек», ограниченности и бесплодности русского национализма, в конечном счете погубившего Февральскую революцию?

Как случилось, что Гершензон не смог прозреть ту страшную опасность, которую несли в себе «святая обида Спартака», разгул черных стихийных сил, русский бунт «бессмысленный и беспощадный»?

Если бы в то страшное, апокалипсическое время хотя бы лучшие люди России были способны слушать друг друга, понимать, прощать, вдумываться в доводы «оппонента»! Если бы...

Не нам судить наших дедов, не нам упрекать их за их заблуждения, иллюзии, политическую слепоту. Они жестокой ценой заплатили за свои вольные и невольные ошибки. Рядом с гибелью Г. Шпета, расстрелянного в 1937 году, смертью от голода сосланного Д. Жуковского и многих-многих репрессированных советской властью эмигрантские скитания Бердяева и ранняя смерть Гершензона в 1925 году «в своей постели» могут показаться подарком судьбы.

Бог же им Судия.

ПРИМЕЧАНИЯ

[1] *Гершензон-Чегодаева Н. М.* Первые шаги жизненного пути: Воспоминания. М., 2000. С. 23–24.

[2] Там же. С. 109.

[3] Там же. С. 110–111.

[4] Письмо М. О. Гершензона И. В. Жилкину. Судак, 27 июня 1917 года. ЦГАЛИ. Ф. 200 (Жилкин И. В.). Оп. 1. Ед. хр. 18.

[5] *Гершензон-Чегодаева Н М.* Указ. соч. С. 113.

[6] Ликвидация мятежа. Официальные сообщения о событиях 4 июля // Речь. Петроград. 1917 г. № 155. 5 июля.

[7] *Бердяев Н. А.* Свободный народ // Народоправство. 1917. № 1. С. 2–4.

[8] *Чулков Г. С.* (Борис Кремнев). Наступление // Там же. С. 18–19.

[9] *Вышеславцев Б. П.* Любовь и ненависть в социальной жизни // Там же. С 9–11.

[10] *Иорданский Н. М.* Внутреннее обозрение // Там же. № 3. С. 16–18.

[11] *Бердяев Н. А.* В защиту Социализма // Там же. 17 июля. С. 8–10.

[12] *Иорданский Н. М.* Внутреннее обозрение // Там же. № 4. 24 июля. С. 7–9.

[13] *Проф. Алексеев Н. Н.* Спасение или очищение // Там же. С. 2–3.

[14] *Бердяев Н. А.* Правда и ложь общественной жизни // Там же. С. 7–9.

[15] *Иорданский Н. М.* Внутреннее обозрение // Там же. № 5. 1 августа. С. 16.

[16] *Проф. Зеньковский В. В.* Единство России // Там же. С. 2.

[17] Жилкин Иван Васильевич журналист, сотрудник газеты «Русское Слово».

[18] Письмо М. О. Гершензона И. В. Жилкину. Судак. 1917. 1 августа.

[19] *Бердяев Н. А.* Германские влияния и славянство // Народоправство. 1917. № 6. 9 августа. С. 2–4.

[20] *Иорданский Н. М.* Внутреннее обозрение // Там же. С. 17–19.

[21] *Дорватовская В.* Французский учебник // Там же. № 12. 16 октября. С. 12–13.

[22] *Гершензон-Чегодаева Н. М.* Указ. соч. С. 118.

[23] Письмо М. О. Гершензона М. Б. Гершензон. Москва. 1917. 29 сентября. ОРГБЛ. Ф. 746. К. 21. Ед. хр. 30.

[24] Имеется в виду Петрушевский Д. М.

[25] Петрушевская Е.С., жена Д. М. Петрушевского.

[26] Проф. Б. П. Вышеславцев, приват доцент С. Кечекьян, проф. Н. Н. Алексеев сотрудники и авторы «Народоправства».

[27] Письмо М. О. Гершензона М. Б. Гершензон. Москва. 1917. 1–2 октября. ОРГБЛ. Ф. 746. К. 21. Ед. хр. 30.

[28] Письмо Н. А. Бердяева М. О. Гершензону. Москва. 1917. 29 сентября. ОРГБЛ. Ф. 746. К. 28. Ед. хр. 31. Л. 32–35.

[29] Письмо М. О. Гершензона Н. А. Бердяеву. Москва. 1917. 29 сентября. Семейный архив.

[30] Письмо М. О. Гершензона М. Б. Гершензон. Москва. 1917. 1–2 октября. (Продолжение).

[31] Струве Петр Бернгардович, экономист, философ, общественный деятель; один из лидеров кадетской партии.

[32] Письмо Н. А. Бердяева М. О. Гершензону. Москва. 1917. 2 октября. ОРГБЛ. Ф. 746. К. 28. Ед. хр. 31. Л. 37–38.

[33] Письмо М. О. Гепшензона М. Б. Гершензон. Москва. 1917. 9 октября. ОРГБЛ. Ф. 746. К. 21. Ед. хр. 30.

[34] Письмо М. Б. Гершензон М. О. Гершензону. Судак. 1917. 8 октября. ОРГБЛ. Ф. 746. К. 24. Ед. хр. 32.

[35] *Бердяев Н. А.* Свободная церковь и Собор // Народоправство. 1917. № 7. 21 августа. С. 4–6.

[36] Бердяевы. Энциклопедический словарь. Издатели Ф. А. Брокгауз и И. А. Ефрон. С.-Петербург, 1891. Том III а. С. 492.

[37] Евреи. Энциклопедический словарь. Издатели Ф. А. Брокгауз и И. А. Ефрон. С.-Петербург, 1893. Т. XI. С. 426–466.

[38] *Чулков Г. С.* (Борис Кремнев). Самоопределение России и Максим Горький // Народоправство. 1917. № 10. 25 сентября. С. 10–12.

[39] *Бердяев Н. А.* Патриотизм и политика // Народоправство. 1917. № 10. 25 сентября. С. 2–4.

[40] Проф. Зеньковский В. В., сотрудник «Народоправства».

раздел 2

Елена Струтинская

От Гофмана к Гоголю. Сценографические работы В. Дмитриева 20-х годов

СУДЬБА — понятие-мифологема, выражающее
идею детерминации как несвободы.
Философская энциклопедия.
М., 1970. Т. 5. С. 158.

«Люди и судьбы» — эта тема раскрывается в творчестве театрального художника Владимира Дмитриева (1900–1948) особым образом. Его театральные работы 20-х годов принадлежат экспрессионистскому направлению в сценографии. Художников этого направления волновали проблемы, остро вставшие перед человеком в начале XX века, особенно в связи с социальными катастрофами, политическими переворотами, войнами, охватившими не только Россию, но и почти все европейские страны. Основной модус художника-экспрессиониста и героя экспрессионистского произведения — бытие личности во враждебном и агрессивном мире; страх за судьбу человека в новых социальных условиях его существования; борьба за сохранение индивидуальности каждой личности. Для Дмитриева эти темы будут центральными в его творчестве, и он будет стремиться максимально ярко раскрыть их через весь комплекс подвластных ему выразительных возможностей и приемов сценографии.

Безусловно, художник воссоздавал на театральных подмостках и место действия, и все необходимые в рамках драматургического и режиссерского замысла реалии спектакля; но все это он подчинял главному, тому, что явственно видел за каждым конкретным драматургическим действием, — конфликту человека с судьбой.

Художник достигал абсолютно органического вхождения декорации в ткань спектакля. А. М. Эфрос подчеркивал, что Дмитриев «всегда занят идеей пьесы, он погружен в образ спектакля, он ищет живого и взволнованного зрительного воплощения содержания постановки. Дмитриев — первейший «мастер образа» в советской декорации, так как он — первый слуга спектакля. Тонкость и прелесть дмитриевских декораций коренятся здесь»[1].

О Дмитриеве написаны статьи и книги, но в них его биография ограничивается рамками театрального творчества, этим творчеством и представлена, и исчерпана. Этому факту есть свои объяснения. Художники советского времени, кажется, старались вообще избавиться от биографии. Воссоздать подлинные реалии жизни художников, работавших в 20–50-х годах, порой сложнее, чем их коллег, живших в XVIII или XIX веке. Если люди искусства Серебряного века сами творили о себе мифы, создавали мемуары и автобиографии-легенды, то пришедшие за ними творцы советского искусства старались сократить свои биографии, замалчивая главным образом период революции и первых послереволюционных лет. О подлинном отношении художников к происходившему в то время мы можем только догадываться, анализируя работы тех лет и приверженность к тому или иному направлению в искусстве.

О ранней эволюции Дмитриева и его молодости известно не слишком много. Вот что он сам написал о себе в 1934 году по просьбе директора музея ГосТИМа В. Я. Степанова, собиравшего биографические данные о художниках, работавших с Мейерхольдом: «С гимназических лет начал заниматься живописью и любить театр. Имел склонность к „Миру искусства", к символизму и позднее к более левым направлениям искусства. Вращался в подобной среде с ранних лет. Ходил в студию Мейерхольда еще в 1916-м году. Тогда же начал учиться у Петрова-Водкина. В 18-м году поступил в Академию художеств, которую окончил (все время в мастерской Петрова-Водкина) в 21 году. <...> В театре ценил только Мейерхольда, особенно любил „Стойкий принц". Мейерхольд познакомил меня с Головиным, с которым я встречался в то время часто. У Мейерхольда учился на Курсах мастерства сценических постановок в 1918 году. Тогда же были задуманы и сделаны „Зори"<...>»[2]. «Добавлю, что я полагаю, что я художник романтического типа, меня мало привлекают задачи чисто технического порядка, часто постановки мои неровны и недоделаны, но почти всегда удаются места психологического характера»[3].

Эти строки были написаны в 1934 году. Дмитриеву 34 года, он один из ведущих театральных художников страны. Работает с Мейерхольдом, Радловым, Немировичем-Данченко, Станиславским.

Нет никаких свидетельств о восприятии Дмитриевым событий, изменивших жизнь и судьбы людей в России, — революций 1917 года и всего, что последовало за ними. Из воспоминаний друга юности Дмитриева, критика и историка балета Ю. И. Слонимского, известно, что Дмитриев увлекался философией, антропософией и теософией, посещал заседания «Вольного философского общества», читал Владимира Соловьева и Рудольфа Штейнера. Это подтверждается и дневниковыми записями самого художника, свидетельствующими о его религиозных и душевных исканиях (фрагменты дневника Дмитриев послал Ольге Спесивцевой, которой он в то время был страстно увлечен и в чьем архиве они сохранились). Очевидно, что человек с подобным душевным складом должен был обостренно воспринимать происходившие в стране события конца 10–20-х годов.

Творчество Дмитриева 20-х годов, как мы уже отметили выше, органично влилось в русло мощного и необычайно интересного направления, господствовавшего в сценографии петроградских-ленинградских театров в 10–20-х годах, — экспрессионизма.

Экспрессионизм — это комплекс художественных средств, который служит «экспрессии», то есть «выразительности»: усиленному, подчеркнутому выражению душевного состояния художника и его эмоционального отношения к изображаемому миру.

Русский экспрессионизм, к сожалению, мало изучен. Многие десятилетия существование этого явления просто игнорировалось. Изучение и осмысление театрального экспрессионизма было начато в 20-е годы и прекратилось в самом начале 30-х. Сейчас экспрессионистское направление вновь начинает привлекать театроведов и рассматриваться уже с более широких позиций.

Экспрессионистская модель спектакля сформировалась в 10 — начале 20-х годов. В работах М. Добужинского, Ю. Анненкова, Ю. Бонди, Н. Калмакова и других оформились основные принципы и художественные приемы сценографического экспрессионизма, которые были восприняты и развиты художниками следующего поколения: В. Дмитриевым, М. Левиным, В. Эрбштейном, Е. Славцовой, В. Ходасевич, отчасти Н. Акимовым. Наиболее многосторонне и полно экспрессионистская линия раскрылась в творчестве Левина и Дмитриева.

Основная тема экспрессионизма — личность, отстаивающая право распоряжаться своей судьбой, своей свободой, своей душой в обстоятельствах катастрофы, крушения идеалов и гуманистических ценностей. Задача художника в экспрессионистском театре — показать глубинный смысл происходящего на сцене, изобразительными средствами раскрыть потаенную суть драмы бытия личности — не обыденную бытовую историю, а стоящее за ней нечто непознаваемое, мистическое и роковое, то, что можно только ощутить или к чему можно прикоснуться не разумом, а чувством, эмоцией.

Чтобы выразить главную идею спектакля, важны точно отобранные средства, и в их выборе для художника-экспрессиониста нет ограничений и запретов. Экспрессионизм совершает визуальную агрессию на сознание зрителя. Вся структура экспрессионистского спектакля направлена на создание внешней формы, раскрывающей драматизм действия. Отсюда — множественность выразительных средств, которая может даже показаться эклектичной. Но это не эклектика. Экспрессионизм свободно комбинировал приемы и визуальные черты различных стилей ради достижения точного эмоционального воздействия на зрителя.

Театральный экспрессионизм можно условно разделить на две тенденции: первая предлагает зрителю искаженное, деформированное видение мира — Дмитриев использовал этот принцип в спектаклях «Виновны — невиновны», «Эуген Несчастный», «Борис Годунов» и других. Вторая тенденция, наиболее распространенная в отечественной экспрессионистской сценографии, а позже как прием использованная и вне рамок экспрессионизма, — ритмическая организация пространства. У Дмитриева эта тенденция реализовалась в спектаклях «Нос», «Джонни», «Прыжок через тень», «Катерина Измайлова» и т. д.

Дмитриев для каждого спектакля ищет наиболее точные выразительные средства. Практически каждый из оформленных художником спектаклей явился этапом в поиске новых выразительных средств, приемов и в первую очередь — решения сценического пространства. И это был не эксперимент для эксперимента, а необходимость найти наиболее точную форму для выражения идеи и смысла каждой пьесы, порой — каждой сцены. Форму, способную вызвать у зрителей необходимую по замыслам постановщиков эмоцию.

В 1920 году В. Мейерхольд поручает Дмитриеву оформление пьесы Э. Верхарна «Зори» (Театр РСФСР 1-й, Москва), проект постановки молодой художник разрабатывал, еще учась на Курсах мастерства сценических постановок в 1918 году. Сделанная в духе кубофутуристического контррельефа, сценография Дмитриева имела шумный успех.

Следующей, наиболее значительной после «Зорь» работой Дмитриева была постановка спектакля «Необыкновенные приключения Э. Т. А. Гофмана» (режиссер К. Державин). Этот спектакль увидел свет в петроградском театре Новой драмы 7 декабря 1922 года. Театр был создан учениками и соратниками Мейерхольда по Студии на Бородинской и Курмасцепу. Его организаторы декларировали приверженность экспрессионистскому направлению как наиболее близкому им современному мироощущению.

История постановки такова: «Как-то среди бесхозных книг, — вспоминал Ю. И. Слонимский, — я обнаружил растрепанный номер журнала <...> с новеллою В. Ирвинга <...>. Меня заинтересовали сцены революционного Парижа, переданные сгущенными красками. Они вызывали некоторые <...> ассоциации с тем, что окружало нас в годы гражданской войны, я познакомил с новеллой Державина, он Володю (Дмитриева. — *Е. С.*), и мы решили делать постановку»[4].

Инсценировку сделал Державин. Пьеса состояла из десяти картин. Сюжет показался интересным: Гофман оказывается в революционном Париже, где становится, как и герои его новелл, игрушкой Рока: предначертанность судьбы ничто не в силах изменить, рок ведет и ввергает людей в ситуации, которые не мог предвидеть или отвергает рассудок. Рядом с Гофманом в инсценировке действовали Дантон, Робеспьер и персонажи гофмановских произведений.

Человек, революция, террор, большой столичный город, любовь и страсть, мистические повороты судьбы, театр — все это было знакомо молодым постановщикам, составляло их повседневную жизнь. Параллели и ассоциации напрашивались сами собой. Спектакль ставился не о французской революции, а о революции как таковой и о человеке, живущем в революционную эпоху.

Увлечение Гофманом в первые послереволюционные годы, казалось, охватило всех. В. А. Милашевский вспоминал: «Уходили, уходили куда-то вдаль, сладко соскальзывали в сторону от сегодняшнего бытия и быта. Увлечение Гофманом! „Серапионовы братья!“ Кто не был в этой колбе с искусственным воздухом, в этой оранжерее, в этом микроклимате, тому не понять некую внежизненность интеллектуальных порождений того времени!»[5] В произведениях немецкого романтика искали разгадку фантастики современного бытия.

Державин писал, что они с Дмитриевым стремились следовать эстетике Гофмана и выявить в спектакле три пласта, переплетающихся между собой, три элемента — «реалистический, фантастический и абстрактный».

Все три элемента спектакля, перечисленные Державиным, не были чужды молодым постановщикам спектакля. Спектакль был задуман как осмысление современного бытия через фантастический сюжет. Но что же имели в виду Державин и Дмитриев, говоря об «абстрактном» элементе? В предпремьерной статье они писали: «Согласно гофмановской концепции мира, главным действующим лицом пьесы является <...> элемент абстрактный: судьба — тот „черт“, который, по выражению Гофмана, «всюду сует свой хвост <...> Стечение обстоятельств, вот рок Гофмана»[6]; тот абстрактный элемент или рок был знаком очень многим в России с начала мировой войны и революции. Это касалось и постановщиков спектакля. Молодые, деятельные люди, чуть старше 20 лет — возраст, когда кажется, что судьба и весь мир в твоих руках, — быстро постигли, что это не так. Окружающая действительность давала понять — эти надежды иллюзорны.

В «Необыкновенных приключениях...» экспрессионистское видение Дмитриева обретает конкретные формы, которые в последующих его работах уже четко обозначатся.

Державин в письме к Мейерхольду так характеризовал принцип, выбранный Дмитриевым для создания образа спектакля: «Принцип декораций — крайняя изобразительность, используемая не сама по себе, а как известная театральная форма <...>. Основной конструктивный прием — контрастировка»[7].

Оформление было чисто живописным. Основная нагрузка легла на цветовое и световое решение. Резкое и не совсем гармоничное звучания красок было выбрано принципом, проведенным через все десять картин спектакля. Контрастное цветовое решение было подчинено ритму, соответствовавшему драматическому развитию действия, что отметили все рецензенты спектакля: «Каждый декоративный намек на своем месте. Каждое колористическое пятно отыгрывалось либо в данной сцене, либо служило связующим звеном со следующей картиной»[8].

Красные тона постепенно заполняли сцену, интенсивность их усиливалась, сгущалась от картины к картине, красный цвет был предвестником гибели героев. Тема революции и террора, любви и смерти, верности и предательства шла крещендо, приближаясь к трагическому концу. Цветовой драматизм был усилен световой партитурой спектакля. Важную роль в решении образа спектакля Дмитриев отдал свету. В этой работе он опробовал возможности контраста света и темноты, игры теней, их влияние на изменения цветовых тонов декорации. В спектакле использовался и живой свет. Для Дмитриева как для живописца эта постановка дала возможность выявить экспрессию света, в разных аспектах проследить, как свет работает на разных планах сцены, как он меняет облик актера, сочетается с его движением.

Следующей работой Дмитриева, сделанной в эстетике экспрессионизма, была постановка пьесы Стринберга «Виновны — не виновны» (театр Новой драмы, 2 февраля 1923 г.) . Режиссером спектакля был К. Тверской. Это было не первое его соприкосновение с пьесой Стринберга. Летом 1912 года Тверской принял участие в знаменитом спектакле «Виновны — не виновны», поставленном Вс. Мейерхольдом в Териоках.

Влияние спектакля Мейерхольда не скрывалось, а подчеркивалось, Тверской в своей постановке следовал по стопам мастера. Даже на главную роль Мориса он пригласил исполнителя этой роли в териокском спектакле — А. Мгеброва. Визуальный образ спектакля тоже должен был следовать приему, найденному Ю. Бонди, — вытеснению черного цвета желтым. Тверской предложил Дмитриеву также сделать доминирующим желтый цвет; художник как верный ученик К. Петрова-Водкина контрастным к нему избрал синий.

Пространственное решение Дмитриева было иным, нежели в териокском спектакле, художник использовал весь объем сцены, всю ее глубину, отвергнув плоскостное, двуплановое решение Бонди.

Образ города в его сценографии был деформирован, в каждом акте он был представлен в резком ракурсе и напряженном ритмическом решении. От сцены к сцене сгущался колорит, цвет в декорациях становился все более и более драматически напряженным, что позволяло достичь ощущения дисгармонии, тревоги. Пространственные планы были резкими. Париж Дмитриева теснил героев, пространство от сцены к сцене принимало все более экспрессивные ракурсы, как бы подталкивая главных героев (Мориса и Генриетту) друг к другу. Дмитриеву удалось в этой работе воплотить через ракурсно-ритмическое изображение города эмоциональное состояние героев.

Экспрессионистская тенденция отражала настроения времени. Об этом свидетельствует то, что после экспрессионистских постановок на сценах маленьких полуэкспериментальных театров спектакли, решенные в экспрессионистской эстетике, появились и на сценах академических театров — БДТ, Акдрамы (б. Александринский т-р) и Акоперы (б. Мариинский т-р).

Через полгода после спектакля по Стринбергу, 15 декабря 1923 года, на сцене б. Михайловского театра (в те годы филиала Акдрамы и Акоперы) Сергей Радлов показал премьеру спектакля «Эуген Несчастный» Э. Толлера в оформлении Дмитриева. Пьеса немецкого драматурга была новым материалом для актеров Александринского театра. Экспрессионистская «драма вопля» потребовала определенных приемов игры, с которыми актеры-александринцы знакомы не были, поэтому на Дмитриева ложилась особая задача изобразительными средствами передать психологическое состояние героя: боль и отчаяние, приведшее его к гибели.

Пьеса Толлера — о молодом человеке, искалеченном войной; в спектакле акценты были переведены с физиологии на духовную драму людей, прошедших войну, драму «потерянного» поколения, оставшегося чужим в послевоенной жизни, ненужного и невостребованного ею.

Для Дмитриева пьеса Толлера в какой-то степени продолжила линию, начатую в «Необыкновенных приключениях Э. Т. А. Гофмана», — одиночество человека, роковые обстоятельства жизни, невозможность реализовать свою волю, невостребованность человеческой личности. В этой работе в последний раз Дмитриев использует образ резко деформированного мира, где дома, улицы, само пространство сметено, представлено нам как бы глазами героя драмы. В последующих работах Дмитриев будет все меньше использовать этот прием, перенося экспрессивную нагрузку на цветовое и ритмическое решение пространства.

Дмитриев помещает героя в поразительно неуютное жилище. Убогая комната, пустотой напоминающая тюремную комнату. Распахнутое, будто вывернутое наизнанку пространство почти соскальзывает в пропасть каменного колодца-двора. Вниз, к людям, ведет узкая лестница-трап. Подобная комната — голые стены, плита, табурет — могла быть в любом европейском городе. Это мог быть и Петроград, и Берлин. Крыши и брандмауэры за окном напоминали о пейзажах Добужинского, а скособоченные и валящиеся в разные стороны дома — графику и живопись немецких экспрессионистов. Город, созданный Дмитриевым, был лишен национальных примет. Такая декорация не могла бы появиться спустя пять лет, когда обстановка в стране радикально изменится, произойдет четкое размежевание на «они» и «мы», опустится «железный занавес».

Декорация второго акта — ярмарочная площадь (куда забредает Эуген, гонимый отчаянием и неприкаянностью) образуется сходящимися под острым углом линиями домов. Здесь громоздится балаган под полосатым красно-бело-черным тентом, карусель и колесо. В этом мирном городском пейзаже все обыденно, но сбивчивые линии домов и цветовое напряжение втиснутого на площадь балагана рождало диссонанс, а контрастное цветовое решение — состояние тревоги, искусственности, нереальности.

От акта к акту цветовое и световое напряжение росло. Ночная улица третьего акта сменяла площадь с балаганом. Здесь громады домов теснили игровое пространство своими темными массами, на которых горели ярким желтым светом окна витрин, за ними шевелились, двигались и танцевали люди, вернее, их силуэты. Напряженное сочетание черного с горящим желтым подчеркивало нарастание драматизма.

Путь Эугена закольцовывался, он возвращался на свой чердак, чтобы уйти из этого мира. Декорация по сравнению с первым актом менялась: исчез стол и второй табурет (для Греты), с висевшей лампы был сдернут абажур, ее ядовито-желтый свет, подчеркнутый лучом прожектора, как бы ставил точку в судьбе Эугена.

Игровое пространство было предельно субъективизировано. Немногочисленные предметы, оставленные Дмитриевым на сцене, наполнялись образным символическим смыслом: два табурета, стол и холодный, незажженный очаг в первом действии — дом на грани распада, краха семьи. В последнем акте — один табурет, придвинутый к распахнутому окну, — трагический предсмертный крик. Бытовая функция вещи отошла на второй план, через подбор вещей или их исчезновение Дмитриев провел драматическую линию одиночества героя.

Любопытно свидетельство самого Э. Толлера, увидевшего спектакль в апреле 1926 года, когда драматург приезжал в СССР. По его мнению, «режиссерская постановка пьесы очень интересна, но к ней нужно привыкнуть. В Германии «Эуген» ставится как карикатура»[9], — драматург был поражен трагическим звучанием своей пьесы в русском театре.

Расхождение русского и немецкого экспрессионизма наглядно обнаружилось в одной сцене из второго акта, оно было отмечено в рецензиях на спектакль. «Превосходна группа инвалидов войны, вопиющих о милостыне, но она чистый гротеск, который довольно неуклюжим клином врезается в толпу, вовсе не обработанную в стиле гротеска»[10]. Режиссер сам внес диссонанс в спектакль, его решение толпы нищих калек было схоже с экспрессионистскими гротесками немецких художников О. Дикса и Г. Гросса и приходило в противоречие с общим решением спектакля и с замыслом Дмитриева, тяготевшего к психологически глубоким формам воплощения трагической темы. Строго говоря, тема убогих, нищих, калек и уродов, идущая от традиций Северного Возрождения — Босха, Брейгеля, Грюневальда, Бальдунга Грина, Ратгреба, Урса Графа и других художников, — получившая в искусстве Гросса и Дикса дальнейшее развитие, была свойственна немецкому экспрессионизму гораздо больше, чем его русскому аналогу. Немецкий вариант этого направления в искусстве более однозначен, безжалостен и жесток: обличая капиталистический мир и издеваясь над ним, художники в то же время не проявляли особого сочувствия к его жертвам, жалость была вне эстетики и идеологии этого направления в немецкой культуре. В русской изобразительной и театральной традициях образы калек крайне редки, они воплотили в себе национальное отношение к убогим как страдающим, заслуживающим жалости и уважения личностям, тогда как в немецком искусстве это не столько личности, сколько предметы — обрубки, останки людей, скорее, безжалостные обличительные документы или вещественные доказательства, нежели живые свидетели. Нищие в спектакле Радлова ужасали и пугали, сочувствовать им было трудно, но это была всего лишь одна сцена, весь спектакль решался как драма личности.

Русский экспрессионизм был не менее трагичным по своим формам и звучанию, нежели немецкий, и вместе с тем более гуманистичным и сочувственным к героям. Причины этих различий глубоки — они уходят в глубь национальных традиций мировосприятия и в различия философских школ, формировавших эстетические взгляды художников, работавших в 20-е годы.

В 1929 году в Малом оперном театре Дмитриев вместе с режиссером Н. Смоличем работает над спектаклем «Нос» — первой оперой Д. Шостаковича (либретто Е. Замятина, Г. Ионина, А. Прейса, Д. Шостаковича, первый общественный просмотр, приуроченный к Первой Всероссийской музыкальной конференции, — июнь 1929, премьера 16 января 1930 года). Дмитриев не только оформляет спектакль, но и фактически является сорежиссером постановки.

Спектакль был встречен неприязненно. Газеты разом заговорили об «идеологической чуждости» и оперы и спектакля, в некоторых рецензиях признавалось формальное мастерство композитора и постановщиков. Постановку объявили ошибочной и ненужной. Только И. И. Соллертинский пытался защитить спектакль, за что был сам подвергнут травле коллегами. Вскоре спектакль был снят с репертуара.

Что именно вызвало столь сильное неприятие?

Атмосфера в стране осенью — зимой 1929 года начала накаляться. Разворачивается травля Б. Пильняка и Е. Замятина. Газеты и журналы полны протестующих публикаций, пестрящих железной формулировкой: «МЫ против...» Страна сколачивается в единое общество, противостоять которому было невозможно. Тот, кто по той или иной причине объявлялся противником социалистического общества, мгновенно оказывался в опале и в изоляции, вернуть статус «благонадежного» было очень трудно, практически невозможно, а в редких случаях, когда это удавалось, человек вынужден был пройти через унизительную процедуру публичного самоотречения, самоуничтожения. Рвение к искоренительству и запретительству усиливается.

Нам трудно представить подлинную реакцию людей русской культуры на события рубежа 20–30-х годов, но не случайно в это время в Ленинграде появляется «Нос», пишут стихи, прозу и создают свою драматургию ОБЭРИУТы, а в 1928 году Ю. Тынянов публикует рассказ «Подпоручик Киже». Исчезают люди, рушатся судьбы и репутации, творятся в одночасье новые кумиры.

На таком фоне появляется спектакль Малого оперного театра.

Трезвое, трагическое видение происходящего в стране позволило авторам спектакля создать образ гротескного маскарада, найдя идеальный материал в абсурдизме гоголевской прозы, — придумать и сценически воплотить удивительные формы спектакля «Нос».

«Нос» Н. В. Гоголя — это абсурдистско-фантастическая история, в которой социальные мотивы глубоко спрятаны, приглушены. «Нос» Шостаковича—Смолича—Дмитриева превратил историю майора Ковалева в повествование совсем иного рода, трактовка создателей спектакля сильно изменила смысл происшедшего с несчастным майором.

Главной темой спектакля стало соотношение личности и ее социального статуса. Художник нашел чрезвычайно резкое образное решение для выражения такой абстракции, как социальный статус, воплотив ее в маске. Потеря маски равна гибели человека, что было очень близко к реалиям жизни конца 20 — начала 30-х годов.

Постановочный прием, придуманный Дмитриевым, стал смысловым ключом к спектаклю. Художник сделал для персонажей спектакля (кроме нищих) гротескный грим: огромнейшие носы, которые превращали лица людей в безжизненные маски, рождавшие впечатление, что по сцене двигаются манекены, а рядом, как контраст, существовали фигуры нищих «без лиц».

Мы можем предположить, что толчком к этому решению явился один эпизод из повести, вернее, одна фраза. Ковалев, следуя за каретой, в которую сел Нос в облике статского советника, оказывается около Гостиного двора. Гоголь пишет: «Он поспешил туда, пробрался сквозь ряд нищих старух с завязанными лицами и двумя отверстиями для глаз, над которыми он прежде так смеялся»[11]. Все. Больше о нищих «без лиц» в повести Гоголя нет ни слова. Дмитриев развил эту фразу в жуткую метафору.

Герои спектакля делились на две группы: обладателей огромных длинных гротескных носов — и мужчин, и женщин — и страшных нищих, у которых эта часть лица отсутствовала, как бы стерта. Эти нищие «без лиц» живы, но находятся уже вне социума. Таким образом, Дмитриев сделал нос символом благонадежности, своеобразным паспортом, видом на жительство. Утрата носа мгновенно превращала человека в изгоя. Нос без человека мог быть одет в мундир статского советника, а человек без носа — нет! Такой человек не то что на мундир, даже и на жизнь едва ли мог претендовать.

Главная цель героя оперы майора Ковалева — быть как все, быть в стае. Но когда — о ужас! — он лишился носа, то тут же стал белой вороной, отщепенцем, вокруг него образуется пустота — мертвая зона. Он стал, по выражению самого Ковалева, «не гражданин». Выражение «лишиться человеческого достоинства» в спектакле обрело визуальную конкретность. Он потерял не нос: он потерял социальную маску, которая важнее человеческого лица. И сразу стал никем и ничем. Оказывается, под маской не было ничего, была пустота, и не потому, что майор Ковалев пустой человек, — нет, просто потому, что обществу не нужны лица, а нужны маски. Маски определенного фасона. Потому что само это общество есть только игра масок, и не более. Здесь личность человека в ее индивидуальной неповторимости не значит абсолютно ничего, значит только форма, только маска. Никто в этом спектакле не был гарантирован от возможности оказаться изгоем. И по улицам Петербурга в назидание Ковалеву тянется вереница людей с огромными, неправдоподобными носами.

Этот прием позволил создателям спектакля внести в него тему, которой нет у Гоголя. В повести отсутствует тема паники и страха горожан в связи с пропажей носа у майора Ковалева. В спектакле эта тема стала главной. Паника, которую вызвало у персонажей спектакля это событие — пропажа носа у майора Ковалева, как раз и объясняется подверженностью любого из обитателей города подобным «скверным анекдотам».

Нос же спокойно может существовать сам по себе, маскируясь в мундир статского советника, хотя он и не человек даже, а как бы относительный двойник, фикция, а между тем его существование, появление в городе не вызывает никакой реакции у окружающих. Он защищен мундиром, оказавшимся идеальной маской, маскарадным костюмом, скрывшим отсутствие под ним какой-либо личности вообще.

Темой спектакля стало торжество маски, бездушной формы над живым человеком, порабощение человеческой личности социальной маской.

Уродливые, гипертрофированные носы превращали персонажей оперы в движущиеся манекены. Для усиления этой идеи на сцене использовались и настоящие манекены. А кроме того, еще и механические куклы (лошади), которые выглядели даже более «живыми», чем герои оперы. Безусловно, куклы и манекены представляли собой дальнейшее развитие идеи маски.

Решение ввести их в спектакль возникло не без влияния финальной сцены «Ревизора» Мейерхольда, о чем писал сам Шостакович. Рецензенты усматривали это влияние в сцене в Казанском соборе, где фигуры молящихся людей были заменены манекенами. «Живыми« участниками здесь были только Нос и майор Ковалев. Сцена производила тяжелое впечатление. Место, где живая душа человека должна была общаться с Богом, было заполнено безжизненными куклами, это был сильнейший прием экспрессионистского гротеска.

Не менее язвительной была и картина — «Станция». В центре сцены находились ворота или портик (определить трудно), подпиравшиеся двумя пузатыми колоннами. По фронтону надпись — «Сооружена в 1816 г.». Это сооружение венчала колесница с лошадьми. Надо полагать, что когда-то это была квадрига, но остались только две боковые колченогие и толстозадые лошади, которые тащат колесницу в разные стороны. Колесница пуста. Триумфатор или бог ее покинули или были изъяты, место вакантно. У левой колонны массивный памятник — бык, похожий на гиппопотама. На него по ходу действия взберется страж порядка и будет высматривать в подзорную трубу ударившегося в бега статского советника. И тень от носа полицейского, сидящего на быке, закроет всю колонну. Вообще, в этом спектакле казалось, что тень имеют только носы.

Персонажи, скованные одинаковыми масками-носами, омертвлялись. Из человеческих чувств в них оставалось только чувство страха.

Идея постановки была настолько сильно и выразительно воплощена в визуальных формах спектакля Дмитриевым и развита в мизансценах Смоличем, что никакие ссылки на то, что авторы спектакля стремились создать сатиру на нравы николаевской эпохи и тем спасти оперу, не помогли. Судьба ее была предрешена.

Наиболее точными по оценке постановочного замысла спектакля были рецензии А. Гвоздева. Однако для критика подобная трактовка гоголевского сюжета была неприемлема, он писал в статье «Экспрессионистские тенденции в советском театре»: «Действительно, мастерство, с которым вскрыто в музыке мучительное настроение человека, потерявшего свой нос и мечущегося в поисках его, стоит на большой высоте. Но только при чисто формальном подходе к искусству можно не заметить идеологического смысла сгущенных эмоциональных образов этой оперы. Это, конечно, не сатирическое изображение распространяющейся по городу сплетни (как то пыталась изобразить дружески настроенная критика). Это утонченное и богатое красками раскрытие психологии растерявшегося обывателя, переживающего муки от утраты прочности своего положения, бросающегося в болезненные поиски и встречающего на своем пути ряд уродливых видений, запугивающих его подобно жуткому кошмару. Это экспрессионизм, но не немецкий, а русский, датируемый нашим временем, определяемый местными театральными традициями и стоящей за ними общественной психологией определенной классовой прослойки»[12].

Спектакль был сделан в русле экспрессионистского направления, для которого тема лица и маски, судьбы и рока, сущности и видимости, жизни и смерти были центральными, что было абсолютно неприемлемо для наступившей эпохи 30-х годов.

В 30-е годы изменится сценографический язык: с одной стороны, это будет объективный процесс, подчиненный смене эпох, с другой – насильственный, начнется борьба с формализмом в социалистическом искусстве. Дмитриев откажется от многих ярких экспрессионистических приемов 20-х годов, но останется верен основному принципу экспрессионизма —

использовать все доступные средства выразительности в сценографии для показа душевного мира героя драматического произведения.

В сезон 1928/29 года Вл. Немирович-Данченко пригласит Дмитриева работать во МХАТ, с этим театром он будет неразрывно связан двадцать лет. В 1941 году станет его главным художником. Во МХАТе Дмитриев создаст работы, признанные классикой отечественного декорационного искусства («Анна Каренина», 1937, «Три сестры», 1940, «Кремлевские куранты», 1942). Он будет работать и в других московских театрах (Большом, им. Евг. Вахтангова, Революции и др.) и в театрах Ленинграда. В общей сложности Дмитриев оформит более 150 спектаклей.

Конечно, все сказанное здесь, может быть, не слишком явственно характеризует судьбу художника Дмитриева, если под судьбой понимать только биографию, вязь конкретных жизненных событий. Но зато это достаточно полно отражает его собственное отношение к теме судьбы как основной теме его творчества.

Примечания

[1] *Эфрос А. М.* Мастера разных эпох. М., 1979. С. 298.

[2] Письмо В. В. Дмитриева В. Я. Степанову. Цит. по: Художники театра о своем творчестве. М., 1973. С. 132.

[3] Там же. С. 135.

[4] *Слонимский Ю.* Чудесное было рядом с нами. Л., 1984. С. 292–203.

[5] *Милашевский В.* Вчера, позавчера...: Воспоминания художника. М., 1989. С. 239.

[6] *б.п.* «Необыкновенные приключения Э. Т. А. Гофмана» (беседа с К. Державиным) // Жизнь искусства. 1922. № 48. С. 1.

[7] *Державин К. Н.* Письма В. Э. Мейерхольду // Мейерхольд и другие: Документы и материалы. М., 2000. С. 595.

[8] *Старк Э.* Необыкновенное приключение в театре // Жизнь искусства. 1922. № 50. 19 декабря. С. 4.

[9] Эр. Эс. «Эуген» для Толлера // Рабочий и театр. 1926. № 16. 9 фев. С.15.

[10] *Старк Э.* «Эуген Несчастный» (б. Михайловский театр) // Красная газета. В.В. 1923. 17 дек. С. 3.

[11] *Гоголь Н. В.* Собр. соч.: В 7 т. М., 1977. Т. 3. С. 45.

[12] *Гвоздев А.* Экспрессионистские тенденции в советском театре // Рабочий и театр. 1930. № 36. С. 4–5.

Виктория Лебедева

Александр Тышлер. Тайна творчества

По мысли Ортега-и-Гассета XX век принес в искусство игру. Эта игра была подчас меланхоличной, печальной и даже трагической. Это была игра — со своей системой подстановок, обманов, метафор, многослойностью смысла, прячущего свою сущность одно в другом, как китайские шарики.

И потому искусству XX века так близок театр, самый игровой, многосоставный, синтетический из видов искусства.

Тышлер был человеком театра. Он оформил более 100 спектаклей, между тем современникам он больше известен как автор станковых картин, автор многочисленных «Прекрасных дам» с домами, кораблями, подсвечниками на головах, известен как рисовальщик и скульптор. Причина тому — та же искаженность биографии, что и у многих других мастеров его времени. После 1961 года, когда он оформил оперу Р. Щедрина «Не только любовь», которая, похоже, не доставила удовольствия ни автору, ни художнику, Тышлер не получал ни одного заказа на оформление спектакля.

Тышлер начинал как театральный художник. Он учился у Александры Экстер в Киеве, встречался там с Исааком Рабиновичем и Ниссоном Шифриным. О. Мандельштам писал Надежде Яковлевне: «Живет рядом с нами веселый, добрый человек, покупает дыню, покупает краски, моет кисти, а потом оказывается, что он-то и есть великий художник, гордость своих современников»[1].

Как и многие художники того времени, Тышлер начинает с абстракций. Вероятно, ему были известны лозунги, провозглашенные Малевичем в УНОВИСе: «Если ты стремишься изучать искусство, то — изучай кубизм». «Ты хочешь изучать живопись? — Начни с кубизма». «Ты хочешь властвовать над природой? — Изучай кубизм»[2].

Тышлер внял этим призывам. В начале 20-х он создает целую серию кубистически-конструктивистских полотен («Цветодинамическое напряжение», 1924; «Цветодинамическое напряжение. Фас и профиль», 1924 и др.). В них анализируется жизнь цвета и пространства, четко, напряженно строится композиция, каждая линия, каждое цветовое пятно точно соотнесено с другим, с плоскостью холста, с цветом фона.

В картине «Цветоформальное построение красного цвета» (1922) Тышлер выстраивает живописными средствами рельеф, где одни фрагменты накладываются на другие, просвечивают один из-под другого, каждый элемент изображения имеет свою партитуру, его судьба скрупулезно прослежена художником, минимальное включение черного и белого обостряет восприятие красного, вибрирующий фон придает работе дыхание, хрупкую жизнь предметов в пространстве. Изображение не прорывает плоскости фона и не выходит за пределы низкого визуального рельефа, заданного автором. Написанная на холсте работа создает ощущение постоянной вибрации формы. Она уравновешена, держащая композицию вертикаль проходит по середине холста.

Тышлер доказывает, что благодаря игре объемов один цвет может звучать по-разному, в зависимости от задачи художника.

Конструктивистские холсты занимали Тышлера только в первой половине 20-х годов. Затем он отходит от абстракции. Его работы этого плана — превосходные живописные произведения, но это и уроки мастерства, которые служили художнику всю его жизнь.

И живопись, и сценография Тышлера всегда были четко построены. В немногих высказываниях о принципах своего творчества он говорит: «Я люблю, когда мое оформление укладывается целиком в зрачке, как силуэт, как архитектурный образ, когда оно укладывается в сознании, и как место, где могло бы произойти только данное событие, могли рождаться, жить, умирать только данные герои»[3].

В 1921 году Тышлер приезжает в Москву и начинает посещать ВХУТЕМАС. Он участвует в «Первой дискуссионной выставке», развернутой в залах ВХУТЕМАСа. Эта выставка (май 1924 года) положила начало образованию нового художественного объединения — ОСТ (Общество станковистов). Тышлер с самого начала (с 1925 года) становится членом ОСТа и принимает участие во всех его выставках.

ОСТовцы объявили себя истинно революционными художниками. Главной для себя темой они считали индустриализацию и технический прогресс. Но на самом деле эти певцы нового строя и, казалось бы, восхвалители светлого будущего были по-своему драматичными художниками. Для них человек оказывался, по существу, жертвой наступающего, подавляющего бога техники. Элементы сюрреализма, экспрессионизма и мистики неожиданно проступают в работах тех лет у Дейнеки, Пименова, Штеренберга, Лабаса и других «революционеров». Жизнь, представленная на картинах художников группы ОСТа, совсем не выглядит идиллической. Недаром молодой А. Федоров-Давыдов писал, что он «потрясен безысходностью и безнадежностью, «всеобщим отрицанием», представшим перед ним даже на полотнах коммунистических художников. <...> Отсюда неизбежный путь к мистицизму»[4].

Подобные настроения видны и в работах Тышлера. Такова, например, картина 1926 года «Женщина и аэроплан», где на туманном красноватом фоне расположилась хрупкая женская фигурка со сложенными на груди руками. Ее шея неестественно вытянута, голова мучительно запрокинута, а где-то в мутном, неприютном небе пролетает крошечная птица-аэроплан, так исказившая облик героини. Несомненно, в этой картине есть ироническое отношение к теме — этакая усмешка над людьми, страстно, до самоискажения поглощенными созерцанием искусственной птицы, которой нет дела до этого заинтересованного зрителя. Невероятно длинная шея женщины многократно закутана розовым шарфом — а то, голова, пожалуй, отделится от хрупкого узкоплечего тела; прическа, подобно прихотливому зверьку, сползает с головы, живет своей отдельной жизнью. И в общем, бесприютен человек на слишком большом для него пространстве фона, чрезмерен ее интерес к чуждому явлению новой техники.

И уж совсем забавен, занятен «Директор погоды» (1926). Странный человек-манекен одной ногой стоит на суше, другая — в воде; в руках у него огромный зонт, и весь он увешан разными инструментами измерения атмосферы: барометры, манометры, термометры, флюгера... И все было бы совсем смешно и нелепо, если бы снова не было чуточку страшно... И вода — не вода, и суша — не суша, и человек — не человек, а полуробот-полумакабр, пародия на слишком серьезное отношение к разным научным новшествам.

Так же как и в картине «Женщина и аэроплан», главное противоречие с действительностью — колорит: там мутно-розовая субстанция заменяет привычные цвета неба и земли, а здесь переход от блекло-розовых оттенков к напряженному лиловому цвету помещает героя в некое неправдоподобное пространство, где неуютно, невозможно находиться живому существу.

Таким образом, Тышлер отдает ОСТовскую дань теме технического прогресса. Ему и смешно, и страшно. Он понимает, как далеко зашло увлечение техницизмом, и видит, как это увлечение порабощает, деформирует человека.

Однако все эти этапы творчества не более чем этапы. Это и уроки мастерства, и стремление, характерное для этого общительного, открытого человека, войти в круг прогрессивной художественной молодежи, рассеять ореол провинциала, стать равным среди равных, а иногда — лучшим среди равных. Работы ОСТовского периода («Наводнение», 1926; гравюры «Продавщица птиц и мелких животных», 1925; «Бондарь», 1925; иллюстрации к пьесе А. Мариенгофа «Джек-потрошитель», 1926 и др.) не только дали навыки работы на грани невозможного — принцип, которому он следовал всю дальнейшую творческую жизнь, но и принесли ряд существенных знакомств, в частности, с людьми театра, с многими из которых ему пришлось впоследствии работать. Так, в 1926 году он знакомится с А. Таировым, С. Михоэлсом, А. Диким, С. Эйзенштейном... А несколько раньше он познакомился с А. Ахматовой, В. Маяковским, Бриками, Р. Фальком, Н. Альтманом и другими лидерами тогдашней культурной России.

В эти же годы создаются холсты, совсем не похожие на суховатые, с примесью «сюра» ОСТовские работы. Таков, например, триптих «Сон в летнюю ночь»[5] (1927), где кисть художника мягка, колорит перламутровосветел, где пухлые амуры вьются над головой спящей женщины, а из рога изобилия сыплются цветы и маленькие игрушечные аэропланы, совсем нестрашные в этом романтическом, любовном сновидении, и влюбленный играет на гитаре и поет для героини... Голубовато-розовое небо и влажная, светящаяся земля окружают спящую, и проблески кармина придают полотну праздничный характер.

Поэзия, душевная чистота, стремление рассказывать забавные и нежные сказки — эти черты скоро станут главными в работах художника.

Однако более всего Тышлера влечет театр. Собственно, работа в театре началась для художника еще в юности, когда он в 1918 году в Киеве помогал И. Рабиновичу оформлять спектакль Лопе де Вега «Фуэнте Овехуна». Уже в 1922 году, вернувшись с войны, он продолжает работать как сценограф.

Первая большая самостоятельная работа в театре снова «Фуэнте Овехуна» («Овечий источник») в Белгосете в Минске. Здесь он сформулировал и постарался осуществить свои принципы построения декораций. Впоследствии он писал: «Если проследить все, что я сделал в театре, то можно отметить несколько основных характерных черт.

Первая: стилевое единство (начиная с общего оформления и кончая костюмом и вещами).

Вторая: цветовое единство (гармонирующее со всем, что находится на сцене).

Третья: оформление всегда является самостоятельным организмом.

Мое оформление всегда можно вынести из театра, поставить в другое пространство, и оно не развалится, оно крепко пластически сколочено.

Я не становлюсь рабом сцены, у меня всегда есть свой пол, потолок, свои стены, свое, так сказать, пластическое хозяйство...

Для всей моей работы характерен ироничный оттенок, пластический парадокс, гротеск. Мне хочется всегда поразить, удивить зрителя. Может быть, это не совсем солидная черта для художника, но что поделаешь — таков уж я»[6].

В форэскизе единой установки к «Овечьему источнику» Тышлер предложил плетенную из сучьев корзину со скругленными краями, внутри которой и должно было разворачиваться действие пьесы. Воистину, свой пол, свои стены — и возможность вынести из театра, поставить в любом пространстве...

Замысел не был полностью осуществлен, но хорошо виден на форэскизе. В этой корзине были свои ниши, балконы, лестницы, в ней действовали актеры, несоизмеримо маленькие в этом странном пространстве. Тышлер стремился к контрастам. В его работах есть пластическое единство — но отсутствует житейская логика.

Тема балконов пройдет потом через все творчество Тышлера, и, как и в этой ранней сценографической работе, всегда будет странное несовпадение между жизнью на балконах и жизнью вне балконов...

Впервые проявляется еще одна важная черта творчества художника: развитие темы театра в станковом творчестве. Ему как будто не хватало работы сценографа для воплощения своих идей. Пьеса рождала определенный состав мыслей и чувств, но ее рамки, навязанный ею сюжет становился тесен, и художник пишет странные полотна, как будто близкие тому, что он придумал для спектакля, и вместе с тем далекие от него.

В 1927–1928 годах он пишет серию картин под общим названием «Лирический цикл», где снова появляется корзина — только она раздвинута как сценический занавес, и в образовавшемся пространстве появляется женская фигура, из окон выглядывают головы животных... театр продолжается — теперь уже на холсте. Изображение помещено на фоне, заполненном золотистым закатным солнцем. Здесь, пожалуй, впервые Тышлер создает фигуративное полотно, не поддающееся логической расшифровке. Картина названа «Лирический цикл № 5». Ее можно было бы назвать «Лирический сюр» — особое направление в искусстве, созданное Тышлером. Аналогом могут служить работы Шагала.

Пластическое единство и логические контрасты можно увидеть даже в портретах этого времени. Таковы два карандашных портрета жены Анастасии Степановны Тышлер (1926). Оба — остро-индивидуальны, близко отражают черты прототипа. Только в одном многочисленные шпильки, воткнутые в прическу, создают затейливый ритм. Перекликаясь, путаясь, наклоняясь друг к другу, шпильки своей игрой противоречат серьезному лицу женщины, плотно сжатым губам маленького рта, печальным глазам.

Карандаш мягкими растушевками лепит лицо, свободной штриховкой передает массу спутанных, небрежно поднятых волос. И только шпильки — темные, сильно прочерченные, объемные, — только они чужеродны в этом рисунке. Они ни за что не держатся, ни на что не опираются, они живут своей, отдельной, враждебной персонажу жизнью. И может быть, потому так хмуро, отчужденно ее лицо; чуждая сила подавляет, угнетает героиню.

В портрете с птицами этот контраст выражен еще острее. Тщательно промоделированное, вылепленное светотенью безулыбчивое строгое лицо. А в волосах — птицы, занятые своей птичьей жизнью. Они чувствуют себя совершенно естественно и независимо от человека, и, так же как модели нет дела до них, так и они никак не связаны с этой чуждой карнавалу женщиной. Портрет монументален. Точка зрения несколько снизу, скульптурный объем головы неустойчиво покоится на быстрой штриховке едва намеченного торса. Зато волосы — плотное надежное гнездо, где живут тоже объемные, очень реальные птицы. Парадоксальность, соединение невозможного и едва уловимая, но значимая связь, зависимость несопоставимых частей композиции очень важны для художника. Изображения сохраняют удивительную пластическую органичность. Их смысловая разомкнутость и внутренняя цельность составляют особое обаяние и специфику творчества Тышлера.

В работах Тышлера, таких своеобычных, ни на что и ни на кого не похожих, есть своя глубинная связь с традициями, с впечатлениями от детства. Он сам подробно говорит об этих жизненных обстоятельствах, сформировавших его личность.

Его фамилия обозначала одновременно профессию и отца, и дедов («Тышлер» — столяр). В Мелитополе, где он родился и вырос в среде «благородных рабочих людей», складывались его вкусы, его отношение к работе как к добротно сделанной вещи, его тяга к цельности объемов и соразмерности соотношения частей.

Впрочем, нужно предоставить слово самому художнику. Крайне сдержанный в высказываниях, он уделяет этой стороне жизни много места в своих воспоминаниях.

«Детство мое прошло среди стружек. Я любил смотреть, как работал отец. <...> Отцу всегда хотелось достигнуть высокого качества в каждом его изделии. Я мог часами наблюдать, как один человек у меня на глазах создавал целую бричку. <...>

Получались замечательные бочки разных размеров и фасонов — круглые и овальные.

Во дворе обитали и маляры. Они были для меня самой притягательной силой. Маляры раскрашивали брички, расписывали железные кровати»[7].

Будущий художник не только наблюдал за рождением вещей. Он с восторгом принимал участие в их создании, это было его жизнью, его радостью, его школой.

Он пишет: «Еще совсем маленьким мальчиком я по-детски помогал отцу, когда он работал: приносил и уносил инструменты и досочки, поддерживал какую-нибудь деталь. Это было очень приятно. <...> Маляры очень часто уходили в пивную и доверяли мне свою нелегкую работу, которая для меня была наслаждением. Я расписывал колеса и стенки повозок, изображал украинские пейзажи с белыми хатами, зелеными пирамидальными тополями и луной на черных спинках кроватей. <...> Мастера-турки позволяли мне разрисовывать свои изделия узорами»[8].

Есть и еще одна, весьма важная страница воспоминаний. Когда видишь мощные объемы фигур на его картинах, чувствуешь их массу, их цельность, с особым вниманием читаешь следующие строки его воспоминаний: «В детстве я видел скифскую скульптуру чаще, чем современную. Сначала моя семья снимала квартиру во дворе, окруженном скифскими бабами. Большие, с маленькими сложенными ручками, они стояли по бокам ворот и даже служили нам порогом. В соседних дворах тоже стояли скифские бабы. <...> Потом, уже в Киеве, в годы моего ученичества меня снова встретили скифские бабы, на этот раз — в саду Университета. Вероятно, постоянное видение скифской скульптуры воспитывало неопытный детский и юношеский взгляд»[9]. Влияние скифской скульптуры отчетливо видно в работах из серии «Соседи моего детства» (конец 20-х годов). Такова, например, картина «Семейный портрет». Здесь самодеятельный двухъярусный театр-балаганчик раздвинул свой занавес. Выгородка эта неплотно прилегает к краям холста, за ней видно небольшое пространство, заполненное золотистым светом. В центре изображения — огромная обнаженная матрона, поистине скифская баба, со сложенными на животе руками, с головой без шеи, сидящей на плотном туловище. Написанная желтой охрой, она кажется сделанной из песчанника. Так же плотны, монументальны, неподвижны возвышающиеся над ней мужские головы. В воспоминаниях художника как будто сливаются воедино древние скульптуры, охранявшие вход в его бедный дом, и мощные, сильные люди, жившие рядом с ним. И все это издалека воспринималось как самодеятельный спектакль, сыгранный не умелыми, но старательными актерами.

Те же золотистые краски, та же статика, тот же отзвук солнечных дней юга и склонность к игре видны и в еще одной картине того времени «Девушка со сценой на голове» (конец 20-х годов). Замкнутое, тяжеловатое лицо, погруженный в себя взгляд. Сложная живопись фона и одежды, быстрое движение кисти создают динамику жизни, вибрацию вокруг неподвижного, чуждого игры лица. На голове у героини маленький балаганчик, с плетеной крышей и приоткрытым занавесом. Как всегда у Тышлера, это странное обстоятельство никак не отражается на состоянии героини, и только теплый, золотистый колорит, вибрация воздуха делают изображение цельным, органичным, таинственным и убедительным.

С годами воспоминания о теплом дереве на верстаке отца, о залитых солнцем улицах и дворах и о сероватом песчанике скифских баб ослабевают, отходят в прошлое. Палитра Тышлера высветляется, становится холодноватой, в ней превалирует перламутр голубовато-серых фонов с резкими вспышками белил и красного. Изображения не занимают всего полотна, их окружает сложное по цвету, мерцающее, обширное пространство фона, наполненного движением коротких мазков, перетекающих один в другой, привносящих в живопись таинственную, полную особого смысла жизнь. Фоны на картинах Тышлера несут эмоциональную нагрузку не менее значимую, чем фигуративные части композиции.

Тышлер однажды сказал Иллариону Голицину про одну из его работ: «Здесь нет неба». В *его* картинах небо было. И был — ветер. Все его работы подняты на пьедестал, во всех главные эпизоды действия развиваются в вышине. И там, в продуваемом ветрами пространстве, живут совсем иные, неподвластные земным законам ветры, там происходят события, связанные с действительностью тонкой нитью художнической наблюдательности и совершенно невозможные, нереальные, как стихи, как сказки.

В 1929 году Мейерхольд пригласил Тышлера оформить пьесу Ильи Сельвинского «Командарм-2». «Мое основное ощущение, — сказал Тышлер режиссеру, — на сцене должен быть ветер. В декорациях должен быть ветер... Я хотел передать движение ветра миимальным количеством изобразительных средств. Это должна быть декорация атмосферы»[10]. Мейерхольд эту идею не принял, и они расстались. Но ветер, «декорация атмосферы» с тех пор становится стержневой идеей тышлеровских картин и многих сценографических работ. (Другая театральная встреча с Мейерхольдом датируется 1939 годом. «Семен Котко». Постановка не состоялась. Мейерхольд был арестован.)

Буйный, страшный ветер гуляет в картинах и рисунках серии «Махновщина» (20-е годы). Таков холст «Гуляй-Поле» — закусив удила, мчатся кони, летят, почти не касаясь земли, привязанные к тачанке люди, темные облака едва поспевают за тачанкой, земля вздыблена под копытами коней... Резкие вспышки светлого и темного усиливают драматургию движения. Мрачное видение проносится мимо, не давая разглядеть детали, и только, кажется, свист ветра, ржание животных и крики людей остаются в памяти зрителя.

В таком же духе выполнены и иллюстрации к «Уляляевщине» И. Сельвинского (1933–1934). В листе «Казнь Таты» (бум., кар.) обезумевший конь с маху врезается в край композиции, резкие тени бьются под его крупом, к его хвосту привязано гибкое, стройное женское тело. Над этой сценой — огромное, пустое небо, в котором кружат испуганные птицы.

30-е годы — время интенсивной работы художника в театре. Для Московского цыганского театра «Ромэн» он выполнил три постановки: «Жизнь на колесах» (1931); «Фараоново племя» (1933) и «Кармен» (1934). С присущим художнику чувством юмора он рассказывает: «Трудности работы в цыганском театре заключаются в ограниченности вещей в быту цыган. <...> Средством увеличения... послужило мне расчленение этих вещей на составные части. Например, в «Фараоновом племени» я построил почти весь спектакль на оглоблях, «Жизнь на колесах» — на кибитке. В том же «Фараоновом племени» я ввел лошадиные головы. Таким образом, я приберег для следующего спектакля хвосты и даже целых лошадей»[11].

Декорация «Кармен» многоярусна: бочки, помосты, деревянные быки создают атмосферу сказки и вместе с тем атмосферу полета, движения, балаганной игры. Сохранилась фотография Ляли Черной, сидящей на деревянном животном, маленьком, игрушечном, поставленном на зыбкую опору из бочек. Она как будто катается на карусели, и ветер относит ее легкие одежды. Не трагедию — фарс можно сыграть в этих декорациях. Юмор здесь важнее кровавых событий сюжета.

И наконец, в 1935 году Тышлер приблизился к главной теме своего театрального творчества — к Шекспиру. Он работает одновременно над двумя спектаклями — «Ричард III» (БДТ) и «Король Лир» — Госет, с гениальным Михоэлсом в главной роли, с Вениамином Зускиным в роли Шута. Верный себе, Тышлер поднял единую установку в воздух. Сценическая коробка стояла на деревянных кариатидах, фигурах, соразмерных человеку. Фигуры раскрывались, в них можно было войти. Внутри фигур были лестницы, актеры спускались по ним на планшет сцены. Каменное пространство — интерьер дворца — был раскрыт, когда Лир царствовал, и закрывался перед ним, когда его изгоняли. Тяжелая кирпичная коробка, покоящаяся на головах деревянных фигур и на темном пространстве между ними, символизировала зыбкость, непрочность этого оплота власти и могущества. Не только закрытые перед изгнанным королем створы, но и сама эта цитадель не более как мираж, подвешенный во тьме.

В этих декорациях спектакль игрался с 1935 по 1941 год. Во время войны, в эвакуации, в Ташкенте, Тышлер сумел воспроизвести трехмерную выгородку на плоских живописных полотнах; по возвращении театра в Москву спектакль возобновился в прежних декорациях.

Работа над Шекспиром была важным этапом и в жизни Тышлера, и в жизни Михоэлса. Идеи оформления «Лира» обсуждались бурно. Первоначальные предложения художника не устроили актера и режиссера (С. Э. Радлова), и только впоследствии, в процессе напряженных дискуссий родился окончательный вариант единой установки.

Родилась и дружба двух мастеров — нежная, восторженная, продлившаяся до того трагического момента, когда Тышлер нарисовал своего любимого «Миху» убитым. «Не пришлось мне больше просить его позировать, чтобы порисовать, поучиться. Да это уже был не он»[12].

Но предоставим слово создателям «Лира».

Тышлер: «Работаю над „Королем Лиром“ давно, — с 1933 года... Первая мысль, мелькнувшая после прочтения пьесы, — о сказке. Композиция „Короля Лира“ чрезвычайно напоминает сказку. И этот колорит сказочности помог мне найти пластическое решение спектакля. <...> Это пластическое ядро чрезвычайно остро ощущается мною»[13].

Михоэлс: «Споров с Тышлером в процессе работы было очень много. Он относился к разряду тех художников, которые больше всего доверяют своему, правда чрезвычайно изощренному, но и чрезвычайно субъективному внутреннему ощущению. <...> Мне кажется, что при чтении он в пьесе даже не видит слов. Сразу перед ним возникает сценический объем, он как бы читает пространство. <...> Первый эскизный набросок декораций к „Королю Лиру", принесенный Тышлером, был чрезвычайно похож на его же эскиз к „Ричарду III". Очевидно, и в „Лире", и в „Ричарде III" Тышлер видел «Шекспира вообще». Набросок напоминал <...> нечто легендарно-сказочное. <...> Нас интересовал дворец, из которого изгоняется его владелец, король. Сперва Тышлер никак с этим не соглашался. Но неожиданно он вдруг „увидел" пьесу по-новому. <...> Перед нами было кирпичное здание, стены которого распахивались словно ворота. Внутри расположены два зала: черный и темно-красный. Лестницы, ведущие в эти залы, могут превращаться в цепные мосты...»[14]

Тышлер: «Третий вариант — окончательный — королевский замок с открывающимися и закрывающимися воротами. Они захлопнуты перед навсегда изгнанным Лиром. И во всех вариантах — скульптура как основа решения. Шекспира я всегда пластически воспринимаю через скульптуру. Его герои настолько монументальны, объемны, скульптурны, что я не воспринимаю их через плоскость. Несмотря на огромную динамичность, пластичность, они очень крепко стоят на земле, как могучие столетние деревья. <...> Шекспир ассоциируется с деревом. Мною впервые введена подлинная деревянная скульптура»[15].

Прежде чем вернуться к разговору о спектакле, хотелось бы вспомнить еще одно высказывание Тышлера, которое поможет при рассмотрении рисунков к спектаклю, где фигурирует Михоэлс: «Я видел Михоэлса больше в скульптуре. Он весь был как бы сделан уверенной рукой скульптора. Если бы Роден его увидел, он бы обязательно его изобразил в группе „Граждане Кале"»[16].

Так же был решен контраст костюмов — контраст образов Лира и Шута. Массивный, монументальный, скульптурно-величественный даже в унижении Лир — и графичный, воздушный, едва касающийся земли Шут. Михоэлс говорил: «Король и Шут — это не две разные роли. Это почти одна роль. ... Мы (с В. Л. Зускиным) так и ощутили — есть король и его изнанка»[17].

Черная мантия короля и его золотой колет — и черное трико шута с золотыми заплатами — это и есть единый сценический организм двух образов.

Декорации Тышлера позволили Михоэлсу создать свою философскую притчу, воплотить свои размышления о духовной смерти и воскрешении Лира, о трагедии одиночества и высокомерия во времена царствования и обретении добра и веры в изгнании. Таким образом, все-таки получается сказка. И декорации несут этот элемент сказки, хотя и не в такой, несколько фольклорной форме, как в первых набросках. Дворец, подвешенный в воздухе. Мощные деревянные фигуры, на которые он водружен, вдруг раскрываются — и из них выходят персонажи спектакля. А иногда эти фигуры и сами — участники действия, с их помощью как бы увеличивается количество актеров на сцене; они молчаливые, весомые, значительные свидетели происходящих событий.

Михоэлс сделал свою лучшую работу на сцене — нового, неподражаемого, единственного Лира. Но и Тышлер сделал свою эпическую историю Лира, своего Шекспира, притчу на все времена.

Михоэлс очень подробно рассказывал об изменениях в костюме Лира. (Существует множество рисунков Тышлера, костюмов и мизансцен, наполненных движением, атмосферой трагедии.) Ветер судьбы уносит королевские одежды, и он остается наг и беспомощен, в отрепьях.

Итак, Михоэлс: «В первой картине Лир одет в черное с золотом, сверху накинута мантия, на которой, как на мрачном небе, звездами рассыпаны короны.

Лир в степи — мантия висит как тряпка, где-то на одном плече, колет раскрыт, грудь обнажена. Лир в шалаше — мантии нет вовсе, колет болтается на нем, как жалкое прикрытие бренного тела...

И наконец, в палатке Корделии Лир одет так же, как в самой первой картине при первом выходе»[18]. По версии Михоэлса — крушение Лира есть одновременно его воскресение, обретение истины взамен предрассудков и заблуждений. Костюмы Тышлера овеществляли идею актера.

И рядом с королем, неотлучно, его тень, его второе «я» — шут, изящный, легкий, позванивающий бубенчиками, пародирующий самые драматичные высказывания Короля.

Рисунки к Лиру создавались и в процессе обдумывания образов трагедии, и по впечатлениям от уже существующего спектакля. Рисунки (1934–1944) выполнены в быстрой штриховой манере, без бытовых подробностей костюмов, чаще всего — пером и тушью, иногда — мягким карандашом.

По ним видно, что для Тышлера (как, впрочем, и для Михоэлса) есть только два действующих лица в пьесе — Король и Шут. Остальные — почти стаффаж, персонажи притчи, лишенные индивидуальности. Характерны два рисунка «Регана и Гонерилья» и «Корделия». В обоих листах — куклы, хорошенькие, изящные, с тоненькими талиями, в пышных юбках, с пышными рукавами... Регана и Гонерилья играя, беспечно, как дети, примеряют половинки короны. Ни коварства, ни жестокости невозможно усмотреть в этих существах, радующихся новым украшениям. Собственно, такова же и Корделия — хотя она подносит платочек к глазам, но нет ни малейшей веры в ее скорбь. Рисунки легкие, движение пера быстрое, штрихи выполнены закрученными, струящимися касаниями. Невозможно угадать не только характер героинь, но и то, каким актрисам предназначены эти костюмы.

И совсем по-другому выполнены рисунки, где присутствуют Лир и Шут. Это — Михоэлс в роли Лира и Зускин в роли Шута. Они опознаются сразу, их индивидуальные черты выявлены остро, их своеобразная пластика передана с редко проявлявшейся Тышлером точностью. Тышлер мало занимался портретом — но какой безошибочный глаз на неповторимое был у этого мастера!

Тышлер создал своего «Короля Лира» в рисунках, проследил все перипетии трагедии на истории Лира и Шута, сыгранных замечательными актерами.

Оба персонажа появляются еще в эскизах декорационной установки. Лир сидит на троне в своем пышном королевском облачении, склонив упрямую лысую голову, а рядом пританцовывает Шут — темная подвижная фигурка в колпаке с бубенчиками, и только черный цвет его одежды, необычный для Шута, напоминает о будущей трагедии...

Следующий лист — Шут на коленях просит Короля одуматься. Его руки умоляюще сложены, на рогатом колпаке сидит голубь и держит корону — пока еще целую, неделенную. Лир нежно склоняется к Шуту, утешает его, как неразумное дитя. Руки Лира трепетно протянуты к сжатым ладоням Шута, некрасивое лицо исполнено глубокой нежности. Он уверен в правильности своих решений; тревога Шута кажется ему ненужной. А рисунок исполнен нервными, перебивающими друг друга штрихами, черная тень у ног Лира — как знак будущей страшной дороги.

Далее. Лир еще на троне, а печальный Шут прячется в складках его одежды, нежно прижимается к своему Королю. Рисунок выполнен карандашом, фигура Шута целиком помещена внутри массивной фигуры Лира, мягкая штриховка и легкие растушевки создают игру света и тени, сильный нажим карандаша — как крик тревоги.

Король размышляет — а Шут здесь, рядом, его лицо тревожно, а пальцы изображают рожки над головой Лира...

Изгнанный Лир. Вдруг выясняется, что он маленького роста, его когда-то пышная мантия ныне похожа на плащ, кутающий бедное старое тело от стужи. И следом за ним, шаг в шаг, прижав руки к груди, звеня бубенцами, его верная тень, его второе «я».

Страдающий, одинокий Лир. Трагическое лицо с высоким лбом, ниспадающими на плечи волосами, выступающей вперед мощной челюстью. Собственно, этот Лир похож на портреты Михоэлса вне роли. Он как будто чувствует не только близкую кончину своего героя, но и предчувствует свою трагическую гибель.

И наконец, мертвый Лир. Его лицо печально и спокойно. Так же как печально и спокойно лицо мертвого Михоэлса, нарисованное Тышлером ночью в январе 1948 года. Эти рисунки выполнены четкими скупыми линиями, лаконично, сдержанная штриховка лишь едва намечает объем.

К. Л. Рудницкий писал: «Лир» 1935 года, созданный силой трех мощных талантов — Михоэлса, Зускина и Тышлера, прозвучал с шекспировской трагической болью, со страстью, с иронией горькой и беспощадной. В спектакле за злой и жестокой волей шла по пятам, преследуя и высмеивая ее, ироничная и свободная шекспировская мысль»[19].

«Король Лир» — вершина сценографического творчества Тышлера. В дальнейшем он продолжает работать в театре, но в большей мере его занимает «Театр станковых картин». Он создает свой собственный театр — на холсте.

«Прекрасные дамы» Тышлера несут на головах сценические коробки, в которых действуют существа другого масштаба, живущие по другим законам, в другом ритме, своей, отдельной жизнью.

Таковы Девушки-кентавры, скачущие над далекими, призрачными городами, окруженные цветным и подвижным световым маревом, несущие на себе дома, на балконах которых маленькие человечки приветствуют жизнь звуками труб и гитар, меж тем как копыта кентавра повисают над бездной.

«Театр» Тышлера выстроен по своим собственным законам и, как всякое условное, игровое искусство, может быть воспринят только тем зрителем, который принимает предложенные ему условия игры и готов войти в мир, созданный художником. А мир этот чрезвычайно нуждается в зрителе, он взывает к сочувствию и соучастию, он стремится к контакту. Тонкая живописная структура тышлеровских полотен, вибрация цвета, насыщенного светом, сложного, многосоставного, пронизанность всего полотна светящимся белым, который, как камертон, постоянно присутствует в любом цвете.

Характер живописи определяет характер взаимоотношений художника и зрителя. В работах Тышлера умение цельно видеть действительность соединяется с пристальным переживанием цветового богатства мира, с лирической тонкостью пластической ткани произведений. Переходы, переливы цвета позволяют вживаться в эти произведения, погружаться в их дышащую подвижную глубину, вслушиваться в них, как в музыку. В своих работах — от маленьких карандашных рисунков до оформленных мастером спектаклей — Тышлер выстраивает мир, живущий по своим законам, мир странный, необычный, но внутренне закономерный.

В тышлеровских полотнах возможно невозможное, но невозможно нелогичное, там действуют свои законы времени и пространства, свои масштабы и соотношения, своя динамика, ритм, свои персонажи. Такие работы напоминают не сцену из спектакля, а целый спектакль, ибо обладают редкой для изобразительного искусства протяженностью во времени.

Одна из живописных работ Тышлера называется «Наклонная башня» (из серии «Архитектура», 1976). В странной, неустойчивой конструкции угадывается хрупкий женский силуэт. Призрачное, лунное лицо наклонено над землей, на которой синие тени подвижны и зыбки, а маленький шар луны и фигурки дальнего плана делают девушку-башню царицей мира, величественно вознесенной над земной сферой. Башня полна движения. Быстрого, мелкого, совсем иного по ритму и масштабу, чем космическая конструкция главной фигуры. Как суетливые человечки. Как будто два разных мира, два разных отсчета времени, разные шкалы ценностей соотнесены воедино. И все это воспринимается сразу, но может быть «прочитано» и как многоактное представление, где контрастно сопоставлены различные взгляды на человеческую жизнь, взгляд в упор и взгляд издалека, цельный, обобщенный...

Два взгляда на мир можно проследить и в других работах Тышлера. Вот «Девушка с домиком и цветами» (1976). Задумчиво и нежно-тонкое лицо, тревожно-внимателен взгляд темных глаз, бережно держит рука букет... И совсем другой ветер относит в сторону флажки на кровле домика на ее голове, теплой глубиной привлекают проемы окон. Снова два мира, два масштаба, два времени. Снова притча и точное наблюдение над жизнью.

Композиции Тышлера сложны, но воспринимаются без напряжения, без внутреннего сопротивления, которое часто возникает при восприятии притчевых, аллегорических композиций. Вы смотрите на Девушку-башню или Девушку-город, и вам кажется, что все естественно, лишь улыбка служит откликом на неожиданные фантазии художника. И только длительное рассмотрение ненавязчиво, но неукоснительно приведет вас к размышлениям о законах бытия, о высочайших ценностях человеческого духа, о тех столпах, на которых держится мир.

Целостность тышлеровских работ достигается посредством внутренней гармонии, присущей этому очень непростому, далеко не идиллическому художнику. Его работы внутренне соразмерны, если в них существует асимметрия, то она воспринимается как резкий диссонирующий звук, как крик в тишине.

Так же цельны тышлеровские цветовые решения; работы строятся на соотношениях холодных голубых, сизых, насыщенных синих тонов, в которые свободно вводятся темы горячего цвета — свежо и светло, загорающиеся золотистые, звучные всплески красного...

Потребность работать в материале и, может быть, воспоминания о декорациях к «Королю Лиру» породили целую плеяду деревянных скульптур. «Дриады» выходят из скрывающего их внутреннего пространства, как актер, раздвигающий занавес. На их головах зачастую расположились те же балаганчики или подсвечники.

Каждую ветку, каждый ствол дерева Тышлер видел как хранилище тайн; он видел мир одухотворенным.

* * *

А. Г. Тышлер родился на излете XIX века и всю свою сознательную жизнь прожил при советской власти (1892–1980). Ему неслыханно повезло — его не убили, как Михоэлса, не расстреляли, как Зускина, не сгноили в тюрьме, как Мандельштама и многих, многих других, которых больно перечислять.

Конечно, его творческий путь был трудным. Его выставки закрывали (или — не открывали). С 1961 года его лишили возможности работать в театре. Его ни разу не выпустили за границу.

И все-таки — этот удивительный, уникальный художник, мастер ни в чем, ни разу не изменил себе, мастер, который от юности и до преклонных лет оставался верен своей романтической легенде мира. Он творил ее в холсте и на бумаге, на сцене и в деревянных скульптурах... Он всю жизнь делал одно и то же: развивал свою концепцию мироздания.

И ни что — ни запреты, ни закрытия выставок, ни косые взгляды и пренебрежительные высказывания — не заставили его хоть немного изменить свое творчество, изменить себе. Он не возражал на нападки, он давал наивные объяснения тем, кто их требовал («Ведь когда День рождения, всегда зажигают свечи...», «У нас на Верее теперь очень красиво одеваются...»). Он работал. Он считал, что те, кому дано понять, — не нуждаются в объяснениях, а другие... Может быть, их устроят эти смешные отговорки.

Он создал свой мир, таинственный, странный, тревожный, где хрупкие ноги девушек-кентавров повисают над бездной, где зыбка, неверна почва под ногами его героев, где недобрые ветры овевают прелестные головы женщин-кариатид, несущих на себе миры. И в его картинах, и в спектаклях действие приподнято на подиум, оно не касается земли, оно происходит в невозможном мире, мире вымысла.

Если посмотреть его работы от 1920-х до 1980-го года, мы увидим одни и те же лица — отрешенные, погруженные в свою нераскрытую тайну, в свою печаль. Мы увидим на головах у девушек свечи, домики, сценические коробки и увидим, как меняется структура живописи, становясь все более сложной, как резким вскриком звучат открытые, чистые тона на фоне перламутровых соцветий, как таинственны темные окна и двери, поглощающие его героев, как странны балконы, на которых цветет прекрасная, поэтическая жизнь. Мы увидим мощную динамику развития художника — но он остается все тем же, верным себе.

Эта цельность уникальна для каждого автора — даже живущего в свободной стране. Она представляется невозможной для художника, прожившего при тоталитарном строе. Тышлеру это удалось.

Примечания

[1] *Надежда Мандельштам* // Александр Тышлер и мир его фантазии. Каталог выставки. М., 1998. С. 56.

[2] *Малевич К. С.* От кубизма к супрематизму. Пг., 1916. Цит. по кн.: Великая утопия. Берн-М., 1993. С. 29–30.

[3] *Тышлер А.* Диалог с режиссером // Театр и драматургия. 1935. № 7. С. 21–22. Цит. по кн.: Художники театра о своем творчестве. М., 1973. С. 255.

[4] *Федоров-Давыдов А.* По выставкам // Русская советская художественная критика. 1917–1941. М., 1982. С. 262.

[5] В каталогах эта работа называется «Дом отдыха». По свидетельству Ф. Я. Сыркиной, многие произведения приходилось переименовывать в угоду цензуре.

[6] *Тышлер А.* Диалог с режиссером // Художники театра о своем творчестве. С. 255.

[7] *Тышлер А.* Моя краткая биография. Каталог выставки. М., 1998. С. 30–33.

[8] Там же.

[9] Там же.

[10] *Тышлер А.* Три встречи с Мейерхольдом // Художники театра о своем творчестве. С. 260–261.

[11] *Тышлер А.* О работе в цыганском театре // Творчество. 1935. № 7. С. 21–22. Цит. по кн.: Художники театра о своем творчестве. С. 260.

[12] *Тышлер А.* Я вижу Михоэлса // Михоэлс. М., 1965. С. 505.

[13] *Тышлер А.* Моя первая работа над Шекспиром // Советское искусство. 1935. 11 февраля. Цит. по кн.: Художники театра о своем творчестве. С. 256.

[14] *Михоэлс С.* Моя работа над «Королем Лиром» Шекспира //Михоэлс. С. 109–110.

[15] *Тышлер А.* Моя первая работа над Шекспиром // Художники театра». С. 258.

[16] *Тышлер А.* Я вижу Михоэлса // Михоэлс. С. 495.

[17] «Король и Шут»: Доклад С. М. Михоэлса о «Короле Лире» // Литературный Ленинград. 1935 г. 18 мая. Цит. по ст.: *Рудницкий К. Л.* Михоэлс — мысли и образы // Михоэлс. С. 38.

[18] *Михоэлс С.* Моя работа над «Королем Лиром» Шекспира // Михоэлс. С. 111.

[19] *Рудницкий К. Л.* Михоэлс — мысли и образы // Михоэлс. С. 42.

Ольга Костина

Вера Мухина (1889–1953)

Почти вся творческая жизнь Веры Игнатьевны Мухиной, за исключением периода становления, совпала с тоталитарной эпохой. Легче всего было бы сказать, что именно в этот период нашей истории возможности таланта, развитие личности и события творческой биографии вступают в острейшее противоречие. Погруженность в любой пласт истории искусства показывает, что на пути художника, независимо от эпохи, всегда встречается множество искушений. Однако в эпоху тоталитаризма противоречия творческой судьбы обусловлены особыми, продиктованными социумом, причинами.

В истории советского искусства признание художника государством и его подлинный профессиональный авторитет совпадали крайне редко. Скульптор Вера Мухина — официально признанный и в то же время безусловно уважаемый мастер — была, скорее, исключением из правил. Ее талантливость несомненна, как несомненна и человеческая порядочность. То, что Мухина — в первую очередь скульптор, но также и график, сценограф, художник по костюму, автор произведений декоративно-прикладного искусства — стала прославленной еще при жизни, справедливо и заслуженно. Ну а то, что она в 40 и 50-е, самые, пожалуй, тяжкие для развития нашего искусства годы оказалась у кормила художественной власти (действительный член и член Президиума Академии художеств СССР), и то, что она четырежды была удостоена Сталинской премии, бросало лишь легкую тень на ее безупречный профессиональный и человеческий образ.

О драматизме судьбы Веры Игнатьевны свидетельствуют факты ее творческой биографии. С одной стороны, мощный пластик, великолепный портретист, изобретатель новых скульптурных материалов и техник, автор всемирно известной статуи «Рабочий и колхозница», увенчавшей советский павильон на Международной выставке в Париже в 1937 году. С другой же стороны, художник, множество замыслов которого так и остались, как говорила сама Мухина, «мечтами на полке». Вере Игнатьевне не удалось довести до конца почти ничего, кроме надгробия певцу Леониду Собинову (1934), из своих ярких, незаурядных, новаторских монументальных и монументально-декоративных идей. Из трех осуществленных памятников (Горькому в Москве и Нижнем Новгороде, Чайковскому в Москве) лишь единственный — Горькому в Нижнем Новгороде (1952) — целиком принадлежит авторству Мухиной. Но как оказался далек, благодаря цензуре, его окончательный вариант от первоначального замысла художницы! Коренной переработке «по требованию общественности» подвергся и памятник Чайковскому у здания Московской консерватории; дорабатывался, переводился в материал и устанавливался он ученицами и соратницами Веры Игнатьевны Зинаидой Ивановой и Ниной Зеленской после смерти автора. Памятник Горькому для Москвы, опять же вместе с Ивановой и Зеленской, Мухина делала по модели Ивана Шадра, выполняя завет своего покойного коллеги и друга. Вот и все.

Остальное, интересные проекты, также, как «Пламя революции» (1922–1923), «Фонтан национальностей» (1933), группы для Москворецкого моста (1938), памятник «Спасения челюскинцев» с «Бореем» (1938) и «Пантеон летчиков» с «Икаром» (1938), оказалось, по сути, только фактами личной жизни скульптора. Эти многозначные по своей стилистике романтические образы были рассчитаны на свободное пластическое волеизъявление в пространстве. Но экспериментальным замыслам не суждено было воплотиться в среде. Более того, о работе «Пламя революции» Вера Игнатьевна горевала, считая ее безвозвратно потерянной; гипсовая модель, сильно поврежденная, была обнаружена уже после смерти Мухиной в фондах музея Революции. «Икар» в 1944 году был украден с выставки, после чего восстанавливался автором по сохранившимся кускам, отливался в двух экземплярах, один из которых... вновь был украден прямо из литейной мастерской. В конце 30-х годов Вера Игнатьевна вылепила в натуре одну из композиций, предназначавшихся для Москворецкого моста — группу «Хлеб», но на пленэре она была установлена гораздо позже, да и не там, где предполагалось. Еще две группы были выполнены в 60-х годах по эскизам Мухиной З. Ивановой и Н. Зеленской и тоже установлены в случайных местах.

Работы, подобные памятникам «Спасение челюскинцев» или «Пантеон летчиков», были обречены. Неся в своей образной структуре стилистические приметы времени, они, тем не менее, были слишком авторскими. Пик творческой зрелости Мухиной, после ее парижского окрыляющего успеха, приходится на те самые годы (конец 30-х–40-е), когда все индивидуальное изгоняется из искусства, когда искомым в нем становится «среднее арифметическое», ориентированное на коллективное восприятие и понимание, что и обеспечивается часто коллективной художественной мыслью. Поэтому, например, при утверждении к строительству такого репрезентативного объекта, как гостиница «Москва», происходит механическое соединение творческих усилий А. Щусева, Л. Савельева и О. Стапрана. В работе над «памятником века» Дворцом Советов труд его главного автора Б. Иофана подкрепляется стараниями В. Щуко и В. Гельфрейха. Мухинская статуя «Рабочий и колхозница» — это тоже, строго говоря, работа двух художников. Ее композиционная идея принадлежит автору павильона Борису Иофану. Мухиной удалось найти наиболее выразительное пластическое воплощение этой идеи, правда, во многом изменившее замысел архитектора. В это время даже слово художника часто не имеет индивидуального авторства: например, доклады для всех крупных архитектурных совещаний готовятся коллективно.

Мухина принимала участие почти во всех этих совещаниях и имела мужество говорить от своего собственного имени. Все ее выступления и статьи, а также воспоминания, которыми она делилась тогда же, в 1939–1940 годах, с писателями Лидией Тоом и Александром Беком[1], подчинены, по сути, одной проблеме — проблеме развития монументального искусства, которое было ее призванием и главным делом жизни. Поэтому как бы ни убедительно звучали размышления о том, что «Утопические архитектурные проекты, «бумажные» мифологические монументы Шадра, Мухиной и других скульпторов стали особой формой творчества, вроде бы вовсе не нуждающейся в осуществлении и официальном одобрении»[2], как бы ни пересматривалось сейчас творчество скульптора и как бы ни становилось ясно, что лучшее-то у Мухиной — ее станковые вещи «Юлия» (1925) и «Ветер» (1926–1927), истинного самоощущения художника эти наши современные аналитические рефлексии изменить не могут.

Жизнь В. Мухиной была исполнена горечи. И какими бы, мягко говоря, причудливыми ни казались сейчас отдельные монументальные замыслы Веры Игнатьевны, она страстно желала их осуществить, добивалась этого, хлопотала перед высоким начальством. Так, в феврале 1937 года, когда в горячечном темпе на заводе ЦНИИМАШ шли работы по строительству парижской статуи, она, несмотря на огромную усталость и бессонные ночи, вынашивала новую грандиозную идею и по этому поводу писала начальнику ЭПРОНа[3] Ф. Крылову: «Мне хочется увековечить славные дела ЭПРОНа в образе монументального водолаза, стоящего над морем и посылающего свои спасительные лучи. Стали потребуется всего 100 т при величине 30–40 м высоты. Шлем позволит поместить в нем нужную аппаратуру маяка, в поперечнике груди тоже можно. Я надеюсь, что Вы меня поддержите... Это будет не только маяк, но и радиостанция, радиопеленгатор...[4]». Как видим, в своих художественных мечтаниях Мухина смело внедрялась в природную среду, продумывала пути технологического осуществления проектов и, конечно же, глубоко страдала от невозможности их реализовать, по воспоминаниям сына, проливала над ними, хотя и редко, слезы. Правда, ни в одном из своих письменных или устных выступлений — статьях, докладах, записях об искусстве — Вера Игнатьевна не жаловалась на судьбу. Только изредка констатировала сам факт, без всяких эмоциональных комментариев, например: «Места для скульптур были отведены, но статуи так и не поставлены»[5]. А ведь Мухина мыслила себя в первую очередь монументалистом и монументальное творчество считала главной областью искусства.

Так оно, в сущности, и было. В 30-е годы основным направлением работы скульпторов становится выполнение монументальных заданий. Термин «социальный заказ», появившийся в середине 20-х годов, стал более адекватен следующему, обозначенному здесь периоду. Характерно, что в это время на выставках преобладают эскизы памятников и декоративного оформления зданий, а также крупные фигуративные композиции, посвященные индустриальной и колхозной темам и претендующие на монументальную образность. Так, обобщенно трактованная форма, ясно читаемый силуэт и статическая торжественность «Часового» Л. Шервуда (1933) ставят его в ряд чуть ли не памятников. Объемно-пространственной убедительностью, тяготением к монументальности отличаются произведения таких разных мастеров, как А. Матвеев, И. Шадр, И. Чайков. Даже С. Лебедева, мастер психологического портрета, не осталась равнодушной к задачам эстетического оформления среды. В ее «Девочке с бабочкой» (1936) свободный жест, широко обозначенное движение, сочетание крупных масс и плоскостей — все свидетельствует о монументально-декоративных притязаниях автора, продиктованных требованиями времени.

На повестку дня выносится проблема ансамбля. А ансамбль не мыслится без скульптуры. Вопрос взаимодействия пластики с архитектурно-природным окружением становится с середины 30-х годов самым актуальным. В конце 1934 года для архитекторов, скульпторов и живописцев организуется совещание по проблемам синтеза пространственных искусств, на котором, конечно же, выступает и Вера Игнатьевна Мухина[6]. На первом Всесоюзном съезде архитекторов в 1937 году одной из главных тем становится тема монументальной пластики, связанная прежде всего со строительством Дворца Советов, который проектируется как грандиозный постамент для стометровой статуи Ленина. И все другие крупнейшие проекты и постройки этих лет — канал Москва–Волга, ВСХВ, советские павильоны на международных выставках в Париже и Нью-Йорке, московский метрополитен — «транскрипируются» с помощью скульптуры. Она «разъясняет» архитектурный «сюжет», связанный в общественных сооружениях с утверждением идей гражданственности, патриотизма, государственной мощи. Зримое осуществление этих понятий в конкретно-персонифицированной, статуарно-портретной форме становится обязательной предпосылкой искомых тогда «реализма и правды» в зодчестве.

Скульптурной «обработке» подвергаются не только объекты первостепенной важности. Дидактически-разъясняющая фигуративная продукция насаждается повсеместно — в парках и на стадионах, в учебных заведениях и во дворах детских садов, в рабочих клубах и промышленных зонах. Государство щедро субсидирует скульптурные затеи, но не индивидуально-авторские и символико-романтические, наподобие мухинских и шадровских, а репрезентативно-литературные, материализующие идеологические понятия того времени с исчерпывающей иллюстративной ясностью, вроде статуй М. Манизера на станции метро «Площадь революции» (1938). Они застыло-натуральны, вылеплены во всех подробностях антуража, имеют заглаженную фактуру, тем самым «присягая на верность» неоклассике, являющейся излюбленной стилистикой всех тоталитарных режимов.

Процесс стилеобразования в пространственных искусствах всегда определяется архитектурой, необязательно широко реализованной в натуре, но проявляющейся хотя бы в виде магистральной идеи архитектурного проектирования. То есть существующей как ведущий принцип объемно-пластического мышления, который определяет формальную структуру всех видов изобразительного творчества. Но в разные периоды «лицом» главенствующей стилистической тенденции становится тот или иной вид, в пределах которого с наибольшей наглядностью проступают характерные для искусства этого времени черты.

В 30–50-е годы необычайно возросла престижность скульптуры. Точнее, уже с конца 20-х годов она становится в советской иерархии искусств своего рода «установочным» видом. Тем самым как бы подтверждая истинность высказывания известного пластика эпохи классицизма Михаила Крылова: «Скульптура пребудет во всех веках неоспоримо в первенстве»[7]. Это первенство сказывалось на всех сторонах художественной жизни, включая повседневно-бытовую. Официально признанные скульпторы становятся в то время чуть ли не главными вершителями судьбы творчества в целом и творческих судеб отдельных людей. Вспомним роль С. Меркурова, М. Манизера, Е. Вучетича и в создании государственной версии истории отечественного искусства, и в развитии биографий многих своих современников. От одного их слова зависело, быть или не быть тому или иному событию, произведению, имени в ряду «разрешенных» художественных фактов. Одного их желания было достаточно для собственного участия в этой фактологии. Вера Игнатьевна Мухина была вне борьбы за какое-то свое особое, привилегированное место на олимпе советского искусства. Правда, к созданию некоторых исторических фальсификаций косвенное отношение имела, когда, например, называла глубокий психологический образ Гоголя Н. Андреева одним из самых неудачных памятников Москвы или когда, напротив, хвалила картину «На отдыхе» — типичный пример «лакировки действительности» — в связи с награждением ее автора Непринцева Сталинской премией. Кстати, в моменты неоткровенности (не могло художнице по-настоящему нравиться поверхностное бодрячество сейчас уже забытого Непринцева!) Мухиной изменяет ее природное чувство строгой конструктивности словесных формулировок. Как правило, она говорила и писала веско и убедительно, и невозможно не подивиться ее крепкой, без всяких излишеств построенной фразе. А тут речь становится пустой и трескучей: «...ищет народ прекрасное в жизни своих героев, и высший долг художника подметить это прекрасное раньше окружающих в образах, понятных народу, в форме столь же сверкающей, как и сам подвиг»[8].

В то же время Вера Игнатьевна была одной из немногих, кто открыто говорил о негативных последствиях воплощения в жизнь Генплана Москвы 1935 года — о варварских действиях мастерских Моссовета по сносу старой застройки, на месте которой образуются оголенные площади — «асфальтовое мертвое пространство»[9]. Оценка ситуации в той области, которая ее больше всего занимает — в области монументальной скульптуры, — особенно категорична: «Что сделано у нас по монументальной пропаганде? НИЧЕГО или почти ничего...» — это говорится в 1939 году[10]. Мухина сетует на бедный репертуар и неразвитость типологии памятника. Проблемы развития скульптуры больших форм и большого общественного звучания находятся постоянно под ее прицельным вниманием. Не боясь повторяться, она, словно барометр, отмечает каждое изменение в атмосфере «монументального пространства». Ибо искренне считает себя «мобилизованной и призванной» существовать и творить в нем и только в нем.

Ей тесно в рамках обычной для того времени иерархической статики таких произведений, какими были памятники вождям и героям. Да и вообще, ей чуждо мышление в категориях злободневной конкретики. За свою жизнь она не создала ни одного проекта памятника какому-либо политическому деятелю, отказывалась участвовать в конкурсах на монументы Сталину. А когда Мухину пытались заставить делать его портрет, она нашла мудрую уловку, выдвинув условие — он должен позировать. Да, она лично дважды — под давлением властей — писала Сталину с просьбой о сеансах для портрета, что позже вменяется ей в вину[11], и, конечно же, оба раза получала отказ. На это и были рассчитаны ее письма.

Творческая фантазия Мухиной увлекает ее пластическую мысль в свободный полет мечтаний, где царят законы Искусства с его условностью и символикой, с его напряженным пульсом полнокровной жизни, которой начисто были лишены тысячи и тысячи натуралистических кунштюков, воздвигаемых в то время на просторах нашей родины. О такой скульптуре художница пишет: «...есть много памятников, построенных только на атрибуте, и они мало действуют, потому что сам образ мертв, и нагромождение атрибутов не спасает[12]. И далее: «За последние годы у нас развилось какое-то пугливое отношение к символу. Это глубоко ложно: во все времена высшего расцвета искусства ваяния ему был присущ символ»[13].

В связи с постоянно волновавшей ее темой условности, символики и аллегории в скульптуре Мухина в одной из своих работ дает превосходные экскурсы в историю искусств, анализируя канон в построении египетского и ассирийского рельефов, слияние скульптуры и архитектуры в готическом храме, ракурсные искажения в росписях Тьеполо и Веронезе. Отстаивая право творца на идеализацию, «с древних времен художник-скульптор хочет говорить красивым слогом: он начинает идеализировать облик человека)»[14], Мухина приводит примеры из искусства Древней Греции и, конечно же, Возрождения, неизменно упоминая своего любимого Микеланджело, у которого «все персонажи героизированы и титаничны... он возводит их в героическую, почти божественную степень»[15].

Желание Мухиной говорить, как и ее кумиры, «красивым слогом», воспарение в область несбыточных мечтаний — это одна сторона внутренней жизни художницы. Другая же определялась ее столкновением с жестокими реалиями. В биографии ее семьи была и злостная травля мужа А. Замкова, талантливого врача и ученого, основоположника целой отрасли в медицинской науке; была и Бутырка, и высылка на два года в Воронеж. Соединение этих двух разных сторон жизни порождало пароксизм мышления, при котором дерзновенная смелость проектных предложений граничила с какой-то почти детской наивностью, а иногда и с нелепостью. С непозволительной для того времени артистической легкостью парит фантазия Мухиной, когда она в 1938 году участвует в конкурсе на памятник «Спасение челюскинцев». Вера Игнатьевна дает три варианта проекта — сложных, с центральной фигурой из стали, как бы взмывающей в воздух, вот-вот готовой оторваться от постамента в виде огромного прозрачного кристалла, ассоциирующегося с глыбой льда. Памятник должен был стоять на стрелке Москвы-реки, между Каменным и Крымским мостами; Мухина включала в ансамбль воду и учитывала возможные пространственно-пластические эффекты от словно летящей над водой фигуры. В двух вариантах мифологическая фигура Борея трактовалась обнаженной, с красивой легкой драпировкой, трепещущей на ветру. Но самой Вере Игнатьевне был ближе и дороже третий вариант, в котором бог северного ветра изображался в виде старика с развевающейся за плечами шкурой белого медведя.

Истоки замыслов всех этих проектов, в том числе несколько странного последнего, — в стилистике символизма с его игрой аллюзиями, с его неоднозначно интригующим истолкованием мира, драматическим напряжением и стремлением к пересозданию жизни. Мухина не тяготела к символизму сознательно, многослойная зыбкость его образов была ей чужда. С детства Вера Игнатьевна была очень серьезна, основательна («высшее благоразумие» — говорили о ней), увлекалась историей, любила эпос. Однако, начав свое художественное образование в Москве в 10-е годы, Мухина не могла не впитать в себя воздух символистской эстетики.

Продолжив обучение в Париже — и не только в Академии «Гран Шомьер», где консультировал Бурдель, но и в музеях, — она в качестве ориентиров целенаправленно выбирает из истории искусств фундаментальные, базисные в стилевом отношении периоды. По признанию самой Мухиной, в художественных собраниях ее более всего привлекают разделы скульптуры Египта, Ассирии, Индии. В культуре стран и народов она предпочитает архаические формы как наиболее целостные и архитектоничные. «Суровому» дару художницы созвучны «массив формы, лаконичность. Чем искусство монументальнее, тем оно лаконичнее. Более дробное искусство я не так люблю»[16].

Тот же принцип лежит в основе отбора Мухиной близких ей произведений, имен и эпох в искусстве Италии, по которой она путешествовала в течение двух месяцев весной 1914 года. Если в живописи она полюбила разных художников — Леонардо, Мантенью, Боттичелли, Тинторетто, Карпаччо, то в скульптуре мотивы симпатий более определенны. Ее неодолимо влечет ко всему, в чем сосредоточена монументальная сила. Поэтому художница отдает предпочтение венецианскому памятнику «Коллеони» Верроккьо с его напряжением форм, рожденным динамическим противоборством крупных объемов, плоскостей и пространств, перед «Гаттамелатой» Донателло в Падуе, в композиции которого на первый план выходит изысканный абрис и графически утонченная проработка деталей. Выразительная однозначность эмоциональной энергии «Коллеони» ей ближе, чем многомерная сущность внутреннего состояния «Гаттамелаты». Маршрут молодой Веры Игнатьевны пролегал на юг Италии, в Пестум, сохранивший памятники Древней Греции. Через мужественные образы дорической архитектуры художница глубже поняла греческий эпос, восторженное отношение к которому сложилось благодаря чтению Гомера еще в детстве.

Но наиболее знаменательными для художественного формирования Мухиной явились впечатления от произведений Микеланджело. Его искусство потрясло ее. На протяжении всей жизни творчество великого Буонарроти является для нее той высшей ценностью, в процессе размышления о которой формируются ее собственные профессиональные позиции и принципы. Наиболее заостренно они выражены в следующем высказывании: «Микеланджело работает не «рассказом» события, а «образом» события. В способе мышления он настоящий скупец»[17].

Каждый художник находит себя через внутреннее постижение духовного опыта прошлого. Изучение в подлинниках архаики, особенно греческой, а также Ренессанса, воспринятого через шкалу оценок, сформированную симпатиями к древним культурам, — все это создало предпосылки для вызревания в Мухиной природного монументального дара. И все же ее монументализм замешан на тех символистских тенденциях, которые были характерны для искусства времен ее детства и юности.

Не случайно, что, приехав во Францию, Вера Игнатьевна выбирает себе в учителя Бурделя, а не Майоля, гораздо более последовательного, чем Бурдель, продолжателя классических традиций, который, казалось бы, вполне соответствовал избранным молодой художницей эстетическим установкам. Как формулирует эти установки скульптор и искусствовед Б. Терновец, — а его свидетельства особенно ценны, поскольку он был близким другом и соучеником Мухиной в Париже, — Вера Игнатьевна стремится к новому пониманию «задач пластики: «ясная конструкция», решительное и энергичное выявление формы, внутренняя дисциплина, расчет...»[18]. Все это согласовывается с теми профессиональными идеями, которые выражены творчеством Майоля и которые сама Мухина определяет так: «бережность к объекту... насыщенность его фигур, заключенность в себе пластического объема... Его композиции всегда центростремительны...»[19]. В этой последней фразе Мухиной выражена главная суть близкого ей классического понимания пластики.

Тем не менее она оседает в мастерской Бурделя, о композициях которого говорит, что они «центробежны», а о форме — что она «вся комками, глыбами... Предмет для него — только предлог для своего творчества. Его образы всегда напряжены, он их мучает, гнет... движения его фигур доведены до предела... Беспорядочные комья складок одежды увеличивают эмоцию внутренней бури»[20]. Субъективная эмоциональность Бурделя, индивидуализированная мифологичность образов, их романтически-акцентированная поэзия, маньеристическая переизбыточность пластики — все это, несомненно, имеет символистский привкус. Он-то, видимо, и сыграл решающую роль в выборе художницей Академии «Гран Шомьер». Этот выбор был отчасти бессознательным. Поэтому неудивительно, что в своей «Автобиографии» Мухина называет его случайным[21]. Закономерность этой «случайности» подтверждается неоднократно на протяжении всего ее творчества — не только в «Борее», но и в проекте памятника Свердлову «Пламя революции» (1922–1923), в «Икаре» (1938), в надгробии Л. Собинову, в эскизах театральных костюмов, конечно же, в «Юлии» и «Ветре», и, как ни странно, в «Рабочем и колхознице».

С тех пор как эта статуя была возведена в ранг безусловных шедевров, она, по канонизированной традиции, связывалась исключительно с неоклассической стилистикой. Ибо все великое должно было быть классикой. Оторванная от среды, для которой была предназначена, установленная в 1939 году на низком постаменте и в неподходящем месте, растиражированная в кино, на открытках и марках, скульптура как бы потеряла свое лицо. Наш притупленный взгляд деформировал образ. Сейчас он продолжает искажаться под прессингом сложившегося негативного стереотипа политизированного отношения ко всему искусству того времени. Но это не значит, что и тогда, в момент создания, статуя воспринималась неискаженно; более того, ей был приписан исключительно конкретно-социальный, воспитательно-дидактический смысл. И все же что-то, наверное, очень подлинное лежит в основе образа, если он производил в Париже такое огромное впечатление на множество людей, в том числе на Ф. Мазереля, Р. Роллана, Р. Фалька, М. Цветаеву: «е с т ь — эти фигуры», — писала М. Цветаева[22].

Через много лет в Москву приедет талантливый французский дизайнер и фотограф Ричард Нэйпиер и, буквально влюбленный в статую, создаст серию фотографий — настоящую оду произведению Мухиной, которая инициирует издание альбома, посвященного статуе «Рабочий и колхозница»[23]. И оставит следующую запись о ней: «Мне кажется, что я всегда знал эту скульптуру. В 1982 году я приехал в СССР для организации своей выставки. Многое в СССР мне хотелось фотографировать, но скульптура Веры Мухиной не входила в число объектов для съемки. Мой список состоял исключительно из архитектурных памятников. <...> когда я увидел эту скульптуру... у меня не было колебаний. Я навел объектив. Передо мной стремительно двигались два гиганта, на глазах превращаясь в архитектуру. Я понял, что ни одна из виденных мной фотографий этой скульптуры не показала динамизм и сложность ее летящей структуры, ее объемов. Ни одна из виденных мной фотографий не передала энтузиазм и воодушевление, присущее этой скульптуре. Ни в одной из виденных мной фотографий не было того, что я видел в ней. Так возникла идея будущей книги. <...> Я снимал скульптуру летом, осенью и весной на протяжении двух лет... Монолитная и мощная издалека, вблизи скульптура превращалась в трепетную и подвижную. Про себя я называл ее «стальные облака»[24].

Так почему же в мухинской статуе мы и теперь должны прочитывать только социальное, да еще с нынешних позиций осмысления истории, содержание, почему должны видеть в ней всего лишь «перевертыша, ликующую фанфару в честь выстроенного царства произвола»[25]? Каждое произведение искусства имеет свою собственную, чисто художественную жизнь, выраженную в композиции, силуэте, пластике, ритме. Фигуры рабочего и колхозницы в своей верхней части монолитны, массивны и устойчиво незыблемы. Внизу же происходит настоящая битва форм, линий, световых бликов и теней, подчеркивающая в мотиве движения группы какое-то яростное начало. Это движение прочерчено властным, сильным жестом простертой назад мужской руки. Оно передано в лицах, решенных крупно, обобщенно, словно концентрирующих страсть во впадинах глаз и ртов. Особенная взволнованность движения ощущается в форме шарфа, охватывающего большое пространство. Но крепкая статуарность, сдерживающая порыв фигур, сообщает образу эпическое звучание. Непредвзятый анализ произведения показывает: да, они е с т ь, эти фигуры. Они существуют в своем многомерном — одновременно неоклассическом и экспрессионистически-символистском — стилистическом бытии, сконцентрировавшем в себе многозначность смысла, в котором присутствуют и пафос, и ликование, и гордыня, и вызов, и опасный разгул каких-то стихийных сил.

Ни в искусстве, ни в размышлениях о нем Мухина не была представителем исключительно неоклассики. Она восстает против мертвого копирования высокой традиции: «Всякая подтасовка под чужую эстетику рождает ложноклассицизм»[26]. Она выступает против взращивания на отечественной почве римских традиций: «...нельзя переносить из одной эпохи в другую непереработанные формы, которые родились из других идеологий и других условий строительной техники»[27]. Говорилось это, правда, уже в начале 50-х годов, в период агонизирующего «распутства» неоклассического стиля, когда его бесплодность стала очевидной. В вопросе же сходства и различия идеологий, однозначность отношения автора к которому так очевидна для нас сегодня, было бы некорректно и неисторично требовать от Мухиной политической сверхпрозорливости.

И все же, читая статьи и доклады Веры Игнатьевны, нельзя не заметить, что слово «идеология» — одно из самых частых в ее лексиконе. Наблюдения за переменами в авторской лексике, происходившими с конца 20-х до начала 50-х годов, показывают, как постепенно скудеет, примитивизируется от природы сочный, «упругий», образный язык автора. Первая мухинская статья была написана в 1928 году, после Франции (поездкой туда художница была премирована за свою «Крестьянку», получившую признание на Международном бьеннале скульптуры в Венеции). Как свободна здесь Вера Игнатьевна в своих анализах и оценках французской скульптуры, как еще не зашорена она идеологемами соцреализма. Ее мировоззренческая и профессиональная широта позволяют ей по достоинству оценить чуждых ей Брынкуша, Цадкина, Архипенко, искусство которого «революционно и смело. Диапазон его начинаний и изысканий... велик... Его метания между абстракцией и реализмом, желание примирить и сочетать эти два начала... последний почти импрессионистический период, смелые попытки и пластические мысли... рисуют его нам как пионера в нашей области»[28]. В 50-е годы, делая доклад на конференции в Академии художеств, она уже не способна непредвзято видеть то, что делается в европейском искусстве: «...буржуазное искусство Запада пошло по планомерному пути. После народного искусства Возрождения... формы искусства все более и более мельчают»[29].

Сразу после войны Мухина довольно часто в составе разных делегаций выступает перед иностранной аудиторией. Она говорит с пафосом, убежденно, как носитель истины в последней инстанции. Видимо ощущая себя представителем великой освободительной миссии нашей страны не только от фашистских захватчиков, но и, как ей кажется, от буржуазной художественной скверны, она поучает американских, югославских, болгарских, румынских мастеров искусства, как им нужно жить и работать, как много должна значить для них «тема» в искусстве, как нельзя приносить человека в жертву красивому куску мрамора, как ограничены в своих задачах всякие «измы», как надо уметь «выговаривать все буквы изобразительного алфавита»[30]. Все эти нравоучения читаются с позиции уже очень глубоко усвоенного принципа «социалистического реализма», то есть «четкой изобразительности и ясного понимания художником своей задачи...»[31] Она не стесняется требовать этого от своих зарубежных коллег, говоря, например, в выступлении в Белграде: «Я лично требую от художника ясного отчета в том, Ч Т О О Н Х О Ч Е Т; ничего нет хуже шатания и неясности художественного желания...». И выносит приговор: «Отречение от изобразительности я осмелюсь назвать трусостью художника»[32].

Так кто же здесь, в этих строках, читающихся с болью и досадой, предстает перед нами — художник, всю жизнь постигающий великую тайну творчества, или чиновник от искусства, для которого не существует этих тайн? Каким же всепроникающим должен быть яд идеологической обработки, если такой основательной коррозии подвергается одареннейшая душа и так сужается кругозор художника европейской образованности... Когда Мухина в докладе на совещании по синтезу искусств, проходившем в 1934 году, говорит о величии переживаемой народом эпохи, а Шадр в написанной годом позже статье ликует: «Мы окрылены!», это воспринимается как результат естественного и понятного для того времени обольщения. Но вот когда в свои уже совершенно зрелые годы художница без устали повторяет: «Идеологическая концепция памятника не есть его внешняя характеристика... Это есть основное в человеке или событии...» или «Воспитательная роль искусства — основная в советском обществе»[33], становится очевидной степень разрушения личности. Вряд ли стоило приводить здесь все это литературно-декоративное «узорочье», проходящее красной нитью по жизненной канве очень многих деятелей искусства тоталитарной эпохи, будь перед нами фигура меньшего масштаба, чем Мухина. Но и ее упрекать мы не имеем морального права; мы только можем ужаснуться тому, каким автоматизированным стал и образ жизни, и образ мыслей этого большого художника. Представительства, выступления, произнесения лозунгов и — работа над такими плакатными произведениями, как композиция «Мы требуем мира» (1950), которая создавалась, кстати сказать, бригадным методом.

И все же именно размышления о сугубо профессиональных проблемах остаются всегда — и во второй половине жизни тоже — тем убежищем, где можно быть самою собой, забыв о своем «гражданственном предназначении». Как просты, человечны и, я бы сказала, по-мужски деловиты ее письма к помощницам, скульпторам Зинаиде Ивановой и Нине Зеленской. Как методически ясно и в то же время артистически изящно написано письмо, видимо начинающему, скульптору Говорову, где Вера Игнатьевна объясняет основные принципы лепки. Она постоянно ратует за обращение к теме обнаженного тела в искусстве, прежде всего в скульптуре, но и эта мысль не остается свободной от примеси социально-идеологического подхода: обнаженные фигуры на стадионах и в парках, как и физкультурные парады, — это, по мнению скульптора, прежде всего показатели здорового духа в здоровом теле, а значит, олицетворение не красоты как таковой, а физической силы, выносливости, работоспособности, то есть социальной функции человека.

Из всей скульптурной проблематики наиболее углубленно прорабатываются Мухиной вопросы монументального творчества. Точнее сказать, художница всю скульптуру воспринимает сквозь призму монументализма, о самой себе говоря, что она «раньше всего и единственно работает большим образом»[34]. Вот теперь становится окончательно понятным выбор ее в учителя Бурделя; именно «большой образ» был главной целью его пластического поиска. Ее нимало не коробит достаточно частая в его работах эмоциональная выспренность, так как, по ее убеждению, «монументальная скульптура склонна к пафосу... это слово в своем чистом смысле имеет высокое значение — возвышенность чувства...»[35]. В памятнике эта возвышенность проявляется как героизация образа, тоже близкая сердцу художницы. Способность видения героического, считала она, дана далеко не каждому мастеру. Сама Мухина была наделена этой способностью сверх меры. «У нас в советское время... кругом эпос», — говорила она в 1939 году[36]. И признавалась: «Жанр не в моем характере»[37].

Она монументализировала, героизировала и переводила на язык «большой формы» любую тему, над которой ей приходилось работать.

Уже перед смертью, больная и слабая, Мухина продолжала мечтать о памятниках, причем исключительно в категориях больших и сверхбольших форм. Вот как описывала она грезящийся ей монумент освобождению Севастополя: «Воздух чист и прозрачен, и далеко-далеко на горизонте начинают показываться желтоватые утесы Севастополя. Но что это там, на горизонте, недалеко от утесов?.. Судно вырастает из моря в розовой дымке утреннего тумана. Как будто **огромный** военный корабль стоит в море и охраняет утренний покой еще не проснувшегося города-героя... Далекий корабль оказался **огромной** каменной башней, сложенной из **циклопических** камней. А на вершине ее уже не мачты, а группа стальных **гигантов**, нежно розовеющих в отблесках зари. Вся группа — как **огромный** ощетинившийся еж в титаническом отпоре врагу...»[38] (разрядка везде моя. — *О. К.*).

Мухина монументализирует и свои произведения портретного жанра — они почти как памятники. Это относится и к портрету самого близкого ей человека, доктора А. Замкова (1930). Даже в бытовой характеристике своего мужа определяющим качеством внешней красоты она считает «внутреннюю монументальность». В «Крестьянке» (или «Бабе», как называла произведение сама Мухина, 1927) гипертрофированная брутальность массивной формы, ее почти агрессивное самоутверждение в пространстве лишают образ какого-либо оттенка лиризма, я бы даже сказала человечности, и переводят его исключительно в регистр социального звучания. Перед нами не что иное, как монумент одному из мифов тоталитарной эпохи — рождению колхозного крестьянства как новой могучей общественной силы государства. «Рабочий и колхозница» — это тоже, как оказалось, памятник мифу нерушимого союза этого самого крестьянства с рабочим классом. Однако образное содержание статуи — и это я старалась показать через анализ произведения — оказалось гораздо шире и глубже поставленной тематической задачи.

Вера Игнатьевна Мухина была прежде всего художником, а не теоретиком, да и сама говорила, что не считает себя таковым. В то же время внутренне, несомненно, претендовала на роль глашатая теоретических истин. Об этом свидетельствует стремление к широкому охвату художественной проблематики и к наукообразной объективности в изложении тех или иных вопросов — их систематизация, рубрикация, создание формулировок. Ее выступления и статьи имели резонанс и, конечно же, формировали культурно-идеологические установки времени. Упрощая общую картину теоретических воззрений Мухиной и отвлекаясь от всего разнообразия высказанных ею ценных замечаний по отдельным, отчасти освещенным здесь вопросам — взаимодействия искусств, условности в художественном творчестве, декоративности в скульптуре и т. д., мы вынуждены сделать следующий вывод. В них основной тезис: выражение государственной идеологии — высшая цель искусства и в связи с этим монументальная пластика — главный скульптурный жанр.

Такое положение в иерархии скульптурных и вообще художественных жанров оставалось очень долго. И как долго эти представления корежили естественное развитие нашего искусства, а также биографии и судьбы художников. Да и научные судьбы тоже, принуждая жить в плену ложных идеологем. В процессе переосмысления отечественной истории становится очевидно, что лишь единицы избежали конформистской участи. И как это ни горько, но настоящий, большой художник, одна из наиболее ярких фигур в мировой скульптуре XX века В. И. Мухина к этим исключениям не относится.

Но...

«Не судите — да не судимы будете».

Примечания

[1] Стенографические записи бесед писателей Л. Тоом и А. Бека с В. Мухиной хранятся в архивах сына Мухиной Всеволода Алексеевича Замкова и дочери Бека Татьяны Александровны Бек.

[2] *Орлов С.* Религия монумента // Творчество. 1991. № 6. С. 17.

[3] ЭПРОН — экспедиция подводных работ особого назначения, которая была создана в конце 20-х годов для поиска затонувшего в 1855 году недалеко от Балаклавской бухты английского корабля «Черный принц».

[4] Вера Игнатьевна Мухина. Выставка произведений к 100-летию со дня рождения: Каталог. М., 1989. С. 72.

[5] *Мухина В.* Художественное и литературно-критическое наследие. М., 1960. Т. 1. С. 94.

[6] В. Мухина выступила с докладом «Законы творчества, условия сотрудничества» // Вопросы синтеза искусств. Материалы первого творческого совещания архитекторов, скульпторов и живописцев. М., 1936.

[7] *Коваленская Н.* Из истории классического искусства. Избранные труды. М., 1988. С. 200.

[8] *Мухина В.* Указ. соч. С. 156.

[9] Там же. С. 26.

[10] Там же. С. 184.

[11] Вот что пишет Ю. Маркин в статье «Скульптура при свете совести»: «История в двух близких по времени эпизодах как бы ставит точку в вопросе о конформизме В. Мухиной. В 1939 и 1940 годах Молотов передает просьбы Сталина о портрете фашистскому скульптору номер один Арно Брекеру — любимцу Гитлера. Сославшись на занятость, тот дважды отказывается от такой чести. Двумя-тремя годами позже Мухину ставят перед очередным компромиссом — заставляют обратиться к Сталину с просьбой позировать для портрета. Сеансы вновь не состоялись — уже в виду чрезвычайной занятости вождя. Комментарии, думается, излишни» (Декоративное искусство СССР. 1990. № 3. С. 35).

[12] *Мухина В.* Указ. соч. С. 31.

[13] Там же.

[14] Там же. С. 76.

[15] Там же. С. 77.

[16] Там же. С. 20.

[17] Там же. С. 182.

[18] *Терновец Б.* В. И. Мухина. М.–Л., 1937. С. 11.

[19] *Мухина В.* Указ. соч. С. 132.

[20] Там же. С. 131.

[21] «Автобиография» написана Мухиной в 1949 году для каталога групповой выставки // Каталог выставки С. Герасимова, А. Дейнеки, П. Кончаловского, С. Лебедевой, В. Мухиной, Д. Шмаринова. М., 1949.

[22] *Марина Цветаева.* Письма к А. Тесковой. Прага, 1969. С. 153.

[23] Скульптура и время / Составитель и автор вступительной статьи О. Костина; Фотографии Р. Нэйпиера. М., 1987.

[24] Там же. С. 79.

[25] *Маркин Ю.* Указ. соч. С. 33.

[26] *Мухина В.* Указ. соч. С. 60.

[27] Там же. С. 50.

[28] Там же. С.134.

[29] Там же. С. 86.

[30] Там же. С. 163.

[31] Там же.

[32] Там же. С. 164.

[33] Там же. С. 179 и 146.

[34] Там же. С. 35.

[35] Там же. С. 25.

[36] *Тоом Л., Бек А.* Стенографические записи... С. 33.

[37] Там же.

[38] *Вера Игнатьевна Мухина.* Каталог выставки... С. 74–75.

Валентин Лебедев

Нина Жилинская

История искусства XX века ознаменована всеобщим стремлением художников продвинуться от созерцания вещей к постижению их сущности. Это характерно не только для живописи, где реальность выступает в виртуальной форме, но и для скульптуры, творящей реальные предметы в реальном пространстве. При всем разнообразии стилевых веяний и исходных мироощущенческих позиций, присущем движению авангарда, можно сказать, что его искания определяются двумя тенденциями решения главной задачи: одна — стремление за оболочкой вещей и явлений увидеть их конструкцию, остов, их незамутненную архитектонику и, в конечном счете, понять их бытийный смысл; другая — ощутить видимое, будь то человек, животное, дерево, камень, в причастности к той одухотворенной субстанции, что представляет собой мир в своей органической целостности и духовного начала. Если говорить о проявлениях той и другой тенденции, то, пожалуй, следует говорить о конструктивизме в творчестве Генри Мура.

Творческую тенденцию второго рода сам Генри Мур (а вслед за ним и главный исследователь его творчества Герберт Рид) определял термином «витализм».

«Для меня, — говорит скульптор, — произведение должно иметь прежде всего собственную витальность. Я имею в виду не отражение витальности жизни, движения, физического действия скачущих, танцующих фигур и т. д., но то, что произведение может иметь замкнутую в нем энергию, интенсивную жизнь в самом себе, независимую от объекта, который оно может представлять. Когда произведение имеет эту мощную витальность, мы не связываем с ним слово «красота».

Красота в позднегреческом или ренессансном смысле не является целью моей скульптуры.

Между красотой экспрессии и мощью экспрессии имеется функциональное различие. Первая стремится к удовольствию ощущений, вторая имеет духовную витальность, которая для меня более подвижна и идет глубже, чем ощущения.

Поскольку произведение не стремится к воспроизведению натуральных явлений, оно не есть бегство от жизни — но может быть проникновением внутрь реальности... выражением значения жизни, стимуляцией к большей интенсивности бытия»[1].

Художественное претворение и дальнейшая «стимуляция интенсивности бытия» стали лейтмотивом творчества многих представителей так называемого классического авангарда XX века, причем спектр стилистических форм, к которым они прибегали, был достаточно широк. К числу художников, творчество которых окрашено пафосом витализма, принадлежит и Нина Жилинская.

Одно из самых острых, самых отчетливых выражений кредо Жилинской — созданная в 1977 году композиция «Художники», демонстрирующая слияние человека с одухотворенной стихией мира, напоминающей неразрывную связь Антея с энергетическим полем матери-Земли. По конфигурации группа напоминает дерево. Изображенные (автор и ее супруг — живописец Дмитрий Жилинский) показаны в момент работы, рисования, в состоянии напряженного контакта с окружающей средой. Напряженность обретает телесную жизнь в пересечении форм, в сцеплении ритмов. Фигуры словно срослись со своими креслами, ножки которых, как и ноги людей, массивны и словно уходят корнями в землю. Вытянутые торсы как бы вырастают из земли, а энергия, их наполняющая, вырывается наружу в диагональном ритме форм-«ветвей», который воспринимается еще острее благодаря многочисленным пустотам, подчеркивающим встречное давление пространства. Созидательная деятельность человека представлена скульптором как одно из частных проявлений вселенской энергии бытия, а грань между миром человеческим и миром предметным оказывается стертой, ибо и тот, и другой воспринимаются как формы единого одухотворенного универсума.

Восприятие реальности как пантеистической витальной стихии проявилось и в созданных Жилинской полускульптурах-полувазах. В них сохранен эффект самого становления зримой пластической формы, где царит стихия лепки и раскраски. Изображения лиц, магнетизирующие зрителя взглядом широко открытых глаз, конкретизируют впечатление органической одушевленности самой скульптурной материи.

Стремление уподобить предметный мир чувствующему, живому проявилось и в натюрмортах и пейзажах Жилинской. Новизна ее идеи заключена не в различии фактур изображаемых предметов, а в характере их объемов, создающем драматизм неуравновешенного положения предметов в пространстве.

Искусство Жилинской в общем контексте художественного движения XX века относительно близко по духу и стилистическому языку ее старшим современникам — французам Жермене Ришье и Этьенну-Мартену. Возможно, знакомство с их скульптурой дало Жилинской некие дополнительные импульсы в ее исканиях. Не исключено, однако, что все три художника независимо друг от друга искали свои пути авангардистского выражения и, как это бывает, когда «идеи носятся в воздухе», прибегли к сходным пластическим формам реализации своего мироотношения совершенно автономно.

Общая черта скульптуры всех троих — сильно выраженное живописное начало. Речь идет не столько о создании сложной по микрорельефу скульптурной поверхности, сколько о формировании развитых композиций, трепетно реагирующих на свет, тем самым активно взаимодействующих с окружающим пространством. Подобный тип стилистического мышления можно было бы назвать своеобразным проявлением «необарокко» внутри авангарда.

Недаром Анри Фосийон, вслед за Генрихом Вёльфлином, считал, что справедливо говорить о «барочном состоянии любого стиля»[2]. По его словам, «барочный... период жизни форм, безусловно, самый раскрепощенный. Формы забыли и извратили тот закон глубокого соответствия, в котором согласованность с окружающей средой, в частности с архитектурой, — главное; они живут сами по себе, живут насыщенно и распространяются без ограничений, делясь подобно чудовищному растению. Преумножаясь, формы отделяются друг от друга, всеми своими частями стремятся завоевать пространство, пронизать его, соединиться с чем только возможно и, если позволено будет сказать, упиваются обладанием этим пространством»[3]. Продолжая развивать свою мысль, Фосийон замечает: «... пространство, понимаемое как среда, благоприятствует рассеянию объемов, игре пустот и резких провалов и допускает в процессе моделирования появление многочисленных плоскостей, сталкивающихся друг с другом и разбивающих свет»[4].

Несущая в себе драматический заряд экспансия объемов, эмоциональная значимость пустот, образуемых разрывами внутри форм и между формами, конфликтное соседство разнохарактерных элементов скульптурной композиции. В работе Жермены Ришье «Ураган» объем словно старается выйти за пределы своих контуров и разрастается на глазах у зрителя. В именуемых «Жилищами» композициях-лабиринтах Этьенна-Мартена сложное чередование лепных форм и просветов напоминает игру черного и белого в графическом листе. В скульптурной группе Жилинской «Взрослые и дети» полная взрывная энергия дерзко охватывает внутрикомпозиционное пространство, а в «Пейзаже» 1970 года словно присутствуешь при самом процессе лепки и веришь в потенциальную готовность форм к дальнейшему росту и умножению.

Как и всякий скульптор, Жилинская мечтала о достойном архитектурном контексте своих работ. Мечта не могла сбыться, во-первых, как показал опыт, синтез скульптуры с рационалистической архитектурой XX века вообще труднодостижим; во-вторых, пространственно-активная «необарочная» скульптура Жилинской в известном смысле самодостаточна. «Скульптура в мое время имеет ли возможность быть?» — вопрошает художник. И сама себе отвечает: «Спасаю себя, создаю «воздушную», сложную архитектуру, среду, в которой делаю не вещь, а смысл вещи»[5].

С Ришье и Этьенном-Мартеном Жилинскую роднит и драматизм миро-отношения. Интонация тревоги, присутствие подспудной напряженности вообще характерны для искусства авангарда. Но у этих скульпторов пафос конфликта, ощущение дисгармонии бытия выступает обостренно и открыто. Оно порождает дисбаланс композиционных построений, создает ритмическую остроту диалога объемов, разделенных пространством, тормозящую скольжение зрительского взора, шероховатость силуэтов, контрастные перепады зон света и тени на скульптурной поверхности с нарочитой усложненностью ее рельефа.

Динамика ритма и экспрессии в работах Жилинской неотделимы друг от друга. Эмоциональный напор, выражаемый через пластику, проявляется не только в таких работах, как «Падающий», где некий катаклизм присущ уже самому сюжету, но и в композициях, лишенных внешнего действия.

Таков, например, портрет скульптора Б. Каринского. Утлый старец, печально склонив голову, сложив руки и скрестив ноги, притулился на краю тяжеловесного сиденья. На первый взгляд он само олицетворение физической немощи. Но с обликом человека резко контрастирует его духовная активность, напряженность раздумья и переживаний. О чувствах, его переполняющих, говорит не столько мимика, сколько драматичная по характеру пластическая трактовка фигуры в целом. Почти бесплотная модель испытывает мощное давление пространства, неустойчивость позы усугубляется неуютностью сложного контрапоста. Изменчив, непостоянен ритм контурных линий; зритель все время спотыкается, обегая взором силуэт композиции. Общие очертания фигуры, резко очерченные складки на лбу и швы на свитере выглядят как некое отражение интенсивной духовной работы человека, выдерживающей косвенное противостояние напору извне. В общую эмоциональную стихию скульптор включает и массив сиденья, обыгрывая энергичные изломы в очертаниях его опор. Конфликт с действительностью, чувство одиночества, экзистенцильная тревога, увиденные Жилинской в ее портретируемом, в известном смысле роднят образ с персонажами Джакометти.

Порой в работах Жилинской взаимоотношение человека с реальностью принимает, напротив, экстравертную форму. Так, экспансивность модели выделяет из общего ряда композицию «Люда в кресле». Неустойчивость посадки и винтообразность позы, агрессивность аксессуаров, прихотливость форм, контуров, пространственных прорывов фигуры, словно материализовавшая сам процесс лихорадочной работы скульптора, образует крайне далекий от безмятежной гармонии мир драматической неуравновешенности.

Хотя Этьенн-Мартен старше Жилинской на тринадцать лет, а Жермена Ришье — более чем на двадцать, нельзя не видеть своеобразной переклички их судеб. Жилинская формировалась как художник, а французские скульпторы пережили свой творческий апогей в условиях свободы, обретенной обществом в результате крушения тоталитарных режимов после покончившей с фашизмом Второй мировой войны; в нашей стране — на десять лет позже, после смерти Сталина и резко критической переоценки его деятельности. Как говорил в те времена Альбер Камю, «возрадуемся, как положено художникам, тому, что вырвались из трясины сна разума, из глухоты и слепоты, что обрели силу противостоять нищете и горю, тюрьмам и крови»[6].

Одним из главных вопросов, стоявших в те дни перед художниками, стал вопрос об отношении к попранным тоталитаризмом авангардистским тенденциям в искусстве XX века. Речь шла о восстановлении права художника на свободное самовыражение, на творческую интерпретацию и эстетическое «пересоздание» объектов и процессов действительности, на активность и независимость мироощущенческой позиции. Обрели новую актуальность и завоевания авангарда первой трети столетия в сфере собственно художественного языка: деформация видимых пространств и объемов как средство «опредметить» отношение художника к реальности, обнаженность и выразительность архитектонических связей между элементами композиции, расширение диапазона применяемых техник и материалов и активное использование их эстетической специфики.

Стремление реабилитировать авангардизм, разумеется, имело и политический оттенок. Творчество модернистов воспринималось как одна из человеческих свобод, которую наряду с другими пыталась подавить реакционная государственная машина.

Возрождение авангардистских традиций в СССР оказалось значительно труднее, чем на Западе. Многие художники-модернисты, эмигрировавшие из фашистской Германии и стран, оккупированных гитлеровцами, имели возможность продолжать работу, сохраняя верность своему творческому выбору, в США, Англии, Швейцарии. В русском же искусстве, где с начала 1930-х годов официально насаждалась общеобязательная доктрина «социалистического реализма», авангардная линия была насильственно прервана. Слабость, фрагментарность культурных связей и обменов СССР с внешним миром в 1930–1950-е годы, скудость профессиональной информации в области искусства не позволяли русским художникам знакомиться с мировым опытом современности. Приобщение к стилистике авангардизма стало для большинства из них результатом собственных творческих экспериментов.

Применительно к молодым шестидесятникам, вероятно, точнее было бы говорить не о модернистской стороне их творчества, а о том, что в нем, в большей или меньшей степени, присутствуют авангардистские ориентации. И воспитание, полученное в учебных заведениях, и характер искусства, преобладавшего на выставках и в оформлении архитектурных пространств и сооружений, побуждали художников мыслить категориями реализма XIX века с его пассивным следованием натуре. Преодоление консерватизма школы давалось не без труда, да и цензура не поощряла радикального новаторства. Тем не менее шестидесятниками был сделан крайне важный вклад в процесс интеграции русского искусства второй половины века в мировое художественное движение. Немалая заслуга в этом принадлежит и Нине Жилинской — одному из самых бескомпромиссных и дерзких новаторов среди московских скульпторов ее поколения.

Демократические перемены в жизни общества не были ни всесторонними, ни достаточно последовательными. С середины 1960-х годов влияние догм консервативной идеологии и охранительных институтов вновь усилилось. Художникам приходилось активно отстаивать само право на существование нового кредо. Присущая авангарду публицистичность самой художественной формы, ее апелляция к зрителю приобретали порой оттенок политического манифеста.

Созданная в 1964 году работа Жилинской «Взрослые и дети» — одна из центральных в ее творчестве. Реальному содержанию композиции более соответствует ее первоначальное название — «Мужчины, охраняющие детей». Работа вызывает впечатление хрупкости бытия, чувство тревоги за будущее. Однако она не удовлетворяла адептов «социалистического реализма» своим «абстрактно-гуманистическим» пафосом.

Две полулежащие мужские фигуры фиксируют и оберегают границу пространства, внутри которой беззаботно предаются своим детским занятиям несколько малышей. Усиливая контраст между первыми и вторыми, художник использует два скульптурных материала: фигуры мужчин, уподобленных рыцарям, выполнены из листового железа, детские — вылеплены в глине. Изображая взрослых, скульптор прибегает к геометризации форм, усиливая эффект физической мощи их тел, их жесткой неприступности. Функции защиты и покровительства каждый из мужчин выполняет по-своему: один изгибом туловища, наклоном головы, жестами создает некое подобие ниши, ограждающей малышей от внешних угроз; другой как бы уже способен ринуться навстречу пусть еще невидимой, но ощутимо близкой зловещей силе; напряженное лицо повернуто туда, откуда грядет ожидаемая опасность, а фигура, подобная сжатой пружине, выдает готовность к действию. Детские фигурки, в отличие от мужских, ритмически прихотливы, их позы мимолетны, а линии раскраски придают им сходство со стеблями растений, гибкими, податливыми, реагирующими на каждый ветерок.

Метафорический образ, созданный Жилинской, пронизан острым предчувствием возможной катастрофы. Симптоматично, что произведение появилось на свет вскоре после Карибского кризиса, едва не завершившегося ядерной войной. Эпиграфом к нему могли бы стать крылатые слова Альбера Камю, произнесенные в те же годы: «... роль писателя неотделима от тяжких человеческих обязанностей. Он, по определению, не может сегодня быть слугою тех, кто делает историю, — напротив, он на службе у тех, кто ее претерпевает»[7].

* * *

Нина Ивановна Жилинская (в девичестве Кочеткова) родилась в 1926 году в подмосковном Подольске. В 1945 поступила в Московский архитектурный институт, но два года спустя, поняв, что истинным ее призванием является изобразительное искусство, перешла в МИПИДИ (Московский институт прикладного и декоративного искусства). Однако в 1952 году МИПИДИ был закрыт, и годом позже Жилинская завершила свое образование в Ленинграде, в Высшем художественно-промышленном училище (бывшем Центральном училище технического рисования барона Штиглица). Ее институтскими учителями были А. А. Дейнека и В. И. Дерунов.

Дейнека, несомненно, одна из ведущих фигур в русском искусстве 1920–1930-х годов, искренний романтик строящегося социализма, некий аналог Маяковского в изобразительном искусстве. Строгая палитра и сумрачная героика его полотен не соответствовали духу фальшивого оптимизма и поголовного ликования, царившего в официозном искусстве первых послевоенных лет. Но для профессиональной молодежи Дейнека оставался авторитетом. В МИПИДИ, который он возглавлял[8], Дейнека преподавал композицию. Энергия, динамика, ритмичная наэлектризованность, присущие композиционным построениям Дейнеки, равно как и суровый пафос его работ, были близки Жилинской и нашли отклик в ее творчестве последующих лет.

Дерунов — ученик крупнейшего русского скульптора XX столетия А. Т. Матвеева. Не случайно и Жилинская, и учившиеся у Дерунова ее сверстники: А. Пологова, Д. Шаховской, М. Житкова — на первых порах самостоятельного творчества отдали дань матвеевской традиции, воспринятой от Дерунова.

В профессиональном становлении Жилинской, в самом формировании ее личности немалую роль сыграло многолетнее общение с И. С. Ефимовым, поборником живописно-динамического начала в пластике, единства ритма, объема и цвета, и особенно с В. А. Фаворским, большим художником, человеком широчайшей культуры, мудрым мыслителем и педагогом, выдающимся мастером ксилографии и книжного искусства. В 1952 году Нина Кочеткова вышла замуж за живописца Д. Жилинского, родственника покойной жены Ефимова. В течение двадцати последующих лет молодая семья жила в одном доме с Ефимовым и Фаворским в Новогирееве, на окраине Москвы. Постоянные контакты с мэтрами и окружавшими их учениками, знакомство с хранящимся в доме творческим наследием Н. Я. Симонович-Ефимовой стали для Жилинских своеобразной академией, позволили проникнуть в глубины духовного и профессионального опыта старших коллег, развить в себе чуткость к тем плодотворным импульсам, которые посылает современному творцу художественное наследие прошлого; наконец, полнее узнать историю мирового искусства XX века, информация о котором в те годы в СССР была ограниченной и тенденциозной.

Период становления Жилинской как художника пришелся на время хрущевской «оттепели». В жизни страны одно за другим происходили события, побуждавшие отрешиться от одномерности мироощущения, от приятия существующего порядка вещей.

Только что закончивший работу над «Доктором Живаго» Б. Л. Пастернак писал в те годы, размышляя о судьбах художественного творчества: «<...> несмотря на привычность всего того, что продолжает стоять перед нашими глазами и что мы продолжаем слышать и читать, ничего этого больше нет, это уже прошло и состоялось, огромный, неслыханных сил стоивший период закончился и миновал. Освободилось безмерно большое, покамест пустое и не занятое место для нового и еще небывалого, для того, что будет угадано чьей-либо гениальной независимостью и свежестью, для того, что внушит и подскажет жизнь новых чисел и дней»[9].

В поисках новых подходов к жизни и к искусству Жилинская обращается к малой пластике, которая допускает свободу эксперимента в большей мере, чем станковая. Во второй половине 1950-х годов скульптор много работает в фарфоре. Радость единения с природой и свобода проявлений человеческого естества — вот главная тема ее фарфоровых композиций. В сценках отдыха на пляже, купанья малыша в прибрежной волне, поцелуя влюбленной пары ощущается некая неразрывная связь, некая причастность к общей субстанции людей и воды, земли, цветов, деревьев. В композиции «Поцелуй» (1957) слившиеся в объятиях две фигуры выглядят плотью от плоти того древесного ствола, к которому прислонились. Порыв ветра заставляет трепетать женское платье, вторит бурной вспышке их любовного влечения. Господство биоморфного начала, динамика диагональных ритмов, сложность, причудливость общего силуэта напоминают о стиле «модерн» рубежа XIX–XX веков, забытый опыт которого переосмысливает художник в стремлении к новой скульптурной поэтике.

Одновременно Жилинская отдает дань и «суровому стилю», рожденному совокупными творческими усилиями многих художников ее поколения. Молодые шестидесятники считали необходимым показать неприкрашенную героику буден: тяжесть реального труда, аскетичность быта, драматизм борьбы человека с сопротивляющейся природой. Духу нового стиля отвечала и лапидарность его художественной структуры. Заметным достижением Жилинской как мастера «сурового стиля» стала уже упоминавшаяся композиция «Взрослые и дети» с ее геометризмом форм, активной обращенностью к сознанию зрителя, откровенной публицистичностью и содержания, и самого художественного языка.

Во второй половине 1960-х годов Жилинская создала трехчастный скульптурный цикл, включающий композиции «Рождение», «Юноши» и «Падающий». Каждая из них визуально самостоятельна, самодостаточна и как бы не нуждается в соседстве двух других частей. Однако их объединяет одна тематическая программа: три части цикла метафорически воплощают три фазы человеческой жизни. Особенно выразителен «Падающий» (кованая медь). Изображен человек, жертва некой катастрофы, летящий к земле головой вниз. Эффект стремительного низвержения фигуры создает драпировка: ее крупные складки наполнены встречным ветром, рассекаемым воздухом. Крепость тела, напряженность лица говорят о нерастраченности душевных и физических сил героя, и тем более трагичной и нелепой предстает его неотвратимая гибель. Исполненное в 1965 году произведение воспринимается как некий реквием по только что завершившейся хрущевской «оттепели», как аллегория крушения романтических иллюзий генерации 60-х. Оно принадлежит к числу пограничных, знаменующих водораздел между «суровым стилем» и следующим этапом в творчестве шестидесятников, который отразил их уход в себя, их внутренний протест против консерватизма и идейного гнета так называемой эпохи застоя, их философическое инакомыслие.

«Суровый стиль» конца 1950-х — начала 1960-х годов вошел в российскую художественную историю как искусство «артельное», созданное группой молодых единомышленников, для которых общность поколенческого мироотношения была важнее, чем индивидуализированное самовыражение. При всей жесткости взгляда на реальность и ощущения ее противоречий они были оптимистами. Они верили в возможность построения «социализма с человеческим лицом» и считали, что именно их герои в робах, ушанках и ватниках своим честным трудом и мужественной самоотрешенностью пролагают путь к обществу социальной гармонии.

Социально-идеологическая реверсия, сменившая «оттепель» в середине 1960-х годов, поставила шестидесятников перед дилеммой: поступиться убеждениями или перейти в духовную оппозицию. Жилинская избрала второе. В ее искусстве усиливаются драматические интонации, печать разлада с действительностью и экзистенциалистского одиночества становится характерной для ее героев. Вместе с тем в ее искусстве завершается пора нередко противоречивых стилистических поисков и проб, оно обретает устойчивость и самобытность, ее манера стремительно эволюционирует в сторону «необарокко».

Чтобы нагляднее представить себе качественную перемену, происшедшую в творчестве Жилинской, сравним сходные по мотиву и выполненные в одном и том же материале (шамот) портрет А. Зеленского и уже знакомый читателю портрет Б. Каплянского. Они возникли с разницей в шесть лет: первый датируется 1963 годом, второй — 1969. В обоих случаях затронута тема противостояния творческого человека мысленному окружению. Но если от угрюмо сосредоточенного Зеленского исходит ощущение уверенности в себе, сознание собственной силы, готовности к активному действию, то фигура Каплянского послушно деформируется под воздействием энергии окружающего пространства, и физическому смирению модели противоречит лишь оставшаяся непокоренной работа ее мысли и чувства. Зеленский, подобно всаднику, уверенно оседлал свой стул, который не без труда выдерживает внушительную массу его тела; Каплянский робко притулился на краешке сиденья. Фигура Зеленского наделена некой пространственной агрессией, ощутимой и в положении его словно шагающих ног, и в резком наклоне вперед головы и торса, и в конфигурации больших рук, обвивших кольцом некую зону, отвоеванную у пространства; фигурка Каплянского лишена просветов, сомкнута, даже сплющена. Контуры фигуры Зеленского обобщены и динамичны, формы геометризированы; в портрете Каплянского силуэт композиции нервно изменчив, аритмичен.

Зеленский увиден глазами художника, еще в основном приверженного «суровому стилю». Каплянский же предстает как некий пример стоического противостояния окружающей реальности. Пластическим эквивалентом конфликта становятся дисбаланс массы и пространства, живописная неустойчивость всей композиционной структуры, иными словами — драматизм «необарокко».

Стилистические перемены в творчестве Жилинской проявились еще резче в композиции «Семья» (дерево, 1969). Хотя фигуры и обнаруживают известные черты сходства с самой Жилинской и членами ее семьи, портретная задача в данном случае не является главной. Более того, стремление художника трансформировать натуру здесь сильнее, чем желание ей подражать. Первостепенная роль вновь отведена теме противостояния человека и мира, враждебного его естеству. Автор напоминает зрителю о вечном афоризме: «Мой дом — моя крепость». Группа сомкнута, подобно рельефу, размещена в тесном пространстве меж воображаемых параллельных плоскостей. Формы, хотя и членятся резьбой и покраской, не имеют ни отверстий, ни внутренних силуэтов. В результате создается эффект давления среды на изображаемых людей и одновременно их неодолимой сплоченности. Отец и мать, с тревогой во взоре, стоят распрямившись во весь рост и плотно примкнув друг к другу. Они подобны форпосту, готовому принять на себя удары внешних сил. Но их внешняя статика обманчива: подспудная напряженность человеческого бытия проявляет себя в драматичной жизни самой скульптурной материи, в той острой игре чувства, которую овеществляет и смелая, экспрессивная резьба по дереву, и геометрика форм, и энергия линейных ритмов, подобных уверенным штрихам ксилографа, и пробельные вспышки на фоне глухого зеленого (как уже говорилось, композиция решена с применением цвета).

1970-е — начало 1980-х годов — период творческой зрелости Жилинской. Завершается формирование ее индивидуального стиля, скульптурного почерка. В ее искусстве все больше размышлений о человеческой природе, духовном подвижничестве, миссии художника. Теме независимости человека творящего и расплаты за нее посвящена работа 1972 года «Художник» (дерево). Герой, помещенный в некое подобие ниши и словно сросшийся с ней, напоминает святого Себастьяна. Однако стрелы, его пронзающие, воспринимаются не как орудия казни, а как некое экстравертивное начало, как индикаторы духовной энергии героя, его стоицизма. Вопреки иконографической традиции Себастьян Жилинской — Себастьян-художник. Он не пассивно страдает, а словно произносит речь с эшафота. Эмоциональный накал зрелища даже в большей мере, чем мимика, жестикуляция, поза изображенного передает сама фактура изваяния: она хранит следы решительных вторжений резца в древесную толщу, напоминая рябь на воде, волнуемой ветром.

Скульптура Жилинской зрелого периода, как правило, двухфасадна. Объем сжат двумя воображаемыми плоскостями, передней и задней, которые не дают ему свободно растекаться в пространстве, но стимулируют к росту либо по вертикали, либо по горизонтали. В этой-то организующей способности и состоит секрет той «воздушной», ложной архитектуры, которую Жилинская, по ее словам, создавала, спасая себя. Художник реализует на практике уроки В. А. Фаворского, говорившего, что изображение должно быть плоскостным, но не иллюзорным и не плоским и что «скульптура вообще должна подчеркивать плоскость, которая с ней сочетается»[10]. Здесь сказалась, впрочем, и парадоксальная, но незыблимая закономерность барочной стилистики, остроумно охарактеризованная Г. Вёльфлином: «Прелесть преодоления плоскости можно ощутить лишь при условии, что известного рода плоскость налицо»[11].

Итак, композиции Жилинской обычно представляют собой систему планов сближенных и напряженно взаимодействующих друг с другом. Эти планы-плоскости, деформируя изображение, усиливают его динамику, ритмическую активность, способствуют выявлению внутренней энергии, имманентной витальности геометризированных объемов.

В формировании пластической структуры нередко участвует и цвет (обычно кроющая темперная раскраска). Как бы выступающие вперед пятна белого и красного, чередуясь с землистыми коричневыми и зелеными, зрительно усложняют и еще более драматизируют рельеф композиции.

Для зрелого творчества Жилинской во многом характерна скульптурная группа «Два философа» (дерево, 1975), где изображены В. С. Соловьев и П. А. Флоренский. Ошибкой было бы воспринимать ее как конкретный эпизод. Ее герои принадлежат не только разным поколениям, но и разным эпохам: Соловьев скончался в 1900 году, когда провинциальный юноша Флоренский едва успел приехать в Москву и поступить в университет. Не стремилась Жилинская и добиться точного физиономического сходства изображений с прототипами: так, Соловьев, представленный древним старцем, в рельности не дожил и до пятидесяти лет и даже в последние годы выглядел относительно молодо. Но не портретную задачу ставила перед собой Жилинская. Образ, ею созданный, — это прежде всего дань духовному подвигу русской религиозной философии конца XIX — первой половины XX века.

Предтеча школы Соловьев и творивший в период ее расцвета Флоренский уподоблены двум стволам некоего символического древа мудрости. Высота помысла, внутренняя твердость и сознание собственного одиночества прочитываются в облике и того, и другого. И хотя Соловьев жил в пореформенной России, а большая часть деятельности Флоренского падает на годы советской власти, оба оказываются невольными диссидентами в идеологической атмосфере своего времени. Их служение истине уж слишком противоречило политическому прагматизму мышления окружающей среды. Соловьев с его самобытными взглядами на место России в мировой истории, на пути сближения религий, на роль нравственного начала в формировании будущего общества оказался чужд и западникам, и славянофилам, и либералам, и консерваторам, и ортодоксальным богословам, и революционным демократам. Еще трагичнее сложилась судьба Флоренского. Глубокий мыслитель, разрабатывавший философскую концепцию всеединства как методологическую основу различных форм познания, провел последние годы жизни в сталинских лагерях и был расстрелян в 1937 году.

Симптоматично, что в интерпретации Жилинской фигуры философов иконографически напоминают изображения столпников — подвижников и страстотерпцев — в русском средневековом искусстве. Дематериализуя фигуры, подчиняя их стесняющим спереди и сзади воображаемым плоскостям, разбивая цельность их массы пятнами цвета, всячески подчеркивая их страдальческий стоицизм и аскетическую отрешенность, Жилинская вместе с тем «опредмечивает» напряженную работу их духа, материализованным отображением которой становятся и смелая геометрика объемов, и темпераментные мазки раскраски, обретающей здесь достоинства живописи.

Не приходится сомневаться, что размышления скульптора о судьбе, непоборимом чувстве долга и высокой нравственной позиции русских религиозных философов были навеяны и обострены процессом отчуждения шестидесятников обществом эпохи застоя.

Раздумья Жилинской о профессиональном долге, необходимости следовать призванию, быть верным своему пониманию истины невзирая на сопротивление обстоятельств, воплощены и в созданной в том же 1975 году композиции «Художник и модель» (шамот). Интенсивность духовной работы человека экстраполируется здесь на окружающий мир, становясь неким вселенским свойством, имманентным качеством материи и наконец первопричиной витальности самой пластической формы. Керамический материал передает возможности живописного наращения масс, экспрессию лепки, созидания некоего тела в пространстве, драматически-контрастное сопоставление поверхности объема с глубокими затененными нишами и сквозными отверстиями. Ставший здесь объектом изображения творческий процесс сплавляет воедино начала вещные и духовные, предметы окружающего мира и создаваемую художником новую реальность, действительное и воображаемое (например, модель непосредственно не изображена, но о ее присутствии говорит поглощенность артиста контактом с натурой). Художник и мир формируют друг друга, обогащают взаимно своей энергетикой. В подвиге творчества, в самоотрешенном служении делу и правде Жилинская видит путь к нравственному спасению от пороков времени.

Динамика, драматическая активность самой скульптурной формы, которая словно уподоблена живой материи, отличает и одну из немногих монументальных работ Жилинской — «Грушевое дерево». Эта бетонная композиция пятиметровой высоты была выполнена в середине 70-х годов для совхоза «Дружба народов» в Крыму. Здесь художнику удалось решить трудно и редко разрешимую задачу синтеза скульптуры с современной архитектурой. Их связь осуществляется по принципу контраста. Индустриальным формам зодчества противостоит биоморфность скульптуры, машинному облику постройки — рукодельный характер пластики, геометрической холодноватости архитектурной стилистики — овеществленная страстность самого процесса лепки. На архитектурной среде скульптор ставит сильный эмоциональный акцент, который одухотворяет все пространственное окружение. К сожалению, новаторское произведение Жилинской вызвало протест консервативных местных властей и было демонтировано. (Спустя несколько лет композиция была возобновлена и все же установлена в Гурзуфе, но, естественно, не в той конкретной среде, на которую была рассчитана.)

С годами Жилинская все больше укрепляется в авангардистском самосознании. «Я наберусь смелости расширить понятие конструктивности масс, перейти от физического состояния к духовному, — пишет она в конце 1970-х. — Конечная цель — это мысль, условная реальность, а не натуральное завершение деталей». И добавляет: «Понятие конструктивности... не каркасное строение, а движение мысли, осознанной, нарисованной, освещенной, распаянной, свободной...»[12]

Подтверждением этих слов служат рисунки тех лет, и особенно графический цикл «Метаморфозы Ахенского собора», исполненный Жилинской во время поездки в ФРГ в 1981 году. Энергичный, напористый ритм карандашного штриха сливается с потоком мысли и чувства художника, выражая и его восторг перед величием зрелища, и его работу по пересозданию увиденного в новую реальность бумажного листа, и, наконец, его попытку проникнуть за грань внешнего, доступного глазу, запечатлеть некие вселенские закономерности универсальной структуры.

Симптоматично, что в упомянутых записках Жилинской встречается такое высказывание: «Я замечаю ритм, который возникает, хотя не думаю о нем в процессе рисования предмета. Первое состояние — знакомство, второе — рисование, третье — преобразование, четвертое — учение, открытие законов и чувство начала бесконечности, непостижимости, тайны»[13].

Нельзя не уловить очевидного сходства взглядов Жилинской с глобальной характеристикой творческой психологии авангардистов, выраженной в словах Герберта Рида: «Создавать *икону*, пластический символ присущего художнику внутреннего чувства ноумена, или тайны, или, может быть, просто незвестных измерений чувствования и ощущения, есть цель подавляющего большинства современных скульпторов»[14].

Стремлением овеществить в пластике некий пульс мироздания, вселенский ритм, не только независимый от видимых нами живых тел и неодушевленных предметов, но и вовлекающий их в орбиту своего силового поля, отмечены и скульптурные работы Жилинской рубежа 1970–1980-х годов. Примечательно, что в это время она работает по преимуществу с деревом. Глубокое проникновение резца в толщу материала, геометризм форм, жесткость столкновения граней, контрастность перепада между выступающими и затененными частями изваяния позволяют художнику создать эффект властности, девственности, проникающей силы таинственного ритма, приходящего из бесконечности. Работу формы продолжает раскраска. Различная оптическая удаленность от зрителя пятен разного цвета еще более усложняет рельеф объемов и впадин. В иных случаях мазки раскраски, подобные резким графическим штрихам, придают наглядность напору энергии, наполняющей объем изнутри.

Художник реанимирует искания русского кубофутуризма 1910-х годов, и в частности опыт так называемой скульптоживописи Л. Поповой. Но в отличие от русских авангардистов Жилинская не идет по пути чистого формотворчества: диссидентское сознание, обостренное чувство причастности к потрясениям своего времени неизбежно ведет ее от ощущения универсального драматизма бытия к размышлению о конкретных человеческих судьбах, о дне сегодняшнем. Потому-то в контексте ее кубофутуристических построений возникают столь органичные для русской ментальности лики страстотерпцев: Христа с портретными чертами, высланного из страны Александра Солженицына («Несение креста», 1979), художника, творящего мучительно и страстно («Живописец в Переславле», 1982), матери, что простерла над малышом свои тяжелые руки-крылья, руки-доски, символизирующие крышу дома («Бережность», 1983).

* * *

Естественный ход творческой эволюции Жилинской был нарушен тяжелым инсультом, поразившим ее в 1985 году. Перестав владеть правой рукой, она была вынуждена оставить занятия скульптурой. Ее творчество позднего периода — это живопись и рисование левой рукой. Поначалу для утратившей речь Жилинской рисунок был просто средством общения с людьми, восстановления связей с предметным миром на уровне образов. Но в дальнейшем он получил сильное и самобытное эстетическое наполнение.

Если прежде рисунок для Жилинской был своего рода средством проникновения за оболочку видимого, шагом к постижению вселенских ритмов и структур, то теперь над стремлением трансформировать реальность, подвергнуть ее пластически-волевой переработке, добиться напряженного сцепления форм и ритмов берет верх жажда наблюдений жизни, богатого многообразия ее проявлений. Болезнь, ограничив поле жизнедеятельности Жилинской, развила в ней ностальгически-острую восприимчивость самого потока повседневности, открыла ей ценность обыденных вещей и незамысловатых событий. Подобно наивным художникам, она проявляет зоркость к деталям, увлеченно «перечисляет» многое из того, что попадает в поле ее зрения, пренебрегая точностью масштабных соотношений и законами перспективного построения пространства, но добиваясь в то же время пленительной «панорамности» восприятия мира.

Одно из лучших достижений Жилинской этого периода — карандашные рисунки, сделанные во время поездки в Каталонию в 1990 году. Незнакомый, экзотический для россиянина мир художник воспринимает как прекрасную сказку, увлеченно изображая неприступные замки и башни; узкие по фасаду, но вытянутые вверх городские дома, стоящие на скатах холмов, прилепившись друг к другу; старые мосты с пролетами в виде стрельчатых арок; фактурное многообразие строительной кладки — где кирпичной, где валунной, где из тесаного камня; колючие очертания дальних гор и предгорий; упрямое цветение толстоствольных деревьев с обрубленными верхушками; пестроту уличной толпы, определяющей «физиогномию» провинциальных городков. Почти в каждом листе присутствуют и художники — сама Жилинская и ее супруг, — взволнованные калейдоскопом необычных впечатлений, ищущие все новые точки для работы с натуры, выделяющиеся на фоне других людей особой активностью.

Однако острое переживание самобытности облика каждого предмета, специфической характерности позы, жеста, повадок каждой фигурки, оказавшейся в поле внимания рисующей, не становится для Жилинской чем-то самодостаточным, как это случается с наивными художниками в собственном смысле слова. В работах присутствует и эффект большого ритма, скрепляющего, организующего вереницу частных наблюдений. Он ощущается и в четкой дифференции плоскостных планов, и в эффекте ведущих в глубину листа спиралевидных и диагональных построений, и в напряженном, почти конфликтном соседстве крупномасштабного изображения с границами формата бумаги. Болезнь изменила мировидение художника, его графический почерк, однако не остановила его погони за «синей птицей» авангардистского вселенского ритма.

«Охота» за ритмом дает о себе знать в рисунке «Дима делает портрет испанки», исполненном во время той же пиренейской поездки. Пытаясь запечатлеть динамику процесса портретирования, Жилинская прибегает к эффекту симультанности: изображает голову живописца в пяти ракурсах и тем самым фиксирует бесконечные повороты его лица от модели к холсту и обратно. Вынужденная работать левой рукой, она, видимо, не могла рисовать анатомически точно. Но элементы деформации, упрощения, порой графической скороговорки не выглядят у Жилинской как неумелость, ибо вновь обретенная экспрессия штриха и уверенность в компоновке позволяют ей придать изображению ту меру орнаментальной целостности и линейной напряженности, при которой надобность в жизнеподобии объемов и их сопряжения друг с другом попросту отпадает.

Как говорил А. Фосийон, «ничто так не соблазнительно <...> как попытка показать подчиненность форм организующей их внутренней логике. Подобно тому, как песок, находящийся на вибрирующей под действием пружины пластинке, образует различные симметричные фигуры, так и некий тайный принцип, более сильный и строгий, чем любая изобретательная фантазия, вызывает к жизни формы, порожденные делением, перемещением основного тона, взаимосвязями»[15].

Властный ритм, приходящий из бесконечности, о котором Жилинская размышляла еще в конце 1970-х, выступает в новом стилистическом обличье, но по-прежнему царит в ее работах. В сцене сеанса он заявляет о себе и в пульсации контурных линий, и в размахе рук живописца, перекрывающих по диагонали всю поверхность листа, и в неустойчивом положении его фигуры — то ли сидящей, то ли бегущей, и в парадоксальной позиции длинноногой модели, словно повисшей в воздухе.

Начиная с 1989 года и вплоть до смерти, наступившей 26 февраля 1995 года, Жилинская много занималась живописью. Освоить новое для себя дело ее побудили, по-видимому, два обстоятельства. Во-первых, естественная для скульптора тоска по большой форме, желание выйти за камерные рамки станкового рисунка. Во-вторых, ощущение интенсивности, а порой и событийности обыденного существования людей и предметов, обостренное недугом, сознанием неполноты своего участия в окружающей жизни. Цвет оказался нужным художнику как активный носитель эмоционального начала, как средство материализовать восприятие напряженности бытия.

Жилинская-живописец неравнодушна ко всему, что попадает в поле ее зрения. Она делает автопортреты, пишет членов семьи и друзей дома, художников на фоне их работ, обстановку интерьеров, натюрморты с причудливым переплетением цветущих растений. В 1992 и 1993 годах Дмитрий Жилинский был приглашен в Данию, где исполнял парадные портреты членов королевской семьи. Сопровождавшая его в поездках Нина не только присутствовала на сеансах, но одновременно работала и сама. Ее не сковывали ни традиции, ни требования заказа. В результате родились такие портреты августейших особ, где неожиданно соединились иератическая статика и примитивистская экспрессия. К калейдоскопу реальных впечатлений, наполняющих картины Жилинской, порой примешиваются и сказочные видения, и мотивы религиозной живописи.

Хотя видение мира у поздней Жилинской обрело конкретность, временами пронзительную, потребность во всеохватывающем восприятии действительности не покинула художника. Подгоняемая жаждой духовного освоения жизни, Жилинская пишет мотив за мотивом, картину за картиной, не повторяя и не варьируя уже однажды сделанное. Ее композиции исполнены подспудного драматизма. Здесь нет места ни лирической мягкости, ни округлым силуэтам, ни тональным градациям колорита. Жестки штрихи линейного рисунка, геометричны абрисы, резки созвучия локальных пятен. Суровы и недвижны вопрошающие взгляды людей. Стихийные переклички с мировидением экзистенциалистов, и прежде встречавшиеся в творчестве Жилинской, вновь дают о себе знать. В ее живописи последних лет слышна интонация тревоги, ощутимо предчувствие близкого столкновения с неизвестностью, а мучительные вопросы остаются без ответа.

Позднее творчество Жилинской примечательно не только как факт искусства. Оно есть свидетельство некоего подвига и несет на себе печать нелегкой борьбы человека, пораженного недугом, за собственную личность. Размышляя о жизни, без устали ее изображая в картинах и рисунках, Жилинская восполняет творчеством недостаток практической жизнедеятельности. Лишив художника дара речи, инсульт, однако, не сломил его духа. Поздние произедения Жилинской окрашены напряженной работой чувства и мысли автора. Воля к созиданию позволила художнику до последних дней удерживаться на высоте своего предназначения.

Нина Ивановна Жилинская прожила две творческие жизни. Первую она посвятила борьбе за новаторство и утверждение человеческих ценностей в искусстве, вторую — преодолению тяжелейшего испытания судьбы. В обоих случаях Жилинская победила.

Примечания

[1] Цит. по изд.: *Read H.* A concise history of modern sculpture. N.Y., 1966. P. 163.

[2] *Фосийон А.* Жизнь форм / Пер. с франц. М., 1995. С. 39.

[3] Там же. С. 21–22.

[4] Там же. С. 39.

[5] Из неопубликованных записок Н. И. Жилинской.

[6] *Камю А.* Шведские речи // Избранные произведения / Пер. с франц. М., 1993. С. 418–419.

[7] Там же. С. 397.

[8] В среде художников МИПИДИ именовался «дейнековским институтом». Негативным отношением властей к Дейнеке во многом обусловилось закрытие института.

[9] Из письма Б. Л. Пастернака Н. А. Табидзе от 11 июня 1958 г. // Борис Пастернак об искусстве. М., 1990. С. 349.

[10] *Фаворский В. А.* Литературно-теоретическое наследие. М., 1988. С. 430.

[11] *Вёльфлин Г.* Основные понятия истории искусств: Проблема эволюции стиля в новом искусстве / Пер. с нем. СПб., 1994. С. 193.

[12] Из неопубликованных записок Н. И. Жилинской.

[13] Там же.

[14] *Read H.* Op. cit. P. 212.

[15] *Фосийон А.* Указ. соч. С. 13–14.

Ирина Уварова

Юло Соостер. Яблоко, рыба, яйцо
(накануне семидесятых)

Памяти подруги моей Лиды

Когда мы пришли в мастерскую, мне сразу стало ясно, что Юло Соостер — гений.

Это не свидетельствует о моей проницательности. Просто в ту пору мы полагали, что вокруг нас немало гениев. И мы носились по мастерским московских художников в надежде открыть кого-нибудь. Ведь были случаи, Ван Гог хотя бы. Никто не понимал, но мы поймем!

60-е годы только начинались. Художники учились свободе. Они допрашивали свой внутренний мир и прислушивались, ожидая ответа. От себя они ждали прозрения, от нас — признания.

Мне запомнилось просторные ателье с окном в потолке, куда три живописца втащили литографский станок, устремившись создать нечто эдакое, как у Пикассо. Они водили по бумаге сконфуженной кистью. Станок же печатал гнусные кляксы.

Юло Соостер обитал в невозможном дровянике. Из отопительных приборов у него была то ли свечка, то ли лампа. Юло над нею держал лист, чтобы на бумаге образовался опаленный круг. Он тогда рисовал яблоко. Все кругом было в бумажках, на которых нарисовано было яблоко — контуром, штрихом и точками. У яблок был коричневый обожженный бок.

Это были очень странные яблоки. Крепкие и тяжелые, они существовали мудро и мощно, как планеты. Яблоки были похожи на Соостера, хотя он не был круглым, наоборот, грубовато рублен и крепко сколочен. На него был отпущен материал с более тяжелым удельным весом, чем на других людей.

Наверное, ему одному была известна некая наука о свойствах яблок, нарисованных на бумаге.

По-моему, он сам себе устроил академию.

В прошлом сезоне он изучал яйцо.

Во всяком случае, он знал, чего хочет.

«Но выжить в таком сарае мог зимой только эстонец», — подумала я. На самом деле там еще обитал Илья Кабаков.

Эстонец!

По-русски говорил не спеша, оснащая речь множеством свистящих в ущерб иным звукам. Он был невозмутим, но, возмутившись, забывал русский.

В лагере говорил коллегам по заключению: «сударь мой». Они же полагали — потому что эстонец. Они думали, что все эстонцы говорят друг другу «сударь мой», только по-эстонски, принимая его степенную старомодность, столь редкую в его поколении, да еще и в тех экстремальных условиях — за национальную самобытность. Русскому его в лагере обучали грузины.

На выходе из заключения он написал матери на свой родимый эстонский остров: встретил женщину (имя, фамилия), намерен жениться и прошу вашего разрешения. Мать ответила: никак не ожидала, что ты можешь жениться на русской. Он пояснил в другом письме: она не русская, она еврейка — и получил добро.

Эстонки имели полное право не желать, чтобы их сыновья роднились с оккупантами, мы это хорошо понимали, и хотя никто из нас лично никогда никого не оккупировал, имперская вина висела над нами тучей, не омрачая, впрочем, наших эстонских дружб и частых посещений Эстонии, куда мы направлялись, как паломники в Мекку.

Но Юло обладал врожденным чувством интернациональности и не навешивал на эллина и иудея ответственность за политику Эллады и Рима. Юло как будто воспитывался не в замкнутой Эстонии 40-х годов, а на открытой ладони Монмартра начала века, в кипении международной артистической богемы. Там художники сидели в кафе «Два окурка», селились в парижских мансардах, дерзили, швыряя в холсты пригоршни сияющих красок, женились на натурщицах, а всемирная Слава уже расчищала в Лувре место для их картин.

А Соостер в лагере копировал по заказу начальства репродукции из журнала «Огонек», кажется, Шишкина, так что вряд ли всемирная слава собиралась именно в это время проведать Соостера, заглянув в его барак.

Впрочем, он еще украдкой рисовал карандашом лица и фигуры зеков, наброски были крепки и завершенны. В лагере он был реалистом. Эстония тогда готовила студентов с первого курса в академики, по рисунку, по крайней мере, — а его арестовали лишь на четвертом.

Барачное начальство рисунки отбирало, комкало и жгло. Обгоревший листок сохранился, набравшись документальной дополнительной выразительности. Может быть, в глазах Соостера этот рисунок в благоприобретенной обугленной рамке получил новый художественный знак, знак вещи, стал артефактом. Но он кинулся в огонь. А ему выбили зубы. Он остался с металлом в улыбке навсегда.

Не отсюда ли шли потом, в Москве, его подпаленные яблоки?

Но в Москве он уже удалялся безвозвратно от натуральной школы в направлении сдвинутых форм и постижений сути, плотно укутанной видимой нами оболочкой.

Из новых мест ссылки он писал философские письма об искусстве бывшим коллегам по заключению. Писал, что в западном искусстве ощутимо мужское начало, а в восточном — женское. Друзья сказали: «Все ясно. У него баба появилась».

Но это была не «баба», это была Лида, «Лидка-абиссинка». С профилем острым, как лезвие, угловатая, будто подбитая птица, разлученная с полетом, и все не по-людски: не худая, но узкая, не высокая, но устремленная вверх, не красавица, но век не забудешь.

Они встретились в Долинке... Молчаливый эстонец преподнес ей подарок в газете и ушел. Развернув, она увидела на картине себя. Обнаженную. Она приняла подношение почтительного эстонца за плод алчных грез изголодавшегося зека и впала в ярость. Швырнув картину, топтала ее до тех пор, пока ее черный разъяренный глаз не налетел на дату, педантично проставленную на обороте: оказалось, картину он писал до того, как увидел ее, Лиду. Она замерла. Судьба художника пристально разглядывала ее. Пожалуй, она испугалась.

С младенчества собиралась за короля, а вышла замуж за мужика с острова Хийума. Таскать бы таким, как он, валуны из каменной почвы острова до самой смерти, но такие, как он, уходили в море на край света. Они видели черные бури, горы в коронах огня и женщин с темной шелковой кожей. Бледное обуженное лицо Лиды было из капитанских снов, отмытых соленой водой моря. В его старых рисунках было: Он и Она сидят в обнимку перед телевизором. Неужели он собирался уцелеть на семейном берегу и обойти стороной грозную стихию творчества? Не мог он не знать, что художник уходит в свою мастерскую, как капитан — в плаванье.

Но она этого знать не хотела.

По субботам он возвращался из своего плаванья. Долго мылся, переодевался, обедал, учил сына Тенно рисовать мельницы и поедал литровую банку варенья. Над единственным породистым предметом в их подвале — черным пианино без струн — висела его картина «Можжевельники». Синие можжевельники стыли в синеве вечности. Соостер отлил их в начальные и конечные формы сущего. Они были: конус, куб, шар. Так могли стричь кусты в Версале. У Соостера было иначе. Можжевельники Соостера были на эстонском острове, а на эстонском острове мир был зачат и завершен. Можжевельники Соостера были формулой вселенной, выведенной на границы бытия и небытия.

Это был художник, вступивший на путь поисков Истины.

В начале 60-х Истину искали приблизительно так же, как в пору Колумба — Индию.

Мы все делились по роду войск, на физиков и лириков, но неизвестно было, кому откроется Истина и какой она потребует предъявить диплом.

Картина мира, сложившаяся к началу 60-х, растрескалась на глазах, и ясно было, что мир вовсе не таков, каким на ней изображен. Картина являла собой какойто допотопный пейзаж с коровой, но мы ощущали гул открывшегося пространства, а что там, кто там? Физики писали формулы, художники — картины нового толка. Искусство московских подвалов изучало букварь мироздания. Соостер, Соболев решили изучать все на свете, отвергнув все, чему их учили прежде. Они намеревались обложить Истину со всех сторон, завлекая ее чувственными видениями и пуризмом точных знаний. Своими наставниками они назначили маньеристов, Эйнштейна, Грофа и Витю Тростникова, физика. До некоторых откровений шаманизма они дошли сами, осваивая вертикальную модель мироздания.

Времена менялись. «Железный занавес», замыкавший нашу жизнь наподобие Великой Китайской стены, начинал ржаветь, коегде прохудился. Из скважин тянуло опасным ветром. Долетали: музыка, фильмы, альбомы божественных репродукций, книги и — настроения.

Мы надеялись, что западные художники уже открыли Истину, а мы попытаемся открыть их. Но Соостер и Соболев, собирая вдруг хлынувшую информацию, полную самостоятельность сохраняли.

В их творчестве все становилось значительно и многозначно. И если Юло писал огромное яйцо цвета раскаленного железа, можно было не сомневаться, что, несмотря на пасхальную роспись и праздничные банты, оно лежит на поверхности неведомой планеты в тридесятом измерении, а в нем развивается, скорее всего, эмбрион мировой души.

Если же он писал рыбу, то его рыба могла подменить собою кита, на котором, как широко известно, держится Земля, даром что смахивала лицом на атлантическую сельдь.

Однажды под Новый год привезли мне в подарок заполярную рыбу таких размеров, что тотчас ринулась я звать Соостеров. Кто же оценит, если не Юло? Рыбину положили на гладильную доску, обернутую синей бумагой. Истинное произведение Соостера! Собственно, он с произведением и справился, хотя к прочим гостям проявил королевскую щедрость. Утром они с Толей Якобсоном, чудом уцелевшим от всеобщего сна, вымыв посуду, доедали на кухне рыбью голову, Юло говорил:

— Если мы представим себе, что есть такие плоские, вырезанные из бумаги существа, то им будет недоступно, как это мы живем в трех измерениях. Они не поймут глубины. А теперь представь себе сложно организованное существо, оно живет не в трех, а в четырех измерениях. Но четвертого измерения нам не дано увидеть.

Вот оно что: они с Соболевым пробивались туда!

Когда художника тянет в таком направлении, он отвергает реальность и начинает выстраивать свое творчество, можно сказать, не на натуре, но на культуре; на этой «второй природе» он строит свою, третью. Так было с символистами, туда же устремится авангард, озаряя своими всполохами время от времени весь XX век. Соостер должен был оформлять спектакль (не помню, какой) театра «Современник», его установка могла бы стать видом на жительство художника такой ориентации: реализм обстановки (акт I), все то же, но нарисовано, то есть переведено в ранг произведения искусства (акт II), и обломки изображений, готовые вступить в новые комбинации по законам «третьей природы» — акт III.

...Итак, Якобсон стал спорить. Дальнейшего движения беседы не помню, но ее начало зацепилось в памяти в качестве ключа к явлению, называемому «Работы Ю. Соостера накануне семидесятых».

А то, что Якобсон принялся спорить, — тоже ключ к двери, за которой осталась наша тогдашняя жизнь, и мы сообща решали все возможные и невозможные вопросы, например каким будет искусство. Но истина не рождается в спорах. Она вообще не любит шума, а мы изрядно шумели.

В ту пору мы много и подолгу общались, но нигде не набивалось более людей, чем в подвал Соостеров на улице Красина. Я не знаю всех, кто туда являлся, но часто этого не знали и Соостеры. Художники, актеры и поэты. Подруги художников, актеров и поэтов. Друзья поэтов, художников и актеров, и просто их знакомые, или незнакомые вовсе. Но спорили все.

Однажды какаято совсем случайная компания, направляясь к Соостерам, задела самолюбие другой компании, уличной. Задетые явились требовать сатисфакции. Тщетно Лида взывала к гостям, спрашивая, кого там вызывают на бой, — ее просто никто не слышал, да и невозможно было услышать!

Так что драться пришлось ей. Освежив в памяти уроки женской зоны, она вышла из дома и приступила к делу. Их было несколько штук, но они понесли урон. Она вернулась к гостям с синяком на узкой щеке и зуб шатался. Впрочем, спорщики и этого не заметили, не отвлекаясь на посторонние сюжеты от главной темы. Спор шел о Сальвадоре Дали.

Гул, дым, польская водка, болгарские сигареты и кофе в количествах, соответствующих в нашем представлении западному образу жизни. Девушки на тонких каблуках похожи на женщин Ремарка. Художники в грубых свитерах, похожие на мужчин Хемингуэя, и даже коекто — на самого «старика Хэма». Потому в ход пошли трубки. С трубками Соостер и Соболев стали похожи на интеллектуальных капитанов дальнего, чрезвычайно дальнего плаванья.

А Соостер, всегда трудившийся в своей мастерской, вдруг оказывается в гуще гостей самым мистическим образом, и это вообще его свойство — он всегда в мастерской, но всегда где-нибудь оказывается. В театре «Современник», в кафе «Артистическое» — это наш тогдашний Монмартр. Он там же, где все, но в отличие ото всех никуда никогда не спешит. Это мы спешили на Таганку — вдруг закроют, читали новую прозу в жуткой спешке — вдруг запретят. Кажется, Юло как-то иначе реагировал на аптечные дозы допущений, спускаемых свыше.

Мы твердо знали, что читать надо «Новый мир», но не «Октябрь», а Соостера этот водораздел не интересовал. Он ходил в мастерские художников, «своих», конечно, но и не только. Его интерес к чужому творчеству был откровенен, недоброжелательности не помню.

Внимательнее, чем остальные, он рассматривает нахальные рисунки одаренных юношей и не спешит вместе со всеми смеяться над реализмом старика Лактионова. В нем явственно выражена идея артели и братства мастеров — эстонская выучка старинного цеха. Именно такими я вижу степенных средневековых таллиннцев, цех мастеров. Мне кажется, старый мастер знал цену своему труду и значимость работы, но искушению высокомерием он поддаться не мог.

— Соостер был романтик, потому и отзывался обо всех так мягко, что ли, — сказал недавно один художник, посещавший подвал на Красина и ныне известный в Европе.

В ту пору, когда жил Соостер-романтик, московский андеграунд накапливал силы для встречи со всемирной славой. Она вынесет их из страны, и они обучатся жить в цивилизованном мире и ненавидеть друг друга. Но Юло на этом празднике жизни уже нет, он умер в 70-м.

Однако первый поцелуй мировой славы он все же успел получить при жизни.

Андеграунд, он же авангард, вдруг оказался впущен на выставку в залы Манежа. Залы Манежа к тому времени являли собою художественный вариант Выставки достижений народного хозяйства. Пришельцы были мутантами, в государственную структуру прокрустова ложа творчество их никак не укладывалось. Во всяком случае, Хрущев, тогдашний правитель, ничего подобного отродясь не видел. Он вообще вряд ли видел что-либо, кроме репродукций в журнале «Огонек». Но вопреки популярному мнению, берусь доказать, что он оказался чуток к искусству. У новых картин, у новых скульптур его по-настоящему шибануло током высокого напряжения, а ток высокого напряжения от них действительно исходил. Случился исторический скандал. На Юло он орал отдельно. От внезапности мата в этих стенах Юло забыл русские слова.

Утром воспитательница вернула малолетнего Тенно из садика. Когда вся группа безмятежно питалась манной кашей, Тенно сделал заявление. «Я дядю Хрущева не люблю. Он на моего папу кричал». Получив информацию из детского сада, Лида направилась в чулан искать оба лагерных чемодана. Я примчалась, когда она укладывала свой, с гордостью оглядывая личное хозяйство:

— Посмотри, какие у меня теперь теплые вещи, кофта, носков шерстяных две пары и вообще! А когда меня девчонкой первый раз арестовали, я дура была, одни крепдешины.

Однако время шло, а чемоданы не пригодились, репрессий по поводу неугодного искусства не последовало. О выставках, разумеется, не могло быть и речи, но всем «героям Манежа» велено было давать работу в издательствах. Пусть себе оформляют книги.

Тогда в книжной графике и наступили перемены. Авангард, что-то уже познавший, выбиравшийся за пределы обозримого мира, получил в свое распоряжение журнал «Знание сила», где главным художником стал Юрий Соболев, а также научную фантастику. Книжка в бумажной обложке «Марсианские хроники» Рэя Брэдбери в оформлении Соостера стала событием. Планетарное сознание наших авангардистов получило здесь неожиданный поворот. Соостер наметил свой Марс и направил нашу неустойчивую фантазию на «научный» путь. Его рисунки убедительны, но это достоверность не нашей реальности: он что-то уже крепко знал про не нашу реальность и выстраивал ее по ее же законам.

Иллюзорная свобода, спущенная сверху, провоцировала самоуправство, как две капли воды похожее на свободу творчества. Соостер на приманку не клюнул.

Не мне судить о том, что уже открыто и что еще откроется. Но когда я смотрю его «Бесконечную делимость», я думаю, что он проник туда, куда познанию вход воспрещен.

* * *

— Юло, ты знаешь в Таллинне дом с привидениями?

Ко мне приехала подруга из Эстонии, мы сидели у него в мастерской на Сретенском. У него была уже самая настоящая мастерская, на чердаке знаменитого дома, возведенного в славную строительную эпоху. И хотя чердак он и есть чердак, место для художников и кошек, все равно: пленительные объемы крепостных стен и чугунный узор ворот, как в замке, бросали отсвет престижности и под крышу.

Но ход через чердак по бревнам и по катакомбам был столь мрачен, что тягостное ощущение не покинуло и за столом — мы пили чай. Вокруг Юло уже устанавливались размеренные ритмы Эстонии, вытесняя из помещения лихорадку московской суеты и мрачные тени чердачных коридоров.

Нет, он не знал, о каком таллиннском доме я спрашивала. Но когда он жил в Таллинне, у него была мастерская в средневековой башне «Длинная нога», вот там было. Раз ночью сами собой рассыпались по лестнице дрова. Знаешь, какой грохот?

Для него это не было сверхъестественным. Может быть, все, что нам было непонятно, невидимо, непознаваемо, он уже понял, увидел и познал.

Там у него марсианский мальчишка расшибал поленицу в древней башне и остывало яйцо, из которого уже никто вылупиться не сможет.

Они заговорили по-эстонски. Я перебирала рисунки-гротески. Женщинакентавр, голова с глазом в губах. Сюжеты я знала наизусть, но никогда они не казались такими отчужденными.

Новая мастерская была огромна, а убранство ее мало чем отличалось от интерьера прежнего дровяника. Прибавилась лишь старая качалка, принесенная какими-то детьми из кучи дворового хлама. В таких качалках эстонские моряки, вернувшись в деревню на зиму, покачивались у очага, как на волнах. Из той же кучи хлама прибыл ободранный чемодан, забитый тысячами нежных колесиков — имущество умершего часовщика. В чемодане в разобранном виде лежало время.

Я шла вдоль стен. От картин вдруг потянуло равнодушным холодом удаленности. Все, что было знакомо по домашнему кругу общения, так надежно связанное с близким человеком, почти что родным, уходило в чужое пространство. Охватила тоска. После я вспомнила — это было предчувствие.

Мы еще не привыкли к неизбежности разлук и, надо полагать, подозревали, что все это навечно — картины, друзья и сердечные привязанности. Я оглянулась: Боже, как далеко они были! Я долго шла к моим эстонцам через бесконечную, как вокзал, мастерскую.

— Что с тобой?

— Не знаю. А ты здесь не боишься?

Он сказал: нет, это особенный дом. Его строило акционерное общество «Россия», а квартиры разыгрывали в лотерею. Кто выиграл, тот и приехал в Москву со всей империи. Это дом счастливых.

Здесь была его мастерская.

И здесь он умер.

В субботу не пришел домой, Лида побежала искать. Взломали дверь.

Вечером после похорон мы собрались там в последний раз. Было очень много народу. Смерть его была страшна и непонятна. Сильный он был и очень здоровый, холодильник в новую квартиру по этажам внес один...

Я шла по мастерской, не узнавая ни людей, ни картин, шла в дальний край, где на невысокой приступке стояла его кровать, заправленная деревенским одеялом. Здесь его нашли.

Тут вернулся ужас, охвативший в последний приход к нему. Я знала, что, когда повернусь, увижу нечто, имеющее отношение к беде, и, обернувшись, увидела мелкую дверь, раньше я ее не замечала.

— Куда она ведет?

Дверь вела в коридор. Через нее можно было войти из черных, как могила, глубин чердака, а была ли она заперта — никто не помнил.

И хотя мы никогда не поймем, приходил ли кто-нибудь сюда в роковой час, все равно знаю: через эту дверь в комнату вошла смерть.

* * *

Картины его мы отправили в Тарту, в музей, поверив, что там будет постоянная экспозиция.

Постоянной экспозиции не было.

На его могиле на таллиннском кладбище Лида установила соостеровское надгробие — бронзовое яйцо.

Говорят, яйцо пропало с могилы. Проверить теперь нам трудно.

В Эстонию по новым временам мы ездить перестали.

А мастерская Юло, доставшаяся другому, сгорела дотла.

Алла Баева

Мистерия жизни Николая Каретникова

Есть в отечественном искусстве второй половины XX столетия признанные лидеры, о которых постоянно говорят и пишут, концерты которых неизменно привлекают многочисленных поклонников. Шнитке, Денисов, Губайдулина. Как творцы новой музыки, они давно и прочно утвердились на музыкальном олимпе. Судьба Николая Каретникова сложилась иначе.

1930–1994 годы — даты жизни композитора. А между ними — символическая граница: середина века, когда вновь, как и в его начале, на повестку дня встали коренные вопросы человеческого жизнебытия — о памяти и забвении, о вере и утрате ее. Они приобрели небывалую остроту, эмоциональную накаленность и философскую всезначимость. Духовное раскрепощение предопределило новую ступень осмысления действительности. Лицо человеческое высветилось как на переломе времени, так и в зеркале Вечности. Середина века — завершение одного витка культурно-исторической спирали и начало следующего: заново осмысливается прошлое и прозревается будущее. И вновь обозначается знакомый узел противоречий: между старым, новым, традиционным и авангардным. На этом срединном пространстве происходит самоопределение поколения композиторов 60-х.

Путь художника определяется не только конкретными историческими датами, хотя и они говорят о многом. Начало творческой биографии Каретникова — учеба в консерватории — обозначено печально-знаменитыми годами-знаками: 1948–1953. Следующий за ними 1956-й, как подчеркивает композитор, «сыграл решающую роль в его жизни». Он принес многое — прорыв к новому ощущению времени и встраивание себя в современный звуковой мир. А далее — 60-е: волна запретов, неоправдавшиеся надежды. В преамбуле к своим захватывающе-увлекательным новеллам «о времени и о себе»[1], композитор пишет: «При чтении моих новелл может создаться впечатление, что я один находился в том исключительном положении, которое описываю. В том же положении находились и мои дорогие товарищи — С. Губайдулина, А. Пярт, А. Шнитке, В. Сильвестров»[2].

Каретников действительно во многом разделил общую судьбу, но пережил ее не столько вместе со всеми, но — прежде всего — наедине с самим собой. И вписал свою, особую страницу в ее историю. Одним из первых заявивший о своей приверженности додекафонной технике композиции — этой альфе и омеге современной музыки, он, как это не парадоксально, выпадает из известной когорты творцов новой музыки, да и из поколения 60-х. Он будто оказался «чужим среди своих». По сей день Каретников остается фигурой практически неизвестной, даже загадочной. «Драма непризнанного мастера» — так определил положение Каретникова в современном искусстве крупный исследователь музыки М. Тараканов.

Многообещающее начало. Успех, который приходится на долю немногих, тем более молодых композиторов: известные постановки на сцене Большого театра первых балетов — «Ванины Ванини» и «Геологов». А затем — годы молчания. «В 1961 году, — вспоминает композитор, — после постановки Большим театром «Ванины Ванини», который был оценен как злобная вражеская вылазка из-за того, что при сочинении его я пользовался средствами додекафонии, вокруг меня на долгие годы замкнулся заговор молчания... Какое-то время я держался, надеялся, еще не оценивая серьезность ситуации, в которой оказался. Тратил нервы, пытался пробить стену всеобщего умолчания... К началу 65-го последние надежды рассеялись. Отчаяние стало полным»[3]. Годы сложились в десятилетия: 60-е, 70-е, первая половина 80-х. Почти тридцать лет — целая творческая жизнь, прошедшая мимо своих современников и сопровождавшаяся резкими негативными выпадами со стороны «власть предержащих». «Антисоветский балет», «эта музыка кошмарна», «музыка для сумасшедших» — постоянно неслось ему вслед.

Эпизодические исполнения отдельных произведений композитора не создали вокруг его имени ту ауру восхищения, которая возникала на концертах известных мастеров. Сочинения Каретникова, в основном камерного плана, включались в концерты, как правило, малопримечательные, приходили к слушателям-зрителям с большим опозданием, а порой и в искаженном облике. Так в виде балета для детей под названием «Волшебный камзол» состоялась премьера третьего балета композитора «Крошка Цахес» на сцене Большого театра. Из сферы гротескно-сатирической в лирико-комическую, от постановки философских проблем к легкой «игре в театр», рассчитанной на детскую аудиторию, — не слишком ли резкая модуляция, искажающая замысел композитора? Лишь спустя более двадцати лет с момента сочинения была исполнена Четвертая симфония — одно из значительных произведений Каретникова, у которого, как заметил исследователь, «есть шансы войти в золотой фонд творений русского искусства XX века, <...> став звучащим документом времени неоправдавшихся надежд, незавершенных начинаний»[4]. Прозвучавшая в 1985 году в серии концертов Геннадия Рождественского памяти Шостаковича, она была воспринята, однако, скорее как постфактум, как уже давно прошедшее, нежели как событие нашего настоящего, как открытие мира музыки большого мастера современности.

Десятилетия забвения во многом предопределили и судьбу фундаментальных творений Каретникова — оперы «Тиль» и «Мистерии апостола Павла». Лишь в 1993 году после ряда неудавшихся попыток постановки «Тиля» на сценах Большого и Мариинского театров, нереализованной идеи создания телеверсии (ее предполагал осуществить А. Эфрос) премьера оперы прошла в Германии на сцене городского театра Билефельда. Что же касается «Мистерии апостола Павла», ее концертное исполнение состоялось уже после смерти композитора. В 1995 году в рамках фестиваля Sacro Art в Локкуме она прозвучала в интепретации В. Гергиева. Разнообразные идеи ее театральной постановки до сих пор не получили своего воплощения.

Музыкально-театральная дилогия пополнила список неизданных рукописей Каретникова. Сюда же попали духовные песнопения, значительные инструментальные опусы (Концерт для духовых, Концерт для струнных, Квинтет). Неизданы, непоставлены, неизвестны — словно речь идет о забытом мастере далекой эпохи! Предвижу возражения: негласный запрет, воинствующие выпады были направлены и против других композиторов-шестидесятников. Однако в отличие от сочинений Шнитке, Денисова, Губайдулиной, звучавших на ежегодных фестивалях нового искусства в Варшаве и благодаря этому вошедших в арсенал современности, и здесь музыка Каретникова также оказалась невостребованной. Приведу одно из высказываний самого композитора: «Начиная с 65-го года по рекомендации ныне покойного Луиджи Ноно, ко мне начали приходить письма из всяческих европейских стран с просьбами о присылке рукописей моих сочинений. Случилось так, что в концертный сезон 1968/69 года в нескольких городах Европы должны были состояться шесть или семь моих премьер, считая постановку балета «Крошка Цахес» на пражском телевидении... Через две недели после вторжения наших войск в Прагу ко мне, без единого сопроводительного слова, начали возвращаться мои партитуры...»[5].

В чем же кроется причина отчуждения Каретникова и от широкой слушательско-зрительской аудитории, и от профессиональной среды? В том ли, что основной сферой его деятельности после наложенного табу на исполнение его произведений становится прикладная музыка? Не случайно у одних из нас его имя связывается с музыкальным оформлением драматических спектаклей, у других — ассоциируется с киномузыкой[6]. Или все дело в художнической самодостаточности, в сотворении им своего мира в тиши кабинета? Но возможно и другое: не сыграл ли с ним роковую шутку серийный метод музыкального письма, воспринятый Каретниковым в отличие от композиторов-современников в классически-ортодоксальном варианте и тем самым определившем весьма сдержанное, настороженное отношение к его творчеству поборников новых техник композиции?

«Я выбираю свободу — быть просто самим собой». Эти слова Галича, человека, близкого Каретникову, особенно в середине 60-х годов[7], могли бы стать девизом всей деятельности композитора. Как нельзя более точно они выражают его отношение к жизни, к искусству, к собственному творчеству.

Когда вслушиваешься в музыку Каретникова, то возникает ощущение, что от десятилетия к десятилетию он пишет одно сочинение. Даже не сочинение — труд, который становится Делом всей жизни. Весьма примечателен следующий факт его биографии: длительная, растянувшаяся на долгие годы работа над «Тилем» и «Мистерией апостола Павла». Что мешало ему: постоянные переключения в сферу прикладной музыки, необходимость зарабатывания денег? Или что-то еще? То, что скрывалось глубоко в душе, не давало покоя и наконец выплеснулось наружу, излилось мощным потоком духовной энергии. Параллельно развивающиеся линии творчества композитора — симфоническая, камерная, музыка к спектаклям и кинофильмам — неожиданно скручиваются в тугой узел музыкально-театральной дилогии, которую сам Каретников расценивает как «два сообщающихся сосуда». Разделенные во времени полутора тысячами лет, события раннехристианской истории и средневековой легенды объединяются в сознании современного художника мыслью о несовершенстве человеческого мира, основанного на фатальной взаимозависимости добра и зла. «Когда человек начинает совершать исторические поступки, — замечает Каретников, — они совершаются одними конкретными людьми над другими конкретными людьми. При этом самые светлые идеи могут превращаться в свою противоположность... Пять музыкальных фрагментов, пять хоров перешли почти донотно из одного сочинения в другое: в «Мистерии» они идут на текст Ветхого Завета, а в опере они поются на слова католического реквиема, хоры ранних христиан превратились в хоры инквизиции». И далее подчеркивает: «Из этого следует соответствующий исторический вывод»[8]. Размышляя об амбивалентной природе сущностного, неоднозначности исторических сдвигов, Каретников пытается утвердить присутствие в мире некоей трансцендентной силы. Человеку, пришедшему через испытания к Вере, она дарует бессмертие. Надежда на Воскресение звучит в финале «Тиля», где средневековая секвенция Dies irae перекрывается танцем героя — символом бесконечности витальных сил. Возможные очертания нового мира гипотетически запечатлеваются в заключение «Мистерии апостола Павла» — в хоре ангелов, в магическом вращении Аллилуйи. Точно струящийся поток подхватывает и возносит человека в мир иной.

Идеей Преображения одухотворяется «Мистерия». Предупреждения и пророчества Павла (»День греха», «Бог есть Любовь» — в «Оргии во дворце Нерона», «Братья, мы веруем, что Христос умер и воскрес» — в «Проповеди»), его молитва, обращенная к Богу «Вера, Надежда, Любовь» (»Павел один»), его речь в суде — поединок силы и страха, твердого убеждения

«Одна есть мера — Вера!», усиливаемые откликами хора, напоминают символические ступени лестницы, ведущей к свету.

Христианские ценности утверждаются композитором как ценности универсальные. Убежденный в том, что «вся великая музыка написана в диалоге с Богом», Каретников вспоминает: «К Господу я пришел благодаря Баху <...> В 24 года, когда вновь раскрыл Евангелие, чтобы слушать Баха, мне стало ясно, что его музыка соответствует не слову, а Духу слова, <...> передает универсальные сведения о Духе и Вселенной»[9]. В 1965 году, когда, по словам композитора, он полностью осознал, что все пути для него закрыты и рассчитывать более не на что, произошла знаменательная встреча — с Александром Менем. Он, как подчеркивает сам композитор, укрепил его веру, стал духовным наставником. Он же благословил на создание «Мистерии».

«Мистерия апостола Павла» венчает путь композитора, объединяя в одно целое разные перспективы его творческого мира: реквиемные образы Третьей и Четвертой симфоний, гротеск «Крошки Цахеса», светоносные мотивы Ноктюрна из Фортепианного квинтета и третьей части Струнного квартета. Каретников словно пишет Мистерию о времени конца и начала, о времени эпохи Апокалипсиса. Мир разваливается. Время раздроблено. Картина распада, полная безысходности, вызывает яростное сопротивление. Тема «последнего дня» — главенствующая в «Мистерии апостола Павла». Страшные картины разрушения мироздания следуют одна за другой : Триумф Нерона, Оргия, Суд над Павлом. Живые факелы составляют цепь непрерывных видений, рисующих борьбу Света и Тьмы. Пожар Рима образует центр композиции, ее кульминацию-катастрофу. Пожар напоминает величественную фреску, на которой запечатлевается самый мрачный фрагмент Апокалипсиса — гибель человеческого рода. Музыка порождает зримые картины ужаса, страха, трепета и бесконечной боли.

Не сразу Каретников пришел к определению точки отсчета для создания звукообразов «Мистерии». «Чтобы задача мне самому стала понятна, я расшифровал ее примерно так: перед «Распятием» Грюневальда, который изображал страшное, разлагающееся на кресте тело, или перед «Христом во гробе» Гольбейна невозможно молиться — труп изображен слишком реально; перед распятиями, изображенными на русских, особенно новгородских иконах, молитва начинается как бы сама собой — икона лишь знак распятия, она не показывает всей жестокости реальности. Для написания музыки предстояло сделать выбор между двумя этими крайностями»[10]. Дилемма разрешилась неожиданно — предрассветным чудесным видением человека в терновом венце и с крупными каплями пота и крови на лбу. Его предплечия, как вспоминает Каретников, были привязаны к кресту, находящемуся за спиной. «Тихим глубоким голосом Он сказал: все было не так, как ты думаешь. Было очень страшно и очень больно...»[11]. Боль явственно ощущается в истовых молениях христиан и суровом пафосе размышлений

Павла. Драма воплощается в самом звучании, исполненном обнаженной патетики, — в высочайшем экспрессивном накале сплошного серийного развертывания, захватывающем почти все музыкальное пространство, и неожиданном прорыве додекафонных ограждений низвергающимися водопадами слез и стенаний гибнущих в пожаре людей.

Грозное пророчество, обернувшееся явью, вселяет в человека, однако, не только безмерный ужас. Оно заключает и последнее предупреждение, и дарует еще одну возможность прозрения истинности своего предназначения. В проповеди Павла, следующей в «Мистерии» сразу за вселенской катастрофой, ключ к открытию «нового неба и новой земли: жаждущий пусть приходит, и желающий пусть берет воду жизни даром». Опуская «вертикаль вечности» на «горизонталь жизни», композитор как бы намекает на невидимые, тайные планы человеческого бытия.

На грани двух миров, в близости небытия, в предсказаниях и пророчествах проходит путь Тиля — главного героя одноименной оперы Каретникова. События разворачиваются будто на площадке средневекового театра, уподобленного мирозданию со своим адом, раем, чистилищем. Ритуальна избираемая тематика — преступление, предательство, героическая борьба, падение невинных, искупление, посланное провидением. Как церемония мессы изображаются в опере сцены казней. Католические песнопения последовательно сменяют друг друга: Requiem, Dies irae, Juste judex, Et incarnatus. В духе некоего священнодействия трактуется композитором бой гезов с испанцами: здесь прославление подвига и героическое самопожертвование, пафос борьбы и апофеоз победы.

Ритуальная павана сопровождает сцену заговора. Она становится символом мирового закона. Музыка словно намекает на суетность заговорщиков: все ничтожно и мелко перед лицом вечности. Мистериальной таинственностью окружен финал первого акта — явление Богоматери, Христа, Сатаны. Подобно «моменту в вечности» оно напоминает о божественном происхождении человека и отмечает поворотный пункт пути Тиля. Его возвращение к дому, родному очагу, «земле отцов». Точно в венок сплетаются напевы на текст Agnus Dei, ассоциирующиеся с магическими заклинаниями. На сцене — Матерь Божья, вечная утешительница человека, Христос, его наставляющий: «Земля в крови и слезах, именем моим казнят и пытают. Земля забыла о добре и радости, о справедливости и веселье — она ждет тебя!» В разгорающемся сиянии красок над героем возносится Аллилуйя — мир входящему!

Герой Каретникова — вечный странник. Он размышляет о трагической предопределенности происходящего и остро ощущает свое отчуждение. Но при этом он не склонен к восприятию жизни как вечного распятия. Он полон мощной витальной силы и бесконечно озарен любовью — таким видит его композитор. Таким он запечатлевается в опере: немного шут и немного философ, герой рефлексирующий и действующий[12]. Песня и марш становятся его спутниками. Готовность к бытию — его завет и его пароль. Но тихий, порой меланхолически-печальный, порой поддразнивающий голос флейты — напоминает о его лирическом двойнике. Любовь, подвиг, честь, доблесть — все еще согревают душу неистребимого романтика. Повышенная энергетика произнесения-воссоздания этих слов-образов характерна для Каретникова. Он возвращает глубину, существенность затасканным, тривиальным истинам. В общем музыкально-драматическом контексте оперы они приобретают высокое значение.

Мистериальные идеи питают не только дилогию композитора. Все творчество мастера можно уподобить масштабному мистериальному действу, на площадке которого разыгрывается битва за человека. В картине каретниковского мира есть свои бездны, резко обнажаемые в дьявольском танго Нерона — современной «пляске смерти»; в мрачном хорале, точно гласе Ада, в финале Струнного квартета, и свои выси, открывающиеся в катарсических финалах духовных песнопений.

Таковы заключительные разделы цикла Восьми духовных песнопений — «Хвалите имя Господне» и «Отче наш», словно окрашенные светом надежды. Интонация кротости, смирения определяет атмосферу финального хора «Из речений Христовых», завершающего цикл Шести духовных песнопений. И есть в мире современного мастера человек, страдающий, смятенный, но не сломленный. С вопросом, будто обращенным к небесам, останавливается на распутье герой Четвертой симфонии Каретникова. Он осознает неотвратимость конца, но все же не теряет последнего — надежды. Симфония погружает слушателя в мир трагических размышлений, порождаемых судьбой человека в мире, лишенном нравственного основания.

Четвертая симфония отчетливо выявила ситуацию порога — момент осмысления пройденного и найденного и определения дальнейшего. Она обозначила первую вершину, оттолкнувшись от которой композитор начал восхождение к новой, определяемой созданием дилогии. Трудное, мучительное восхождение к Истине, к обретению утраченной Веры. Символична встреча Четвертой симфонии и «Мистерии апостола Павла» — сначала в 60-е годы, а затем в 80-е. Эта встреча во времени обозначила неотвратимое пересечение линий творчества мастера и запечатлела движение композиторской мысли. Оно может быть выражено классической музыкальной формулой «вопрос–ответ». Но не сводимо лишь к ней.

Ответ растянулся на десятилетия и отразил процесс поиска и нахождения нравственных, духовных, всечеловеческих опор, которые могли бы укрепить мир. Ответ художника слышится в мощных патетически-приподнятых провозглашениях оркестра и его пронзительных, по-современному остро диссонантных высказываниях — своего рода монологах от автора. В проповеднических обращениях органа, мощных туттийных возгласах и тихих, по-молитвенному просветленных импровизациях соло. В одиноком голосе кларнета, в скорбном напеве флейты, ламентациях и размышлениях струнных, ассоциирующихся с трепетным движением человеческой души. Музыка Каретникова словно воплощает образ страдающего человечества и заключает в себе силу противостояния разрушению и хаосу. Чрезвычайно существенной для композитора оказывается мысль о трагическом несовпадении сущего и наличного, прозреваемых высоких помыслов и катастрофических последствий. И не случайно одной из определяющих в системе эстетических координат мистериального мира композитора становится известная музыкальная эмблема — знак распятия — символ крестного пути.

«Созвучие несозвучного» становится характерной приметой музыки Каретникова. Не предопределяется ли заведомая эклектика творческой манеры композитора отчаянной попыткой современного художника, подхватив «века связующую нить», удержать распадающийся мир? Кредо Каретникова — додекафония. Уже в начале 90-х годов, отвечая на вопрос, почему для «Мистерии» была выбрана серийная додекафония, выделил два момента: «Во-первых, это наиболее экспрессивная техника из тех, которые я могу выбрать лично для себя.... Во-вторых, она полностью позволяет сохранить классический принцип построения композиции. Это очень для меня важно, потому что я никогда не считал себя модернистом»[13]. В то время как многие его современники связывали экспрессивность додекафонной техники с воплощением мира одинокой человеческой души, ее разлад с действительностью и уход в себя, Каретников, наоборот, подчеркивал ее широчайшие возможности отражения разнообразного спектра чувств, эмоциональных состояний. Такова его Маленькая ночная серенада — «неоклассицистский» опус конца 60-х годов, не лишенный ностальгических настроений. Связь времен — вот что осуществлял композитор, используя серийный метод письма. Он привлекал его как момент внесения в современную музыкальную композицию организующего начала, воспринимал как «скрепу», соединяющую звенья культуры, как один из атомов музыкального сознания, сопрягаемого в мире его музыки со множеством других. Как формулу бытия, наполняемую глубоким всечеловеческим содержанием.

«Именно знание „новой“ композиторской школы дает совершенно иное понимание „старой музыки“», — писал Каретников[14]. Как это ни покажется странно, радикальный поворот к новому типу музыкально-исторического мышления, его познание и признание означало для композитора прежде всего открытое, свободное вхождение в большой мир человеческой культуры, где настоящее, если вспомнить слова Р. Шумана, есть «медианта в трезвучии времен». Оно началось рано — с увлечения античной литературой, с общения с А. Габричевским. «Эпоха Габричевского» — так определяет десятилетие своей жизни с середины 50-х до середины 60-х годов сам композитор. Мысль Габрического о том, что история человечества есть прежде всего история культуры, Каретников не только разделял, но и подтверждал своим творчеством.

Встречи в пути. Их было немного, что само по себе удивительно: Каретников — человек общительный, страстный, обаятельный, интересный как личность мог бы иметь широкий круг друзей.

Александр Габричевский, Александр Мень, Александр Галич. Они напоминали Каретникову «удивительных русских интеллигентов, которые генерировали в начале столетия и относились к так называемому «русскому Серебряному веку»[15]. Но не только высокая одаренность, эрудиция этих людей привлекала композитора — «они любили жизнь и получали радость от всех ее проявлений». Не это ли помогло Каретникову выстоять, состояться как личности, человеческой, творческой? Ощутить свою принадлежность к миру Большой культуры.

Глубокую историческую преемственность видит Каретников в таком уникальном явлении, как Венская школа, объединяя в этом понятии традиции европейской культуры XIX–XX веков: «Это некая поразительная эстафета, которая предваряется опытом Баха (у которого взято все основное): Гайдн, Моцарт, Бетховен, Шуман, Брамс, Вагнер, Малер, Шенберг, Берг, Веберн. Ее можно представить себе как некоего гениального долгожителя, который родился под фамилией Гайдн, а умер под фамилией Шенберг, как некое восхождение, непрерывную единую линию, единый пласт сознания»[16]. Современный композитор считает, что обязан быть хотя бы промежуточным звеном между культурой ушедшей и той, что может народиться. Более важным для него оказывается не полемически заостряемый диалог старого и нового, столь существенный для современного музыкального искусства, а, прежде всего, — обнаружение старого в новом, равно как и нового в старом. И не случайно опорами его мироздания становятся сфера баховской образности, подобная, по выражению композитора, «огромному энергетическому океану» и духовные песнопения.

Жанр духовных песнопений проходит через все творчество Каретникова: от темы хора «Когда в глазах померкнет свет» из оратории «Юлиус Фучик» — дипломной работы композитора — к четырем песнопениям, сочиненным для фильма «Бег», к песнопениям, выполненным для церковного обихода, и далее к песнопениям первохристиан в «Мистерии апостола Павла» и их чудовищной смысловой метаморфозе в «Тиле». Два цикла духовных песнопений, появившиеся вслед за дилогией, воспринимаются как резюме исканий мастера. Канонические молитвенные распевы, связанные с христианским богослужением, с Литургией и Всенощной, относящиеся к монашескому обряду и обряду погребальному, проецируются Каретниковым на круг человеческой жизни, наполняются лирическим содержанием и выражают его собственное, глубоко интимное общение с Богом. «Великое славословие», пронизанное мольбой о прощении за грехи, об избавлении от всяческих скорбей, мотивами раскаяния и благодарения о спасении, обретает в сочинении композитора характер «частно-человеческий».

Сегодня, когда мистериальное ощущение эпохи в сочинениях композиторов 80–90-х годов начинает проявляться особенно отчетливо, когда включение духовных мотивов становится опознавательным знаком уходящей эпохи, сотворяемый Каретниковым на протяжении многих десятилетий мир становится по-особому притягательным. Пронизанный отголосками мистической борьбы Света и Тьмы, он привлекает не грандиозностью и космичностью, но, прежде всего, глубокой человечностью. У каждого — своя Голгофа, свой путь, и каждый достоин сострадания.

Кто же Каретников? Новатор, устремленный к новым берегам или традиционалист? Правомерна ли вообще подобная постановка вопроса? Прежде всего он — современный композитор. Вслед за своим великим предшественником Игорем Стравинским Каретников мог бы сказать, что жизнь его прошла con tempo. Вместе со временем, но не первой половины века, а второй, когда грозные пророчества обернулись явью, когда прогнозы начала столетия получили в его конце свое неутешительное подтверждение. Прожит век — земной, человеческий. Век исторический XX. Последний век второго тысячелетия христианской веры. Музыка Каретникова обнаруживает критический момент несовпадения идеальных мечтаний и реального воплощения и напоминает о Большом времени — особом духовном измерении человеческого бытия. И не случайно в его духовных песнопениях, пронизанных светом утешения, звучит надежда на спасение в Вере и Любви.

Идея Веры, согретой теплом человеческого чувства, — одна из важнейших в логике движения художнической мысли Каретникова. В утверждении нравственных принципов он видит духовное разрешение коллизий века, своего времени, собственной судьбы. Готовность к бытию определяет направленность жизнетворческой деятельности большого мастера современности.

Примечания

[1] *Каретников Н.* Готовность к бытию. М., 1994.

[2] Там же. С. 5

[3] Там же. С. 77, 142

[4] *Тараканов М.* Драма непризнанного мастера. О творчестве Николая Каретникова // Музыка из бывшего СССР. М., 1994. С. 112.

[5] *Каретников Н.* Готовность к бытию. С. 115.

[6] «Забыли композитора — есть кинокомпозитор», — с горечью констатировал Каретников. Однако и фильмы с его участием приходили к современникам с опозданием. Два де-

сятилетия пролежал на полке «Скверный анекдот». До сих пор преданы забвению «Первороссияне».

[7] Знакомство состоялось еще в 1947 году, но «по-настоящему, — вспоминает Каретников, — мы с Сашей встретились в 65-м, когда возрастная разница (в одиннадцать лет) уже не играла роли. Сразу возникло очень большое взаимное благорасположение» // Указ. соч. С. 127.

[8] *Каретников Н.* Указ. соч. С. 157.

[9] Там же. С. 141, 157.

[10] Там же. С. 137.

[11] Там же.

[12] Примечательная параллель: образ уезжающего Галича, запомнившийся Каретникову. «По летному полю шагал — я это отчетливо вижу — человек необычайной красоты. Шел Актер и Шут. Шут, говоривший правду королям! Он был возбужден и прекрасен — самый красивый Галич!» // Там же. С. 127.

[13] *Каретников Н.* Мистерия апостола Павла // Музыкальная академия. 1994. № 5. С. 11.

[14] *Каретников Н.* Готовность к бытию. С. 66.

[15] Там же. С. 128.

[16] Там же. С. 159.

раздел 3

Юрий Рыбаков

Георгий Товстоногов. Рождение художника

— Какого масштаба человек Товстоногов? — Вопрос артиста Сергея Юрского и его ответ: самая крупная, самая авторитетная фигура.

В день смерти — 23 мая 1989 года — Георгий Александрович Товстоногов, закончив прогон спектакля «Визит старой дамы» Дюрренматта, после долгого перерыва, вызванного болезнью, сам сел за руль своего любимого «мерседеса» и поехал с Фонтанки на Петровскую набережную, домой. Его верная помощница Ирина Шамборевич настояла на том, чтобы рядом сел профессиональный шофер. Что-то предчувствуя, она направила вдогонку администратора театра. Предосторожности не помогли. У светофора на Марсовом поле машина остановилась — остановилось сердце великого режиссера. Похороны состоялись 26 мая на кладбище Александро-Невской лавры.

Товстоногов машины любил всю жизнь. Теперь кажется, что завершить свой жизненный срок он мог только на сцене или в машине. Любовь к машинам, конечно, лишь штрих характера, но очень показательный, к лицу ему: ощущение скорости и независимости, а главное — причастность к современной цивилизации. Он ощущал себя, если не человеком мира, то человеком Европы, ее культуры, ее искусства.

С его смертью закончилась целая историческая эпоха, в которой люди искусства то поднимались к высочайшим творческим вершинам, то шли на тяжкие компромиссы с властью. Мучительная душевная раздвоенность мало кого миновала из крупных художников. Не миновала она и Товстоногова. Но он и его единомышленники — режиссеры, драматурги, критики — в чрезвычайно неблагоприятных, подчас попросту враждебных обстоятельствах, когда властям всюду мерещилось инакомыслие, добивались художественных результатов мирового уровня и сохранили достоинство театрального искусства. История отвела Товстоногову это, а не иное время. Он не избежал и не мог избежать его влияния. Он чурался политики сознательно, борьбы не искал, хотя изредка подписывал письма в защиту гонимых.

В партии не состоял, но честно ставил спектакли к юбилейным датам. Его отношение к советской истории было сложным, менялось со временем. Он понимал, что в так называемых «историко-революционных» пьесах она фальсифицирована, но знал, что вера в идеи равенства и братства у многих деятелей революции была искренней.

Циником он не был, точно знал, что цинизм убивает творчество на корню. Он твердо знал, что опыт предшественников плодотворен и высоко чтил учение К. С. Станиславского и Вл. И. Немировича-Данченко, понимал величие Вс. Э. Мейерхольда, уважал своих непосредственных учителей — А. М. Лобанова и А. Д. Попова, и помнил, что первые театральные восторги он получил на спектаклях Котэ Марджанишвили и Сандро Ахметели.

Товстоногов обладал чувством истории искренне, а не декларативно. Воспитанное чувство историзма, равно как и серьезные познания в истории, литературе, музыке, архитектуре, изобразительном искусстве, питали его творчество. Его режиссерское новаторство облекалось в традиционные формы реалистического театра, но при этом он чутко улавливал плодотворные идеи иных театральных систем и использовал их по мере художественной надобности.

Он свободно чувствовал себя в пространстве мирового театра, и сам обогатил это пространство.

«Успех в театре, — заметил С. Юрский, говоря о Товстоногове, — это доказательство правды»[1]. Успех его спектакли имели почти всегда, а его театры — ленинградские театры им. Ленинского комсомола и Большой драматический — знали счастье непрерывного успеха, пока он стоял во главе их. Он обладал невероятно обостренным чувством зала, духовных запросов и потребностей зрителей. Неколебимо верил в истины психологического театра и знал, что главное в сценическом искусстве — человек, характер человека, противостояние людских намерений. Он воспитал поколения артистов, режиссеров, художников, воздействовал на стиль драматургов; уровень его спектаклей подтягивал критику.

Опыт его педагогической работы привел к созданию своеобразной системы преподавания режиссуры и актерского мастерства, которая дает право говорить о «школе Товстоногова».

В Большом драматическом он собрал и воспитал труппу артистов неслыханной в наши дни популярности, создал единый по духу и стилю ансамбль исполнителей, в котором никто не растерял ни грана своей артистической индивидуальности. Противоречие между нею и требованиями ансамбля, проклятием висевшее над сценическим искусством со дня возникновения МХАТа, Товстоногов в Большом драматическом снял. Критики говорили о режиссерской миссии Товстоногова и видели ее в том, что он непринужденно связывал коренные традиции русского искусства с новейшими течениями современного театра.

К. Рудницкий, внимательный зритель спектаклей Товстоногова, писал, что в его искусстве «синтезируются театральные идеи Станиславского, с одной стороны, Мейерхольда — с другой. Товстоногов прививает к мощному стволу реалистической образности в духе Немировича-Данченко изысканность таировского рисунка, или вахтанговскую праздничность, или брехтовское «остранение», умеет солидную академическую приверженность традиции в меру приправить перцем новаторства»[2].

Феноменальный успех Большого драматического, который в течение десятилетий не знал непроданных билетов, объясним еще и этим структурным, жанровым, стилистическим разноцветием его спектаклей.

Почти сорок лет его искусство, его спектакли и его суждения по теоретическим вопросам — а он был одним из самых «пишущих» режиссеров — служили творческими ориентирами для сценического искусства всего тогдашнего Союза ССР. Как теоретик, Товстоногов в острых дискуссиях отстоял достоинство театра психологического реализма, защитил режиссерские позиции, которые во главу угла ставят литературу, пьесу — источник режиссерского замысла и постановочных приемов.

Товстоногов оказал духовное влияние на огромное число людей не только своими спектаклями, но и своей личностью. Можно найти сотни свидетельств признательности ему от актеров, режиссеров, зрителей за приобщение к настоящему искусству, к манящим тайнам творчества. 4 мая 1986 года выдающийся искусствовед А. Д. Чегодаев писал Товстоногову (они познакомились в поездке по Америке, когда им было уже немало лет), что был знаком со многими выдающимися людьми, но «если бы меня спросили, кто из таких людей оказал самое глубокое, решающее, могущественное влияние на мой духовный мир, на всю систему моих идейных, моральных, эстетических принципов — я, не задумываясь, назвал бы пять имен — Борис Пастернак, Владимир Фаворский, Мария Бабанова, Федерико Феллини — и Вы»[3].

Художника формирует данный от Бога талант и его собственная духовная биография; скрытый от людей, но явственный в спектаклях, процесс внутреннего накопления знаний, раздумий, сомнений, прозрений. Какой духовный путь привел Товстоногова к его великим созданиям — «Идиоту», «Варварам», «Пяти вечерам», «Горю от ума», «Трем сестрам», «Мещанам», «Ревизору», «Трем мешкам сорной пшеницы», «Истории лошади»? С чего начиналась его творческая жизнь?

Мальчик, которого нарекли Георгием, а близкие всю жизнь на грузинский лад звали Гоги, родился 28 сентября 1913 года[4] в Петрограде, в семье железнодорожного инженера Александра Андреевича и его жены Тамары Григорьевны Товстоноговых. После Октябрьской революции семья перебралась в Тифлис. В анкетах в графе национальность писал — русский, но тут же неизменно указывал — мать грузинка. На вопрос советской анкеты о социальном происхождении отвечал — из дворян. В семье никто театром не увлекался, отец не поддерживал желание сына професионально посвятить себя сцене, и по его настоянию юный Товстоногов поступил в Тбилисский институт инженеров железнодорожного транспорта, в котором, однако, проучился всего один год. Театральная судьба его была предопределена изначально.

Как режиссера Товстоногова породил Тбилисский ТЮЗ, во главе которого в годы театральной юности Товстоногова стоял талантливый режиссер Н. Я. Маршак. Известный сценарист Анатолий Гребнев, сам уроженец Тбилиси, вспоминает, что «все поколение наше прошло через ТЮЗ, было в поле его притяжения. Я мог бы назвать М. Хуциева, Л. Кулиджанова, Б. Окуджаву...»[5].

Художественная жизнь Тбилиси начала 30-х годов была напряженной, красочной, драматичной. Наряду с ТЮЗом, в городе были прекрасные грузинские театры, теперь — им. К. Марджанишвили и им. Ш. Руставели. Яростно спорили о путях искусства Марджанов и Ахметели, Паоло Яшвили и Тициан Табидзе. Из этого «детства» вышли и С. Параджанов, и О. Такташвили, и Товстоногов. В те годы закладывалась «грузинская составляющая» художественной культуры режиссера.

Увлечение театром началось еще в школе, где был драмкружок. Судя по тому, что к спектаклям выпускались печатные программки, дело было поставлено солидно. Первый школьный спектакль с его участием был сыгран в ноябре 1930 года — первый выход будущего режиссера на сцену. В школьном театре он был не последним человеком, его имя находим в числе членов Совета драмкружка.

В школе он учился хорошо, и школа была хорошей, «немецкой», как бы сказали теперь. Отсюда — от школы его отличное знание немецкого языка и очень приличный французский, что стало потом предметом гордости его артистов. «Как мы гордились своим худруком и даже, если хотите, страной, — вспоминает его актриса Зинаида Шарко, — когда «наш» при встрече говорил с Жан Поль Сартром на чисто французском языке, с Генрихом Беллем — на чисто немецком»[6].

По-русски Товстоногов с детства писал очень грамотно. В его школьных сочинениях — ни одной грамматической ошибки. Кроме того, как на родном языке, говорил на грузинском. Он нежно любил город своей юности. Однажды на шутливый вопрос: «Как вам нравится город Тбилиси?» — ответил серьезно и даже с некоторой патетикой: «Я не могу восхищаться городом Тбилиси как иностранец. Это мой город. Это все равно что спросить, нравятся ли вам ваши родители, ваш брат, ваша сестра. Это не может нравиться или не нравиться. Это — мое». «Грузия» отзовется в его искусстве комедийным блеском и тонкой лирикой его спектаклей. Старинный грузинский водевиль «Ханума» А. Цагарели он поставит, как нежное воспоминание о городе юности и сам своим чуть гортанным голосом прочитает в спектакле стихи Орбелиани. Он очень любил грузинскую поэзию, особенно Н. Бараташвили. Его стихотворение «Синий цвет» в переводе Б. Пастернака часто читал публично.

С детства Товстоногов органично впитывает две мощные художественные культуры — грузинскую и русскую. Как бы он отнесся к тому, что его родина, Грузия, теперь другое государство, заграница? Наверное, порадовался бы тому, что Грузия обрела независимость, о которой долго мечтала, и огорчился бы: как ему разделить между двумя государствами свое родословие, — мать грузинка, отец русский, как поделить культурную принадлежность, в которой российское и грузинское неделимо перемешаны.

Не будет преувеличением сказать, что к сцене юного Товстоногова потянул грузинский театр того времени. Другого он просто еще не видел, а в Грузии тогда было что посмотреть и чем навсегда увлечься.

Сама сценическая жизнь Грузии конца 20 — начала 30-х была театральна и драматична. Маститый Котэ Марджанишвили в острой борьбе обновляет грузинскую сцену, воспитывает плеяду замечательных артистов: Верико Анджапаридзе (много лет спустя в фильме Т. Абуладзе «Покаяние» она произнесет прекрасную фразу о дороге к храму. Режиссер фильма начинал учиться режиссуре у Товстоногова), Ушанги Чхеидзе, Акакий Хорава, Васо Годзиашвили... Гремят спектакли Марджанишвили — «Овечий источник», «Затмение солнца в Грузии», «Гамлет». Под его руководством растет режиссер Сандро Ахметели. По его инициативе и при поддержке Марджанишвили создается актерская корпорация, чтобы продолжить реформу грузинской сцены. Корпорацию называют по названию реки на родине Мастера — «Дуруджи». Еще один превосходный артист Акакий Васадзе публично, по ходу спектакля зачитывает манифест: «Артист пламенный, артист сумасшедший, мятежный, гордый, артист на взбыбленном коне». Поэт Паоло Яшвили громогласно поддерживает корпорацию. Скандал в зале, статьи в газетах, споры в публике. Кажется, вся Грузия или по меньшей мере весь Тбилиси живут интересами театра.

Вскоре дороги Марджанишвили и Ахметели разойдутся, бывший ученик сам станет Мастером, и прогремят его спектакли «Разлом», «Анзор», «Ламара», «Разбойники», которые войдут в историю театра и которые увидит юноша Товстоногов. Можно ли было не увлечься таким театром, с таким накалом творческих страстей!

В 1978 году дочь Ахметели прислала Товстоногову только что вышедший сборник материалов о жизни и творчестве отца. «Я чрезвычайно чту его память, — ответил Товстоногов, — и хотя по возрасту не имел счастья никогда с ним общаться, но прекрасно помню его спектакли как зритель»[7].

Товстоногов не оставил развернутых воспоминаний о своих юношеских театральных впечатлениях. Какими они могли быть, можно представить по книге Михаила Туманишвили, преданного ученика Товстоногова. «Тысяча девятьсот тридцать четвертый год, — вспоминает он. — Мне всего тринадцать лет (Товстоногову двадцать один. — *Ю. Р.*). Театр имени Руставели, «Разбойники» Шиллера, «Ин тираннос!» — так это называлось на грузинской сцене. Сила впечатления была настолько большой, что все остальное отодвинулось на второй план. <...> Мою театральную Америку открыл человек-герой моего детства — режиссер Сандро Ахметели»[8]. Под этими словами Товстоногов бы подписался.

Основы его знаний и духовной культуры закладывались со школьных лет. Читал он много и внимательно. Сохранились тетрадочки с его школьными сочинениями, разборами литературных произведений, входивших в программу старших классов. Аккуратным почерком, явно с интересом к предмету разбираются «Отцы и дети» и «Новь» Тургенева, «Вишневый сад» и «Мужики» Чехова, «Олеся» Куприна, «Преступление и наказание» Достоевского. Разборы эти отражают тогдашнее излишне социологизированные подходы к литературе, но одновременно в них достаточна ощутимо сказывается эмоциональное, личное впечатление от литературного текста. С детства тянутся театральные мечты. Всю жизнь Товстоногов мечтал поставить «Вишневый сад», но предъявлял какие-то особенные требования к исполнительнице роли Раневской, которую так и не нашел.

В тбилисский Театр юного зрителя Товстоногова приняли в 1931 году «в качестве актера и ассистента режиссера». Как Н. Я. Маршак, руководитель ТЮЗа, угадал во вчерашнем школьнике театральный талант — это чудо и тайна. Роли ему доставались сплошь характерные — на «героя» не тянул и в будущем актерских амбиций не имел, но режиссерски, как отмечают все без исключения его актеры, показывал замечательно.

Маршак и К. Я. Шах-Азизов, тогда директор Тбилисского ТЮЗа, ставший на всю жизнь добрым гением Товстоногова, разглядели в юноше именно режиссерский дар и направили его на ученье в Москву в театральный институт на режиссерский факультет. Случилось это в 1933 году.

В Москве, в институте открывался удивительный театральный мир. Небольшой, но реальный сценический опыт, обретенный в Тбилисском ТЮЗе, подвергался проверке и пересмотру. Товстоногов встречается со Станиславским и Мейерхольдом, жадно смотрит спектакли московских театров; в год окончания института — 1938-й — вспоминает их и составляет очень внушительный список.

Начавшийся в школьном драмкружке процесс формирования художника-профессионала вступил в решающую фазу. Восхищают педагоги по режиссуре — А. М. Лобанов и А. Д. Попов. Последнего глубоко уважал, а Лобанова боготворил, называл «режиссером из будущего». И написал о нем слова, которые поразительным образом сегодня можно отнести к самому Товстоногову: «Он принадлежит к тем фигурам в истории искусства, значение которых все возрастает по мере того, как время их уходит в прошлое. Таких в нашем искусстве немного. Их работа и судьба освещены отблеском событий, наложивших свой отпечаток на эпоху. Драматическое напряжение их жизни, а оно непременно у таких людей, возникает не из повседневного соперничества или соревнования с другими направлениями в искусстве, но из драматизма самого времени»[9].

Многое в будущем искусстве Товстоногова идет от Лобанова, который «был человеком великой русской культуры. Культуры отношений к искусству, к делу, к человеку и просто культуры»[10]. Из этого постулата Товстоногов вывел и метод подхода к решению спектакля: «Я все знаю и именно поэтому свободен в своем подходе к пьесе»[11].

От Лобанова идет и товстоноговский принцип подхода к классической пьесе: «Когда я теперь ставлю классическую пьесу, то рабочая формула такова — мы ставим пьесу о прошлом, написанную сегодня»[12].

Творческая биография Товстоногова опровергает распространенную мысль о том, что режиссура — это профессия зрелого возраста. Он стал профессионалом удивительно рано и быстро, но так же быстро почувствовал, что между понятиями «профессионал» и «творец-художник» есть серьезная разница. В определенный момент он драматически ощутит эту разницу. Пока же работает, учится и ставит спектакли.

Первая полностью самостоятельная его работа — «Женитьба» Н. Гоголя. Судя по эскизу афиши, спектакль шел и под названием «Совершенно невероятное событие». На эскизе рукой Товстоногова написано — «Октябрь 1935. Первая самостоятельная режиссерская работа». Сохранилась и небольшая, в три странички, рукопись, озаглавленная «К постановке «Женитьбы» в Тифлисском ТЮЗе».

Ключ для поиска стиля спектакля он видит в подзаголовке «Совершенно невероятное событие» и находит достаточно выразительный образ: «Гоголевский Петербург похож на поверхность большого взбаламученного болота. Герои «Женитьбы» укрывались где-то на дне этого болота и тихо прозябали в своей укромной луже. И вот в жизнь этих никчемных, нелепых и смешных людей врывается вихрь «совершенно невероятного события». Герои лужи завертелись в карусели необычайного, в них проснулись самые сильные страсти»[13].

Это уже точное режиссерское видение спектакля, угадан ритм, есть чем поманить актеров, показать направление в развитии характеров. Товстоногов считает пьесу «реалистической комедией», но не согласен с традиционной точкой зрения на «Женитьбу» как на бытовую комедию; по его мнению, «гипербола, комическое несоответствие, абсурдное умозаключение, гротеск — вот особенности стиля данной комедии»[14].

Нашлась всего одна фотография спектакля: по лестнице спускается Кочкарев (играл его артист М. Смирнов), держа в правой руке цилиндр и белые перчатки. На лице его блуждает счастливая и лукавая усмешка, кок на голове взбит, на шее большой шарф, а самое главное, что, видимо, и обозначало «гротеск» и вызывало смех — у него явно увеличен нос, а левая бровь нарисована дугой вниз. Похож он больше на Хлестакова, а не на современных Кочкаревых, в которых непременно ищут чертовщину. Сейчас, конечно, можно только гадать, но если режиссер сознательно сближал Хлестакова и Кочкарева, то в этом был серьезный сценический смысл, хотя и не бесспорный.

Москва, ГИТИС дали Товстоногову профессиональные знания, обогатили эрудицию, но процесс ученья внутренне был драматичен. С болью ломались первоначальные, тюзовские театральные навыки, рушилось пристрастие к определенному — грузинскому — виду театра, к стилю, разительно непохожему на то, что видел он в студии Станиславского или на спектаклях Мейерхольда.

Зная сегодня всю творческую биографию Товстоногова, ясно видишь, что в его жизни было несколько переломных моментов; творческих и психологических, а может быть, и мировоззренческих кризисов, которые всегда были плодотворны, двигали его художественную мысль и практику. Годы ученья — первый такой переломный момент, исполненный драматического напряжения: отказ от старой театральной веры и обретение новой. Товстоногов тогда и на всю жизнь поверил в Станиславского. Позже Товстоногов скажет: «Вот уже более тридцати лет я мысленно беседую с ним, задаю бесчисленные вопросы»[15].

К концу его пребывания в ГИТИСе жизнь в стране окрасилась в трагические тона. В 1937 году семью Товстоноговых, как многие тысячи других, настигла горькая беда — безвинно арестован и вскоре расстрелян отец. Много позже в телевизионной беседе Товстоногов скажет: «У меня был репрессирован отец. Меня исключили из института как сына врага народа. Потом Сталин сказал, что дети за отцов не отвечают, меня восстановили обратно. Как сегодня я это сегодня понимаю, так и в тридцать седьмом понимал. Ничего не изменилось в оценке этих событий. Мне было все ясно тогда»[16]. Он созрел рано.

Впустить в себя то новое, что дала Москва, закрепить его в творческой душе можно было, только отрешившись от старого опыта, от впитанных с детства театральных взглядов. Эту внутреннюю перестройку своего художественного организма Товстоногов проделывает сознательно. Ставит на себе художественный опыт.

В 1934 году он пишет режиссерский план «Разбойников», в следующем — составит план «Коварства и любви». Выбор не случаен, тут просматривается явная, хотя и не объявленная полемика со знаменитым спектаклем Ахметели «Ин тираннос» («Разбойники»), премьера которого состоялась в феврале 1933 года. Молодой режиссер как будто хочет самостоятельно пройти путь романтического искусства, испробовать этот стиль, примериться к нему, а может быть, проверить универсальность той новой системы, которая ему открывается на занятиях Попова и Лобанова, в спектаклях Художественного театра.

В спектакле Ахметели видели «революционное выступление новых социальных сил против феодальной деспотии, узурпирующей права свободной личности»[17].

Товстоногов в своей разработке режиссерского плана отделяет идею пьесы от идеи своего воображаемого спектакля. В разделе «Идея произведения» Товстоногов пишет, что «Карл Моор, олицетворение молодой интеллигенции революционного бюргерства, жертва травли и клеветы. Обездоленный и нищий поднимает знамя восстания и делается главой разбойничьей банды». В разделе «Идея спектакля» он задает вопрос: «Насколько приемлема для нас эта идея индивидуалистического бунта против феодализма? Имели ли место события, описанные Шиллером, в реальной действительности? Да, имели. Отдельные восстания вспыхивали, как искры, то в одном, то в другом уголке тогдашней Германии, происходящие в форме разбойничьих налетов и бывшие явлениями нередкими. Итак, приемлема ли для нас идея автора? Нет, неприемлема. Неприемлема потому, что Шиллер заставляет Карла Моора добровольно отдаться в руки правосудия. Карл Моор до конца честен и благороден. Он идеал добродетели. Это сам Шиллер, вернее, его мечта»[18].

Мысль разделить идею пьесы и идею спектакля, противопоставить их пришла Товстоногову от Ф. Энгельса, которого он основательно проштудировал в связи с работой над экспликацией «Разбойников»[19].

Карл Моор, продолжает Товстоногов свое исследование, «один из этих вождей». Несколько странная концепция, возникновение которой объяснимо не только влиянием Энгельса, хотя его нельзя сбросить со счетов, — еще долго молодой режиссер будет находиться под влиянием школьного марксизма. Кроме того, серьезное значение имело желание противопоставить свое решение спектаклю Ахметели. И тут постановщик идет до конца. Товстоногов считает, что Карл, по Шиллеру, остается честным и благородным человеком, просто классовая сущность не позволяет ему поступать иначе. Уходя от ахметелевского решения, от «типичного романтика», «образа революционера», Товстоногов пытается найти решение, которое продиктовано его крепнувшей верой в школу Станиславского, в реалистический метод и стиль. Естественно, что и жанр спектакля он, вопреки роматизму Ахметели, определяет по-иному: «Понимая „Разбойников“ не как романтическое произведение, а как реалистическую драму, мы достигаем следующего: 1. Правильно вскрываем историческою действительность. 2. Доносим нужную и живую на сегодняшний день идею. 3. Переносим образы с романтических облаков на конкретную почву»[20].

Заключает экспликацию Товстоногов уверенностью, что поставленные им задачи выполнимы, но при этом понимает, что текст пьесы будет сопротивляться его трактовке и предусматривает сокращения, перестановки и даже хочет ввести в спектакль свой пролог и эпилог.

Пролог он видит так: «Карлова школа. Строй юнкеров. Барабанная дробь. Герцог Карл-Евгений объявляет строгий выговор слушателю „Карлшуле“ Ф. Шиллеру за написание кощунственной драмы „Разбойники“. Темно. Казарма. За свечой Шиллер. Он только что прочел своим товарищам эту трагедию. Он призывает их к борьбе. Он говорит: „Закон не породил еще ни одного великого человека, а свобода — великанов и гениев“. Гонг. Начало первого акта»[21].

Эпилог молодому режиссеру видится так: «Через сто лет. Мраморная статуя с четырьмя нимфами в городском сквере. Бюргер и его маленький сын. Сын спрашивает у отца: папа, кто этот человек? Отец отвечает: этот великий человек сказал, что счастье и добродетель всегда в борьбе, но счастье всегда побеждает»[22].

Трудно сказать, что получилось бы, будь у Товстоногова тогда возможность реализовать свой замысел. Скорее всего, пьеса начала бы сопротивляться, встала бы на дыбы, уж очень умозрителен режиссерский замысел. Сама же экспликация показывает нешуточную работу мысли, самостоятельность суждений, готовность бросить вызов и пьесе, и авторитетным режиссерам. Молодой постановщик как бы проверяет осваиваемый им реалистический метод на оселке классика романтизма.

Шиллер не сразу его отпустил. В 1935 году в школьной тетрадочке он пишет режиссерский план пьесы «Коварство и любовь».

На обложке как эпиграф: «Вновь строй тиранов воцарился, люди друг другу снова противостоят. Когда все остальные средства тщетны, решает дело обнаженный меч!»[23]

В режиссерском плане «Коварства и любви» Товстоногов подробно сравнивает два варианта пьесы и отдает предпочтение первому, то есть «Луизе Миллер», много пишет об условиях жизни Германии, вновь ссылаясь на Маркса и Энгельса, снова пытается бороться с «шиллеровщиной». «Я поставил себе задачей „шекспиризировать“ Шиллера средствами театра. Работая над „Разбойниками“, я ставил себе эту же задачу, но пошел по ложному пути»[24], — честно признается молодой режиссер.

Правильный путь он видит в следующих трех пунктах. Первая его задача — «найти такой внутренний смысл действий того или иного героя (именно внутренний), который бы заставил зрителя поверить, что данный герой только так и никак иначе действовать не может».

Вторая его задача — «спрятать тенденцию, и тем самым лучше донести ее до зрителя». И наконец, третья режиссерская задача — «избавить драму от сладкой сентиментальности, которой она не в малой степени подвержена»[25].

Режиссерские разработки совсем юного режиссера содержат много литературного анализа, против которого впоследствии Товстоногов будет предостерегать своих учеников, и очень немного собственно постановочных элементов. Это естественный этап в творческом становлении, это и поиски пути к тому, чтобы личностно выразить себя в спектакле. Шиллеровские разработки Товстоногова показывают, что соотнести себя, свой душевный опыт с непредвзятым взглядом на драматургический материал он еще не может. На него сильно давит авторитет классиков марксизма. Нужно было время и опыт, чтобы уйти в подходе к пьесе от «классового подхода». Товстоногову на это понадобился совсем небольшой срок.

В архиве Товстоногова в Большом драматическом театре лежит потертая папочка с записями, относящимися к студенческой поре. Товстоногов выписывает на память цитаты — «Играя Эрика XIV, ищи, где он XVI-й. Вахтангов»; «Не играйте мысль — мыслите, не играйте жизнь — живите. Станиславский»; «Гаррик в роли Яго ел виноград. Морозов». Записана притча: «Англичанин приучает селедку к жизни на суше. Вынимает ее из воды на короткий срок, постепенно его увеличивая. Через какой-то промежуток времени сельдь дышит на воздухе в течение получаса. Однажды, гуляя с сельдью по городу, англичанин, переходя мост, уронил ее в воду. Сельдь утонула».

Не видел ли молодой режиссер в участи селедки свою художественную судьбу? К этому времени он уже научился «жить на суше», принял от учителей новый для себя взгляд на искусство театра и навсегда поверил в его истинность. От этих ученических записей — неожиданный переход к серьезному и сокровенному; первый, видимо, прорыв ученика в искусство.

В одной из тетрадочек есть датированная 1935–1936 годами запись: «Мысли по поводу... А. С. Грибоедов „Горе от ума“». «...человек небольшого роста, желчный и чопорный, занимает мое воображение. Ю. Тынянов».

Товстоногов основательно готовился к работе. Приводит довольно обширную библиографию, вспоминает спектакль Мейерхольда и по пунктам записывает, что ему понравилось, а что не понравилось. «Не нравится: спектакль в принципе, сцена с декабристами, танец с шалью и бубном, Софья стреляет из ружья, ввод дополнительных действующих лиц, Софья, Лиза и все гости»[26].

Нравятся же молодому режиссеру: «Загорецкий, Хлестова, Скалозуб, Чацкий, Молчалин, «Чуть свет уж на ногах» — к роялю, поцелуй, Скалозуб застает Софью с Молчалиным, Фамусов — «к императору» — на цыпочках», диалог Чацкого с Молчалиным, сплетня, съезд гостей»[27].

Товстоногов-студент проявляет самостоятельность суждений, дерзко спорит с великим мастером, которого много позднее назовет титаном и отметит, что «сегодня Мейерхольд воскресает едва ли не в каждом хорошем спектакле»[28].

Спектакль Мейерхольда не нравится ему «в принципе», ибо Товстоногов, как он не раз говорил, был воспитан в иной, не мейерхольдовской школе. Он предлагает свое решение бессмертной комедии. «В начале прошлого столетия, — пишет Товстоногов,— в эпоху Александра и Николая, Бенкендорфа и Нессельроде, Пушкина и Чаадаева, Пестеля и Рылеева, одним словом, в самую страшную в истории России эпоху, жил человек громаднейшего ума и ослепительнейших способностей, музыкант, математик, дипломат, писатель, стилист, психолог. Он представлял собой единственное явление. Может быть рядом с ним никого нельзя поставить. Этот человек был — Грибоедов»[29].

Пока же молодой режиссер подмечает в спектакле Мастера острую, сценически выразительную и психологически точную деталь: Фамусов при слове «император» приподнимается на цыпочки. Таких деталей в его будущих спектаклях будет множество. Товстоногов обладал особой восприимчивостью к различным театральным течениям и идеям, принимал все, что было значительного и так основательно это перерабатывал в горниле своей индивидуальности, что впоследствии разглядеть источники влияния было практически невозможно.

«Грибоедов, — продолжает размышлять Товстоногов, — внутренне, как гений, сознавал свою трагическую вину. Последний раз, уезжая в Персию, он прекрасно знал, куда он едет, что его ожидает. Он говорил о том, что там его могила. Будет ли это удар тайного убийцы из-за угла или ярость народной толпы, — это не так важно. Это — Немезида. Взявший меч, от меча и погибнет. Кто является насильником в соседней стране, тот должен знать, что пользуется всеобщей ненавистью. И Грибоедов знал это. И здесь двойное поражение его ума, не только тем ятаганом, который сорвал его гениальную голову, но и морально, поскольку он понимал сущность своего времени и своего „сардаря“: о нем он обыкновенно отзывался с подозрительной сдержанностью, за которой скрывается немалое количество негодования и ненависти. И вот — „Горе от ума“, — в результате этого внутреннего, всю жизнь сдерживаемого негодования»[30].

Следующий раздел предваряет эпиграф: «Идея — это вертел, на который нанизывется спектакль». Это открытие на всю дальнейшую творческую жизнь.

Далее Товстоногов пишет: «„Горе от ума“ — так называется его произведение. О чем говорится в этой пьесе? Комедия „Горе от ума“ — это драма о крушении ума в России, о ненужности ума в России, о скорби, которую испытал представитель ума в России. Это точный, совершенно точный самоотчет, как умирает в России умный человек. Это можно назвать темой спектакля. Откуда пришел этот ум, откуда он взялся и что это за ум?»

Товстоногов дает свою формулу ума: «Важно понять одно, что ум есть не просто биологическое явление, а прежде всего проявление прогрессивного классового миропонимания.» Он подчеркивает эту фразу, видимо, придавая ей особое значение. И продолжает: «Когда мы говорим об уме в этой пьесе, мы говорим о Чацком. Чацкий говорит о том, о чем всю жизнь не говорил Грибоедов»[31].

Очевидно влияние тогдашней идеологии, некоторый налет вульгарного социологизма, но мысль идет глубоко и выражена очень эмоционально. Мысль о том, что социальные условия порождают трагические умы. «Это прежде всего сам Грибоедов, — пишет Товстоногов, — это Пушкин, который восклицал: «Догадал меня черт родиться в России с умом и талантом», это Чаадаев, написавший самую умную книгу в тогдашней литературе и провозглашенный безумцем. (В первоначальной редакции Чацкий был Чадским.) Эта трагическая роль выявлена в письме Бенкендорфа Пушкину: «Его Величество при сем заметить изволил, что принятое Вами правило, будто бы просвещение и гений служат исключительным основанием совершенству, есть правило опасное для общего спокойствия, вовлекшая Вас самих на край пропасти и повергшее в оную толикое число молодых людей. Нравственность, прилежное служение, усердие предпочесть должно просвещению неопытному, безнравственному и бесполезному»[32].

«Отношение мое к Чацкому, — признается Товстоногов, — становится очевидно положительным. И всякое иное отношение к нему будет, на мой взгляд, не историческим и стало быть неверным. А если стать на такую точку зрения, что Чацкий это донкихотствующий болтун, смешной в своих методах борьбы, то в этом случае надо отказаться от постановки этого спектакля, так как тогда выпадает основной стержень всякого драматического действия, конфликт, в данном случае конфликт между Чацким и обществом.

Вопрос о декабризме Чацкого. Мне кажется ошибочной трактовка Мейерхольда. ...Наклейка такого ярлыка на Чацкого, ровно ничего не дает. Надо усилить его действенно-активную роль в пьесе, а не доводить до сведения зрителей, что Чацкий принадлежал к тайному обществу. ...Такая трактовка становится ослабляющей»[33].

Товстоногов размышляет о природе комического у Грибоедова и приходит к формуле «Смешно по форме и страшно по содержанию». На этом заканчивается режиссерская экспликация «Горя от ума». Уроки «борьбы» с Шиллером явно пошли на пользу; теперь режиссер идет от текста, и это станет незыблемым принципом его искусства.

Однако в этой же тетрадочке есть еще страничка, на которой Товстоногов набрасывает конкретный план спектакля: «Утро, чуть день брежжится... В полной темноте скрипичное звучание медленного, меланхолического, почти шопеновского (грибоедовского) вальса. Полное пианиссимо. Скрипки в оркестре постепенно убираются и остается одна флейта. Она настойчиво выводит все время повторяющийся однообразный мелодический рисунок. Часы бьют 8 ч. Медленно идет занавес.

С левой стороны белая мраморная лестница, сквозь голубой шелковый занавес виден уютный женский будуар с небрежно разбросанными вещами. Спальня Софьи. Она видна как бы через голубую дымку. Софья сидит за фортепиано спиной к публике. С раскрытием занавеса мелодия вальса переходит в звуки фортепиано. Вальс играет Софья. Ладонью подпирая подбородок, задумчивый, облокотившись на рояль, стоит Молчалин. Их освещает мерцающий свет свечей, стоящих с двух сторон рояля, в бронзовых, вычурных подсвешниках...

По лестнице, держа в руках свечу и закрывая ее ладонью со стороны публики, спускается медленно Лиза. С тем как она спускается, в противоположную сторону, по кругу уходит лестница. С ходом действия проекция окна становится все ярче, постепенно становясь из розовой желтой и, наконец, белой. Замолкает музыка. Молчалин за занавесом тушит свечи. „Светает... Ах! как скоро ночь минула„ Разговор через занавес. „Зашла беседа ваша за ночь. Который час?" С правой стороны сцены высокие часы. Лиза заводит их и пританцовывает под булькающие звуки часовой музыки, копируя фигурки на часах, танцующие класический менуэт. Сцена с Фамусовым. Выходит Софья с Молчалиным»[34].

На этом запись обрывается.

На отдельных листах Товстоногов записывает наброски режиссерского плана по актам: «3 акт. Паноптикум печальный. Там кости лязгают о кости... Горичи, Тугоуховские с 6 дочерьми, Хлестова. Мазурка. Начало сплетни (между прочим). Снежный ком... Четкость переходит в гул»[35].

Товстоногов впоследствии славился умением выстроить внутренне и внешнее действие напряженно и упруго. По его записям видно, как обреталось это умение. Даже по отдельным фразам можно представить как режиссер решает сцену сплетни: сначала — так, невзначай, походя, «между прочим». Потом нарастание — «как снежный ком». Потом обвал, отдельные фразы понять невозможно, и «четкость переходит в гул».

Работа над «Горем от ума» открыла молодому режиссеру главное: в искусстве нужно идти от себя, от своих, а не навязанных суждений, от своих чувств. Не бояться искренности. Может быть, сыграл свою роль в этом таинственном процессе рождения художника и чисто личный, лирический момент. Экспликация посвящена студентке ГИТИСа, которая училась одновременно с Товстоноговым. Невольно, подсознательно, он мог отождествлять себя с героем комедии и с ее автором, свою жизнь, судьбу своего ума и таланта — с судьбой поэта.

Страничка из школьной тетради документально зафиксировала факт рождения художника.

К пьесе Грибоедова Товстоногов вернулся только в 1962 году, почувствовав, видимо, что само время формирует и выдвигает критически мыслящих людей. И неожиданное назначение на роль Чацкого Сергея Юрского шло, несомненно, от этого импульса. Существует версия, что роль эта предназначалась И. Смоктуновскому[36], но сам выбор именно Юрского с четко выраженным критическим складом ума указывает на наличие у режиссера этого замысла.

Было бы наивно думать, что режиссер воплощал свои юношеские разработки, но молодой азарт, смелость художественных решений, безоглядность в поиске новых сценических форм присутствовали в этом великом спектакле.

Осталась и суть его режиссерского решения, выраженная пушкинской фразой. Зрители первых спектаклей «Горя от ума» 1962 года в БДТ видели на занавесе знаменитую строчку из письма А. С. Пушкина к Наталье Николаевне: «Догадал меня черт родиться в России с умом и талантом»[37]. В той давней тетрадочке Товстоногов записывал «Догадал меня черт...» явно по памяти; пушкинские слова уже жили в нем. Стало быть, не данью оттепельному времени была пушкинская фраза на занавесе, а существом замысла, который не давал покоя художнику в течение четверти века. Эпиграф к спектаклю был крупной тактической ошибкой режиссера. Он выдал настороженному против него начальству самую дорогую мысль, открыл идейный подтекст. Реакция не заставила себя ждать. В те годы было принято помещать письма «простых» зрителей, которые говорили как бы от имени народа. Письмо в редакцию некоего К. Петрова опубликовала «Советская культура» 14 мая 1963 года. «Простой зритель» выносит политическое обвинение: «Подобный эпиграф мог бы появиться в чуждой, враждебной нам стране». Прорабатывали Товстоногова и на заседании идеологической комиссии при ЦК КПСС. Эпиграф с занавеса пришлось снять.

Литературоведы и критики (кроме Ю. Зубкова), к их чести, не оперировали политическими терминами, но порой выступали против спектакля, полагая, что он искажает смысл и суть классической пьесы. Спектакль был слишком нов.

Традиции и новаторство — в те годы эта формула выражала сердцевину художественной жизни во всех видах искусства. Формулой спекулировали, ее толковали кто как хотел в зависимости от идеологических ориентиров и собственных вкусов.

Товстоногов, конечно, учитывал время создания пьесы и понимал, что ее театральность определена сценическими требованиями и установками начала 20-х годов XIX века.

Так в списке действующих лиц появилось «лицо от театра». Воплощал это «лицо» импозантный С. Карнович-Валуа.

Он начинал спектакль. Открывался занавес, показывая общую декорационную установку (художником был сам режиссер, музыку написал И. Шварц) — белые колонны московского ампира, лестницы на галерею и саму галерею. Центр сцены был пока пуст. Одетый во фрак «представитель театра» торжественно объявлял, что сегодня, такого-то числа и месяца, в театре будет представлена комедия Александра Сергеевича Грибоедова «Горе от ума». Он и заканчивал спектакль словами — «представление окончено». «Лицо от театра» подчеркивало театральность происходящего, напоминало, что между тем временем, которое предстанет сейчас на сцене, и временем, в котором живет зритель, — «дистанция огромного размера». Режиссер строго соблюдал реалии того времени, нормы тогдашнего этикета; хотел, чтобы актеры верили в то, что они играют героев определенной эпохи.

Вместе с тем режиссер так выстроил внутреннюю жизнь каждого персонажа и их взаимоотношения, что с пьесы вмиг слетели все штампы ее сценического истолкования, которые налипли на ней в таком множестве и заскорузлости, как ни на одной другой, и спектакль поразил своим острым современным звучанием.

Режиссер хотел уйти от традиционных решений, придать монологам Чацкого живую энергию, связать их — через характер героя — с современностью. С. Юрский вспоминал, что в спектакле «текст делился как бы на две части: одна — окружающим героя на сцене, другая — другу-залу. Эти две реальности, существуя одновременно, создавали особый эффект комических и драматических контрастов. Сама жизнь Чацкого, его любовь, его судьба зависели все-таки от тех, кто на сцене, от Фамусова, Софьи, Молчалина, а его мышление, дух были шире, стремились к тем, кто смотрит эту историю из зрительного зала.

И тогда риторические вопросы финала: «Чего я ждал? Что думал здесь найти?» — адресованные прямо зрителям, требующие ответа, создавали ощущение реальной тревоги, реальной сценической, а не литературной драмы»[38].

Товстоногов нашел для «Горя от ума» природу двойного существования артиста на сцене. Полностью сохраняются все законы общения, внутреннего действия, но в то же время идет непрерывное общение с залом. В беседе с труппой в начале репетиций Товстоногов режиссерски показал этот способ актерского существования: «Чацкий приходит к зрителю, который всегда является верховным судьей всех вопросов, и говорит ему —

неужели она могла полюбить этого идиота? Вот, кстати, он идет. Мы с ним сейчас поговорим.

— Как вы смотрите на этот вопрос? (Вы слышали, что он сказал?)

— Вот вам еще вопрос. (Запоминайте.)

— Еще вопрос. (Видите: абсолютный дегенерат.)»[39].

Этот способ существования сразу решал много проблем сценического воплощения пьесы, соединяя старую манеру с новейшими достижениями режиссерской мысли, публицистику с лирикой. Обращался к зрителю не артист, а персонаж, образ, созданный по всем законам реалистического театра. Сам Товстоногов не скрывал истоков этого принципа: здесь через десятилетия скрестились пути «Горя от ума» и «Принцессы Турандот».

Товстоногов, как всегда, увидел в классической пьесе реальную картину жизни, предполагаемые обстоятельства которой должны быть проверены самой элементарной житейской логикой. В конкретные обстоятельства эти был «вписан» не некий Чацкий, а современный артист, который шел в постижении образа от психологических предпосылок.

Сразу после слов «К вам Александр Андреич Чацкий», наступая на реплику слуги, появлялся герой, сбрасывал торопливо шубу и бежал в комнату Софьи. Навстречу Чацкому шло движение сценического круга; он пробегал гостиную, какие-то другие покои фамусовского дома, пока, наконец, не попадал к Софье.

Софья (Т. Доронина) действительно была страстно влюблена в Молчалина (К. Лавров) — сдержанного, сильного, с резкими чертами волевого лица. Взгляд Софьи на Молчалина, играющего на флейте, неотрывный, долгий, выдавал ее чувство в первые же минуты спектакля. Тут начиналась трагедия Чацкого, которого не только разлюбили — это бы он еще пережил, — но предали его и его идеалы. Юрский отчетливо показывал, что для его героя любовь к Софье не просто пылкое чувство, но неотрывная часть его духовной жизни, его внутреннего мира, его мечтаний. Он пытается разобраться, еще не до конца верит в случившееся, пропускает мимо ушей колкости Софьи. Чацкий медленно постигает, что между ним и другими персонажами пролегла глубокая пропасть. Пропасть открывалась в сценах с Фамусовым и Скалозубом, и, кажется, он окончательно осознавал свой разрыв с этим миром в сцене с Платоном Михайловичем (Е. Копелян), убеждаясь, что здесь его никто не ждет и не услышит. В опустившемся, покорившемся вздорной жене старом друге Платоне он на миг увидел свою возможную участь — и ужаснулся.

Пылкость Чацкого уступала место сарказму, насмешливость становилась грозной, язвительность — беспощадной. Поначалу стремительный ритм его внутренней жизни замедлялся, он будто ощущал пустоту, безвоздушность жизни, в которой его острые и точные характеристики и заметки никуда не попадают. Горе от ума...

Сильнейшим сценическим приемом, восходящим к «Горе уму» Мейерхольда, режиссер усиливал тему трагического одиночества Чацкого. В сцене бала, он, обращаясь к залу, горестно и устало говорил свой монолог про «французика из Бордо», а повернувшись, видел (и зрители вместе с ним) жуткую толпу масок — вытянутые, сплющенные, уродливые лица. Маски возникали и в конце спектакля, вслед за последним монологом Чацкого.

Потрясенный этим днем, в котором успели рухнуть все его надежды, разбиться любовь, а будущее предстать в мрачном свете; днем, за которым юношески восторженное чувство единения с миром сменялось полным одиночеством, Чацкий падал в обморок. Придя в себя, он тихо, почти жалобно просил — «Карету мне, карету...»

Этот момент спектакля вызвал неоднозначную реакцию. Одних взволновала его человечность. Другие упрекали режиссера в том, что он лишил Чацкого его героической сути, показал «слабым, раздавленным человеком» (слова Б. В. Алперса); считали, что такой Чацкий лишает комедию Грибоедова ее социальной, общественной содержательности. Упреки были серьезными, ибо оппоненты спектакля опирались на такую прочную сценическую и литературную традицию, на такие исторические параллели Чацкого с декабристами, которые трудно было сразу отбросить.

Поражали также смелость и сложность решения, поиски нового художественного языка, в котором иным (как Н. К. Пиксанову, к примеру) чудились следы то натурализма, то формализма.

Новое рождалось непросто — в спорах, в борьбе, драматично. Так же как четверть века назад из студента Товстоногова рождался профессиональный режиссер, так теперь из режиссера Товстоногова рождался будущий великий художник.

Примечания

[1] *Юрский С.* Кто держит паузу. Л., 1977.

[2] *Рудницкий К.* О режиссерском искусстве Г. А. Товстоногова // Г. Товстоногов. Зеркало сцены: В 2 т. 1980. Т. 1. С. 4.

[3] Архив Г. А. Товстоногова в БДТ.

[4] С датой рождения Товстоногова долгое время была путаница. Ошибочно, как 1915 год рождения указан в «Театральной энциклопедии» (Театральная энциклопедия: В 6 т. М., 1967. T. V.) и в первой книге о Товстоногове, написанной Р. М. Беньяш (*Беньяш Р.М.* Георгий Товстоногов. Л.; М., 1961).

[5] *Гребнев А.* (Интервью автора).

[6] *Шарко З.* (Интервью автора).

[7] Архив Г. А. Товстоногова в БДТ. Ед. хр. 451.

[8] *Туманишвили М.* Режиссер уходит из театра. М., 1983. С. 15–16, 18.

[9] *Товстоногов Г.* Режиссер из будущего Андрей Михайлович Лобанов. М., 1980. С. 388.

[10] Там же. С. 380–390.

[11] Там же. С. 391.

[12] Там же.

[13] Там же.

[14] Там же.

[15] *Товстоногов Г.* Зеркало сцены. Т. 1. С. 35.

[16] Программа Ленинградского телевидения. Эфир 29 июня 1990 г.

[17] *Урушадзе Н. А.* Сандро Ахметели. М., 1990. (Театровед Нателла Урушадзе начинала как актриса и училась на курсе Товстоногова.)

[18] *Товстоногов Г.* Зеркало сцены. Т. 2. С. 31.

[19] См.: К. Маркс и Ф. Энгельс об искусстве: В 2 т. М., 1957.

[20] *Товстоногов Г.* Зеркало сцены. Т. 2. С. 31.

[21] Там же.

[22] Там же.

[23] Там же.

[24] Там же.

[25] Там же.

[26] Записки о «Горе от ума».

[27] Там же.

[28] *Товстоногов Г.* Слово о Мейерхольде // Сб. «Зеркало сцены», 1984. С. 41.

[29] Записки о «Горе от ума».

[30] Там же.

[31] Там же.

[32] Переписка А. С. Пушкина: В 3 т. СПб. Т. 1. С. 394.

[33] Записки о «Горе от ума».

[34] Там же.

[35] Там же.

[36] *Доронина Татьяна.* Дневник актрисы. М., 1998. С. 240.

[37] *Пушкин А. С.* Собрание сочинений. Т. 10. С. 454.

[38] *Юрский С.* Кто держит паузу. С. 55–56.

[39] Беседа Г. А. Товстоногова, посвященная постановке пьесы «Горе от ума» 13 ноября 1961 года // Стенограмма. Библиотека Ленинградского отделения ВТО. № 1729-С.

Татьяна Шах-Азизова

Анатолий Эфрос: линия жизни

1

В «великолепной четверке» своих коллег-режиссеров, рядом с Георгием Товстоноговым, Олегом Ефремовым и Юрием Любимовым, Эфрос казался пришельцем из иных миров. Живший в том же времени, так же его впитавший, ставивший порой на их сценах — в «Современнике», в Театре на Таганке, — он чем-то резко от всех отличался. Как объяснял нам, в нашей аспирантской юности, Борис Зингерман, сравнивая Эфроса с известным мэтром:

— Понимаете, тот (имярек) — Мастер, а Эфрос — Художник.

Мы, при всем своем доверии к Зингерману, не очень-то поняли. Как видно, следовало не столько понять, сколько почувствовать, что есть Художник – Художнику par excellence с таким режиссерским амплуа трудно было выстоять в тогдашней действительности. Нескоро мы смогли оценить это редкое, небезопасное амплуа, а потом заболеть непреходящей тоской по Эфросу.

Не дипломат, не борец, не общественный деятель, не строитель театра, подобно Ефремову, но **Художник**. Другое дело, что спектакли Эфроса всегда имели общественный резонанс, вызывали грозовые разряды, а жизнь его полнилась — и закончилась катастрофами. И Театр свой он все-таки выстроил, но в общем плане, в итоге — не Театральный Дом, который в ту пору считался непременной принадлежностью каждого крупного режиссера. Дом, где Эфрос стал бы хозяином, судьба дарила ему дважды, но отнимала быстро, жестоко, как это было в 60-х годах в Ленкоме или под конец — на Таганке. В других же случаях — поначалу в Центральном детском театре, или в середине пути, в Театре на Малой Бронной, — он был, при рачительных хозяевах, членом семьи, пусть фактически главной ее персоной. Не имел как полной власти, так и связанных с нею рутинных забот; занимался в основном своим любимым делом — ставил спектакли, что, однако, не делало его жизнь легче.

При этом само **художество** Эфроса, то, из чего оно было соткано, не слишком поддается анализу. Его спектакли и фильмы можно описать, разобрать на составные части, восстановить их ход, обозначить пафос и атмосферу, но не передать то неуловимое, что составляло их обаяние. Так и тянет назвать его Театр поэтическим, что все-таки будет неточно. Не бытовой Театр этот стоял на земле, укоренен был во времени, выражал его с болезненной остротой, целостный, он состоял из контрастов.

Театр Эфроса в зрелом своем воплощении представлял собой особенный организм. Он сложился на протяжении трех с лишним десятилетий, во взаимодействии многих искусств, на их территории — на сцене, в эфире и на экране, на страницах эфросовских книг. При всей своей внутренней динамике он был скреплен именами постоянных авторов и актеров и собственными законами, важнейший из которых, переадресую слова Эфроса о Чехове, можно определить как *«эмоциональную математику»*.

При точном режиссерском расчете все здесь живо, эмоционально, одухотворено. Материей была жизнь *души*: души автора, героев — и режиссера, что придавало спектаклям Эфроса волнующий оттенок лиризма. Изнутри все транслировалось вовне, определяя атмосферу и образное решение — небудничное, изысканно театральное, окрашивая мир сцены в особенные тона.

В его спектаклях не было давящей плотности, избыточности приемов. Эфрос тяготел к свободному сценическому пространству, лаконизму деталей, к динамике актерского существования, к легкости ритмов и мизансцен. Рисунки ролей были эскизны, порой воздушны — при тщательной и глубинной разработке каждой актерской партии.

Понятие «Актер Эфроса» не замыкалось рамками какого-либо стиля и амплуа, но включало в себя нечто сложное: артистизм — при интенсивной внутренней жизни в образе, душевной и нервной отдаче; способность к импровизации — в условиях целеустремленной, волевой режиссуры. Педагогический дар Эроса, проявившийся рано и сильно, позволял ему находить контакты с актерами самого разного опыта, поколений и склада, от студентов до корифеев, — выращивать, открывать, развивать, находить новые грани возможностей. Актеров, с которыми у него состоялся контакт, множество; состав их менялся и расширялся при постоянстве ядра той «команды», что сопровождала его из театра в театр.

Движение и *постоянство* — этот двучлен, как *«эмоциональную математику»*, вполне можно сделать девизом эфросовского Театра. С близкими авторами своими, Шекспир то, Чехов или Розов, он прошел сквозь годы, возвращаясь к ним всякий раз с чем-то новым — новым взглядом на классика, открывая по-новому современника, сам через них раскрываясь и обновляясь.

Особенный стиль его, бегло очерченный выше, формировался всю жизнь. То был неуклонный процесс, начала которого видны уже в ранний период Эфроса, в Центральном детском театре, где от того, что сам он (применительно к Розову) называл «житейской поэзией», он двинулся к тонкой и действенной условности, к вольной стихии *игры*, ставшей его спутницей до конца. И далее, вторгаясь в мир иных искусств, делая их законы своими, он сочетал их с законами сцены, а те, в свою очередь, прививал на радио и ТВ.

Были у Эфроса и близкие темы, своего рода лейтмотивы; он мог развивать их подряд в целом ряде работ — или возвращаться к ним на протяжении многих лет. Темы эти были от времени, но более — от него самого, от личных его забот, настроений и побуждений. Так, в середине 60-х, неожиданно группируя спектакли («Снимается кино» Радзинского, «Мольер» Булгакова, «Чайка» Чехова), возникает глубоко личная тема, с которой Эфрос не расстанется до конца дней, придя к ней (и возвращаясь) на собственном, житейском и духовном опыте: художник — и другие (семья, среда, общество, власть).

Вскоре, с первой постановки «Трех сестер» и далее, будет появляться, эхом отзываясь во времени, мотив утраты душевных опор — старой веры, былых идеалов, прежних устоев, вплоть до той «болезни пустоты», что была отмечена Эфросом в «Утиной охоте» Вампилова, но поразила и его героев на сцене и на ТВ, будь то Дон Жуан или Печорин.

К середине 70-х у Эфроса родится традиционно «гамлетовский» сюжет — разрыв слова и действия, мечты и реальности, явленный в постановках «Женитьбы» и «Вишневого сада» в двойном свете печали и иронии. А следом за тем в своеобразной дилогии на современные темы (спектакль «Веранда в лесу» по пьесе Дворецкого, фильм «В четверг и больше никогда» по «Заповеднику» Битова) нас встретит строгий анализ того, как рушатся самые основы жизни, как происходит разлад человека с миром, с природой, с другими, в конце концов — разрушение личности.

Вся эта цельность и сложность, «вечное движение» и верность себе ставят в тупик порой исследователей. Хочется угадать то, что в театре называют «зерном» — зерно личности и судьбы Эфроса, найти главные работы его, сквозь которые можно увидеть многое в нем, если не все.

Намерение это утопично. Не говоря уж о сложности и движении, сам объем сделанного Эфросом так велик, что выбрать главное затруднительно, равно как разделить его работы в театре и на ТВ. В целом за 35 лет им сделано примерно 100 работ: театральные спектакли, их телеверсии, оригинальные постановки на радио и ТВ, кинофильмы, несколько книг. При этом (что самое трудное) в каждом из искусств, как и в каждый период творчества, Эфросом представлены классические образцы, число которых, не говоря уж о просто значительных, велико. Все же тянет попробовать: взять один, переломный момент, один спектакль, возникший на перекрестке искусств, — и разглядеть через него нечто важное об Эфросе.

2

Окончен праздник. В этом представленье
Актерами, сказал я, были духи.
И в воздухе, и в воздухе прозрачном,
Свершив свой труд, растаяли они.

Шекспир «Буря»

В конце 1983 года, в рамках «Декабрьских вечеров» в Музее изобразительных искусств им. Пушкина на Волхонке был показан спектакль Эфроса «Буря». Он прошел всего два раза; мелькнул на театральном горизонте Москвы, как комета, — и исчез; видели его немногие. Несмотря на уговоры продлить жизнь спектакля на другой сцене, Эфрос отнесся к его судьбе с каким-то царственным расточительством. Правда, сделал запись для телевидения, но перевести ее, по своему обыкновению, в полноценную версию не успел. Потом ТВ уничтожило эту запись — то ли от расточительности совсем иного рода, то ли по той же причине, по которой редактор «Советской культуры» вычеркнул из статьи Александра Свободина о спектакле фамилию режиссера[1]. Получилось, что «Бурю» никто не ставил — словно возникла сама собой.

Потом, когда Эфроса не стало, к годовщине его смерти спектакль при помощи видевших и игравших был восстановлен, тщательно и любовно. Он вновь шел в Белом зале музея; вновь был записан на ТВ[2], и телеверсия затем прошла в эфире. Но это был уже иной спектакль — реквием, спектакль печали. А впервые, в декабре 83-го, «Буря» была спектаклем радости, торжеством искусства и жизни, кипением творческих сил; обещанием чего-то, что могло бы случится — и не случилось.

В основе спектакля были две монтажно-соединенные «Бури»: пьеса Шекспира и (по подсказке Святослава Рихтера) опера Генри Пёрселла — «Декабрьские вечера», всякий раз имеющие особую программу и девиз, в 83-м были посвящены Англии[3]. Так в дальнейшем и будет именоваться спектакль: Шекспир — Пёрселл «Буря», постановка Анатолия Эфроса. Здесь были и другие истоки: и студенческие опыты с Шекспиром на курсе Эфроса в ГИТИСе; и его собственный интерес к этой пьесе; и веселая идея Анастасии Вертинской — сыграть Ариеля... на роликах. Все это скапливалось, дабы потом влиться в «Бурю», о чем расскажет сам Эфрос в своей, уже посмертно собранной и изданной «Книге четвертой»[4]. Но книга выйдет не скоро, через 10 лет после премьеры. А до того останется зыбкая, как сон, память о театральной легенде, напоминания о ней по ТВ да редкие попытки очевидцев ее разгадать — «Буря» требовала разгадки.

В Белом зале, изысканно строгом и гармоничном, среди колонн были выстроены подмостки с длинным языком авансцены; по бокам соорудили станки. В этот мир классики и старины врывалась стихия юности, импровизации, улицы — пестрая ватага студентов в джинсах, с яркими повязками на головах, с манерами свободной «тусовки». Студенты начинали спектакль, перебрасываясь репликами, играя в Шекспира, в театр — во все. Бурю изображали надувными шарами; крушение корабля — пластикой. Освоив скупо отмеренное пространство, носились в нем, как обитатели джунглей: то облепляли двухъярусные станки, то срывались с них и, слетев на сцену, замирали, слушая музыку.

Драма и музыка сливались в стихии театральной игры. Музыку представляли камерный хор и оркестр, несколько певцов-солистов[5]; управлял музыкальной частью дирижер Юрий Николаевский. Часть драматическая была представлена учениками Эфроса из ГИТИСа, их педагогом по движению Андреем Дрозниным, влившимся в массу студентов и работавшим с ними на сцене, и одной солисткой, Анастасией Вертинской. Ее идея «Ариеля на роликах» реализована не была; взамен ей достались две мужские партии — Просперо и Ариеля[6].

Вертинскую принято было считать «Мхатовкой», а она оказалась «Вахтанговкой», в явной «турандотовской» традиции дерзко игравшей с образом — вернее, сразу с двумя. В костюме и гриме фантастического существа без пола и возраста (черное трико и плащ, набеленное лицо, короткая стрижка) актриса вела диалоги сама с собой, обозначая резкой сменой пластики, тембра и тона голоса то величаво-сурового Просперо, то шаловливого Ариеля. Потом, вспорхнув на леса, соединялась с молодежной массовкой, чтобы в нужный момент вновь отделиться от всех, выйти вперед, принять управление действием.

Все это сменялось, смешивалось, кипело; шла веселая вакханалия, странная не только для этих стен, но прежде всего для Эфроса. Давно привыкли к тому, что опора его режиссуры — актер и автор; что он экономен в постановочных средствах, что он принадлежит психологическому театру. Отступления вроде телефильма-балета «Фантазия» таковыми и считались, не принимаясь в расчет, равно как изощренная палитра телеспектаклей, скульптурная лепка образов, архитектура кадра; как звукопись на радио и т. д. Всерьез заняться музыкальной природой эфросовской режиссуры никто тогда (да и потом) не сумел; в контактах с иными искусствами чаще всего отмечались «танцующие мизансцены». С таких позиций и «Буря» казалась отступлением, «моцертианской» шалостью режиссера.

«Моцертианства» здесь и вправду хватало, но более всего в том, как Эфрос обращался с целым набором искусств, соединяя на равных слово, музыку и движение, оперируя человеческой массой на сцене, оркестром и хором — легко, свободно, играючи. С необычной для себя вольностью Эфрос обошелся с сюжетом и текстом пьесы. Купюры в сдвоенном варианте драмы и оперы были неизбежны, но делались с вызывающей смелостью. После довольно подробного начала, экспозиции, где было показано исходное событие — крушение корабля с недругами Просперо — и рассказана история его жизни, сюжет развивался пунктиром, с остановками в монологах и диалогах.

Монологи то читались, то пелись как арии. Диалоги давались выборочно, в ударных, необходимых моментах. Прояснявших лица, позиции, отношения персонажей, главным образом Просперо — с Ариелем, Мирандой и Калибаном. Объяснения Миранды и Фердинанда, у автора разведенные временем, образующие сюжет, в спектакле были спрессованы, даны рядом. Любовная история из процесса превращалась в миг чудесного озарения и безоглядных решений, как это бывает с шекспировскими героями. При этом вместо одной влюбленной пары действовали две, сменявшие друг друга — с разным норовом и повадками, но одинаково современные. Текст же, повторенный дважды, звучал как бы в разной аранжировке.

Спектакль строился по музыкальным законам, и степень доверия к музыке здесь была безграничной. «Весь художественный строй спектакля — импровизация, построенная на смещениях, повторах, отклонениях от сюжета. Тут возникает свой музыкально-поэтический сюжет, как бы извлеченный из шекспировской «Бури» или, напротив, наложенный на нее» (4; 193). Сюжет развивался скачками и после сцены укрощения Калибана обрывался, не дойдя до финала. Перипетии интриги, борьбы и мести исчезли — не столько ради купюр как таковых, сколько за явной ненадобностью; развязка была изложена в последнем монологе Просперо. И этого оказалось достаточно, потому что внутренний сюжет спектакля, идущий непрерывно, как кантилена, был завершен. Определить его можно коротко: **восхождение**.

Спектакль этот мог бы превратиться в некий коктейль искусств, не будь в нем своей логики и дальней цели. От хаоса, от борьбы враждующих сил и стихий он вел к гармонии, которая более всего была воплощена в музыке. Игральная часть была демонстративна. Программна. Обрыв сюжетной линии означал уход процесса внутрь, в душевные тайники героя, но режиссер стремился в этой потаенной зоне к наглядности. Дабы сделать концовку «Бури», с отказом Просперо и от борьбы, и от волшебства понятной и убедительной, Эфрос выделял и подчеркивал путь к этому, раскрывал второй план — при помощи музыки, что становилось кульминацией спектакля. Сцена Просперо с Калибаном, резкая и жестокая, сменялась тем, чего нет в пьесе, но что содержится в музыке — сценой успокоения Просперо, приходящего постепенно в себя, смиряющего гнев и принимающего решения.

Торжественная музыка врачует
Рассудок, отуманенный безумьем,
Она кипящий мозг твой исцелит.

Слова эти в пьесе обращены вовне, ко вчерашним недругам; в спектакле же Просперо явно адресовал их себе. И далее, как кода, следовали его решения, говорящие о внутренней гармонии с собой, подсказанной музыкой. Гармония распространялась на всех и на всё, в том числе и на юных, которым предстояло пройти путь от **сегодня**, **сейчас** — до **всегда**.

Поначалу в спектакле было много «тусовки», меньше текста и музыки; постепенно соотношение их менялось. Массивы шекспировского текста всплывали из музыки и игры, как острова. По мере того как актеры двигались от себя, сегодняшних, к вечному, в глубь пьесы, погружаясь в нее, музыки и пения становилось все больше, и они затопляли зал. Исход спектакля не был равен истоку: герои становились другими; восхождение состоялось. И в финале, сидя тесной командой на авансцене, лицом к зрителю, участники этого действа долго, молча и упоенно слушали «музыку сфер». Так заканчивался этот короткий (на час с небольшим) спектакль.

«Буря» была поставлена чудом, без особого расчета и прошла всего два раза. Кончилась программа «Декабрьских вечеров» — кончилась и наша «Буря». Как будто прекрасная бабочка пролетела — и исчезла...», — напишет позднее Эфрос (4; 195). Но он не пытался ни продлить ее полет, ни вернуть ее. Причин тому, вероятно, немало, и первая из них та, что вскоре, с 84-го года, жизнь Эфроса круто переменится: он станет главным режиссером Театра на Таганке, возникнут новые задачи, и на возвращение к пройденному не будет ни времени, ни сил.

Другая причина — та, что Эфрос лучше других сознавал характер этой работы как «любопытный эскиз «Бури» (4; 190), только и возможный в условиях скоростной подготовки и, главное, со студентами. Их непосредственность на первых порах была оправданием спектакля, но закрепить ее вряд ли было возможно — шарм юности испаряется быстро, и при переходе от эскиза к полноценной работе требовалось нечто иное.

Сравнение двух редакций «Бури», как они сохранились в записи, дает ощутить разницу в исполнении. Студенты за это время превратились в актеров; они работают с воодушевлением, четко, но из чего-то — как из начальной игры с мячами — уже «вырастают». Былой пленительной ребячливости здесь нет, и лица их — лица Виктории Верберг, Ольги Тарасовой, Андрея Молоткова, Валерия Ненашева, Дмитрия Певцова и других — суть лица не детей, но взрослых, хотя и молодых людей.

Резко переменилась Вертинская и отказалась от маски Просперо—Ариеля, от амплуа травести. Если поначалу она выглядела столь же юной, как остальные, и разделяла общее упоение легкой, свободной игрой, то к 88-му году она стала иной, чем они, — и иной, чем прежде. Зрелая, расцветшая женственность диктовала свое; актриса не скрывала ее, выступая уже от собственного лица. Новое было в самом ее облике, в отказе от грима, в пышных распущенных волосах; джинсовый костюм «унисекс» мог быть намеком на мужские партии, которые ей довелось исполнять, как «матроска» — намеком на «морские» материи пьесы.

За четыре года Вертинской прибавилось не только опыта и мастерства, но, главное, внутренней силы и какого-то сурового драматизма. Если раньше она, как все другие, шла за Эфросом радостно и послушно, то теперь ей многое пришлось взять на себя. Она царила в спектакле уверенно, властно, хозяйски, не просто участвуя в нем, но ведя, представляя его — более отстраненно, чем прежде; более сдержанно, скупо в той игре с образом, что поначалу так увлекала ее. Личность ее проступала во всем, с постоянно ощутимым подтекстом, который нескоро удалось разгадать. Но в конце, в музыкальной коде, когда тайная, не показная печаль прорывалась ее (и не только ее) слезами, было ясно, чему посвящен спектакль: **утрате**.

Таков был этот, дважды мелькнувший в Москве спектакль, словно случайный в богатейшей коллекции Эфроса, на деле — весьма значительный для него, неизбежный, вобравший в себя многое из того, что составляло его Театр.

Говоря об истоках того или иного спектакля, мы почти отвыкли искать их у автора. Мы как бы передоверили авторство режиссеру, заранее признав за ним право на вольность решения и не задумываясь порой о том, что вольность может корениться в литературе. К эфросовской «Буре» это относится в полной мере.

«Буря» вслед за «Ромео и Джульеттой» и «Отелло» венчает собой шекспировский цикл Эфроса, очередной его триптих. К этой, излюбленной им форме отношений с близкими авторами более всего подходит девиз: *движение и постоянство*. Все части триптиха, как правило, сильно разнились между собой. При возвращении к Чехову, Шекспиру или Мольеру каждая встреча приносила новый подход; каждый спектакль внутри цикла был иным, чем предшествующий или последующий.

Различия эти диктовались не только временем и собственным развитием режиссера, но и новыми условиями игры, будь то телеэкран или сцена, свой театр или чужой, ансамбль мастеров или команда студентов, как в «Буре». Различия вырастали из пьес, что тонко чувствовал Эфрос. Оттого «Чайка», и «Три сестры», и «Вишневый сад» — разные пьесы Чехова — были у него так несхожи на сцене, а «Буря» создавалась по иным законам, нежели «Отелло» или «Ромео и Джульетта», — они и у Шекспира иные». Трагикомедии Шекспира не следует трактовать как реалистические пьесы, но они и не текст для балаганного представления, — писал А. А. Аникст о последних шекспировских пьесах, включая «Бурю». — Причудливая смесь романтики и натурализма, живое чувство, вдруг возникающее в ходе совершенно невероятных событий, тонкий юмор и даже ирония автора, — для воспроизведения всего этого требуется изощренная театральная культура. <...> Странные и трудные для рассудочного ума, они приобретают подлинное поэтическое очарование, когда встречают нужную душевную настроенность зрителей»[7]. Это написано почти за 10 лет до эфросовского спектакля, но словно предсказывает его.

Аникст сразу, с готовностью принял спектакль Эфроса. Возник ряд удивительных совпадений. С одной стороны, мнение ученого; с другой же — сам спектакль, которого тот не предвидел, но предвещал невольно. Совпадения эти говорят прежде всего о том, что оба они, ученый и режиссер, шли от пьесы Шекспира, в русле близкого ее понимания[8].

А н и к с т: «Зло слишком зримо, чтобы его можно было счесть условностью. Стремление к добру — неискоренимая основа нормального человеческого мироощущения. Сочетать воедино и то и другое, найти средства, чтобы выразить необходимость утвердить добро среди моря зла, — вот та основа, на которой воздвигается художественная структура пьес последнего периода»[9].

Э ф р о с: «Бурю» хочется сделать нежно. По-моему, эта пьеса — самая добрая на свете. Мир должен быть добрым — это выстраданная мысль Шекспира (4; 188–189).

А н и к с т: «Шекспир был мастером дисгармонии, сочетания всего нескончаемого, единства всего противоречивого в человеческой жизни. Спектакль Эфроса <...> символичен. В нем есть та высшая правда, которая поднимается над обыденным правдоподобием. Правда контрастов, противоречий, несоединимого. И странным образом оказывается, что в этом многообразии есть единство»[10].

Э ф р о с: «Буря» позволяет соединить несоединимое. Там возможен любой хаос, только этот хаос необходимо сделать художественным. Чтобы он как-то воссоздавал ту дисгармонию, которую имел в виду Шекспир. *Дисгармония мира, упорядоченная гармонией высшего суда, великого и печального*, который вершит Просперо». (4; 190). И еще у Эфроса о *печальном*: «Мы разучились радоваться и играть. И оттого, что научить этому трудно, на пьесе лежит тень печали» (4; 189).

Мысль о *печали*, о том, что позволило Аниксту назвать «Бурю» *трагикомедией*, правомерна, тем более — для Эфроса, у которого не было «чистых» жанров, что очевидно в финалах его спектаклей. Финальный трагизм «Трех сестер» оттенялся иронией, в веселом «Тартюфе» сквозила тревога, а в «Буре» — легкая *тень печали*. Нельзя, однако, не заметить странности в рассуждениях Эфроса о *печали*. То речь идет о печали некоего *высшего суда*; то — о печальном неумении *радоваться и играть*.

Странность эта — видимая; у кого-то другого она могла быть противоречием или оговоркой, у Эфроса же в ней — суть: дисгармонию и печали мира побороть можно *игрой*. Разные как будто сферы, неравные силы: мироздание — и игра. Но и у Аникста отмечено нечто подобное: «произвольность развязки» пьесы, ее «счастливой концовки», возникающей от волшебства Просперо, вне «логики реальных жизненных процессов»[11]. Словно сам Шекспир предписывает этот путь: победу искусства над дисгармонией и злом — искусства мага, искусства игры.

Можно это трактовать как утопию, как уход от жизни, даже как жест отчаяния; для Эфроса же игра была той **линией жизни**, на которой возникла «Буря». С этой линией связано то, что чеховский Иванов называл «энергией жизни»; то, что в переломные или кризисные моменты давало о себе знать — вспышкой творческих сил, рождением нового, преодолением кризиса. Словно организм режиссера готовился к обновлению, мобилизовал свое чувство жизни, а оно-то у Эфроса и проявлялось более всего в стихии театральной игры.

Впервые это открылось в спектакле Центрального детского театра «Друг мой, Колька» на исходе 50-х годов — недаром В. Розов именно отсюда вел свой отсчет «настоящего» Эфроса. «Какая-то модель *игры* как очень важного, может быть, вечного, состояния человечества просматривалась через свободу, с которой молодые люди играли, когда им сказали только одно: играйте!» — вспомнит позднее Эфрос (4; 130–140).

Игра как *свобода* — это останется с ним до конца. Торжеством игры наполнятся даже спектакли трагедийного плана, особенно — связанные с Мольером («Мольер» Булгакова в Ленкоме, 1966; в 1973 — «Дон Жуан» Мольера на Малой Бронной и телевизионный спектакль «Несколько слов в честь господина де Мольера», композиция по Мольеру и Булгакову). Кажется, что при всем тяготении к Гоголю или Шекспиру, при всей любви к Чехову как писателю и человеку, именно Мольер был особенно близок творческой природе Эфроса. Здесь обозначены вехи и повороты на его режиссерском пути, и его драматичный финал.

На рубеже 70–80-х годов всех поразил исподволь подкравшийся кризис театра, острее других явленный у Эфроса. Что-то менялось в жизни, в отношениях с ней театра, в самом театре, в Эфросе. Помимо спада энергии, он внутренне готовился к переходу в какое-то иное качество, в очень жизни. Отсюда — его нежелание вновь что-то «взрывать», тоска по гармонии и красоте, тяга к юности как источнику жизненной силы и как к точке приложения жизненных сил — то, что выльется в «Буре».

Возвращение «энергии жизни» сказалось быстро в «Тартюфе» (МХАТ, 1981 — снова Мольер!) и в повороте к юным, как главным своим союзникам. Новые редакции «Трех сестер» на Бронной и «Ромео и Джульетта» на ТВ (обе в 1983-м) были как бы подступами к «Буре». Затем три начала его режиссуры — игра, молодежь, музыкальность — соединяются на «линии жизни» и возникнет «Буря», светлая как улыбка человека, выздоровевшего после болезни.

То, что «Буря» была не случайна, подтвердит спектакль «На дне», поставленный год спустя на Таганке (1984)[12]. Опять — союз текста, музыки, пластики и стремительных ритмов, но без того родственного дружества актеров, которое ему было необходимо. Для того чтобы «линия жизни» длилась, ему нужен был иной воздух — гармонии, а не борьбы. В итоге линия эта истончилась и вскоре оборвалась, и даже спасительный Мольер («Мизантроп», 1986) не помог. А «Буря» осталась последним «Глотком свободы» на долгом его пути; для нас — воспоминанием, видением, почти сном. Что стало бы, продлись эта «линия жизни», какой театр Эфрос смог бы выстроить для себя, лучше не гадать. Для этого просто нужна была другая жизнь.

Примечания

[1] *Свободин Александр.* В Белом зале... // Советская культура. 1984. 1 января. (Позже, в другой публикации Свободин уже сможет назвать фамилию режиссера. См.: *Свободин Александр.* Я актриса... // Советский театр. 1986. № 2. С. 10–11.)

[2] Телевизионная версия «Бури» была сделана режиссером Андреем Торстенсеном и оператором Борисом Лазаревым и показана в эфире в 1988 году.

[3] «Декабрьские вечера» 1983 года назывались «Образы Англии (традиции и фантазия)».

[4] *Эфрос Анатолий.* Книга четвертая / Сочинения в четырех книгах. М., 1993. (В дальнейшем ссылка на сочинения Эфроса будут приволиться по данному изданию, в скобках, с указанием номеров книг и страницы. Курсивом в тексте статьи выделены слова и выражения, принадлежащие Эфросу).

[5] Вокальные партии в «Буре» 1983 исполняли: Галина Писаренко, Петр Глубокий, Эрик Курмангалиев, Ирина Шикина.

[6] Как видно, партии Просперо и Ариеля иногда поручались и женщинам-актрисам. См.: *Образцова Анна.* Просперо или Проспера? Критический этюд с политикой и философией // Театр. 1985. № 3 (В рассказе А. Образцовой о прецедентах женского исполнения этой роли упоминается испанская актриса Нурия Эксперт, выступившая в обеих ролях на фестивале БИТЕФ. По свидетельству Н. Вагаповой, речь идет о спектакле испанского театра из Барселоны на БИТЕФе 1983 года.)

[7] *Аникст А.* Шекспир. Ремесло драматурга. М., 1974. С. 595.

[8] Речь А. Аникста перед показом «Бури» в 1988 году по смыслу и даже текстуально была близка режиссерскому самоанализу Эфроса в «Книге четвертой». Текст ее, хранящийся в архиве ученого в Институте искусствознания, был впервые прочитан на конференции памяти Аникста (к 10-летию со дня смерти) в конце 1998 года и вскоре опубликован (см.: Реквием Анатолию Эфросу. Из архива Александра Аникста // Экран и сцена. М., 1999. № 2 (470). Январь. С. 10).

[9] *Аникст А.* Шекспир. Ремесло драматурга. С. 592.

[10] См.: Реквием Анатолию Эфросу.

[11] *Аникст А.* Шекспир. Ремесло драматурга.

[12] Еще одно странное совпадение, на этот раз из истории группы «Современная культура». В первом сборнике ее (Взаимодействие искусств. Советское изобразительное искусство в контексте современной художественной культуры. М., 1989) моя статья (Слово, зрелище, движение, звук. Формула спектакля середины 80-х годов) была посвящена Эфросу, спектаклю «На дне», в контексте всего творчества режиссера. Как видно, сама проблема синтеза искусств в театре нерасторжимо связана с Эфросом.

Александр Шерель

Олег Ефремов — творчество и легенда

Жизнь и творчество Олега Николаевича Ефремова, как биография и искусство любого крупного актера и режиссера, окружены большим количеством легенд, мифов, тиражирующих фактические ошибки, вызванные не столько злым умыслом, сколько многообразием художественных проявлений, творческих симпатий и антипатий Ефремова, сложностями его актерской и режиссерской судьбы, перипетиями его личной жизни.

Одна из наиболее стойких легенд — часто повторяющееся утверждение о том, что для него театральное дело всегда было гораздо важнее людей, которые в этом деле участвовали вместе с ним. Об этом говорил и Виталий Вульф в телевизионном фильме о Ефремове из цикла «Серебряный шар»; эту мысль проводит А. Смелянский в своей монографии «Вертикаль Олега Ефремова»[1]. Ту же идею, высказанную когда более откровенно, когда с меньшей определенностью, можно найти в статьях критиков и театроведов, исследовавших полувековое служение Ефремова отечественному театру.

Ефремов действительно бывал строг и даже жесток с коллегами и учениками, вплоть до самых именитых, и происходило это тогда, когда он, как *строитель театра*, если и не разочаровывался в партнерах, то начинал ощущать их неполную отдачу общему делу.

Доходило иногда до разрыва с самыми близкими друзьями и соратниками. И тут Ефремов, наверное, не всегда бывал прав — особенно это легко понять теперь, по прошествии времени. Но в тот момент, когда ему казалось, что даже самые близкие друзья перестают заботиться о том, чтобы порох всегда был сухим, он становился непримиримым. Ему самому было больно, он мучился, но оставался твердым в своих решениях.

Евгений Евстигнеев был для Ефремова не просто соратником и другом, но ближайшим актером его театра в течение многих лет. А что касается личной приязни, то об этом может свидетельствовать такой эпизод. Московским актерам выделили несколько новых квартир в только что построенном жилом доме на Суворовском бульваре. Ефремов озаботился, чтобы Евстигнееву при распределении этих квартир досталось новое жилье в том же доме и том же подъезде, что и ему — рядом.

Евгений Евстигнеев пошел из «Современника» во МХАТ, кажется, почти не задумываясь; для него работа с Ефремовым была естественной потребностью, как и человеческая близость. Время шло, обстоятельства менялись. В один, трудный для них обоих день Евстигнеев пришел в кабинет Ефремова с просьбой освободить его от репетиций новых спектаклей хотя бы на один-два сезона. Он не хотел уходить из репертуара вообще, он обещал аккуратно играть все спектакли, в которых он был занят.

Но он, по личным обстоятельствам, хотел иметь немного больше свободного времени и просил своего друга — главрежа немного снизить его профессиональную загрузку в Художественном театре.

Ефремов выслушал и отказал.

Евстигнеев настаивал.

— Тогда ты должен уйти из труппы хоть на пенсию, хоть на разовые.

И Евстигнеев ушел.

Потом, незадолго до отъезда в Англию на операцию, закончившуюся для него трагически, Евгений Александрович рассказывал об этом разговоре с непривычными для него сентиментальными интонациями несправедливо обиженного человека.

Обратной дороги не было, ни для одного, ни для другого.

В старом блокноте у меня осталась запись этого разговора с Евстигнеевым и поразившая меня тогда реплика великого артиста: «Театр — место тяжелое. Олег меня очень обидел, но, по-своему он, может быть, и тут прав».

Строитель театра — это не просто самое точное определение сути жизненного, нравственного и эстетического кредо Ефремова. Это обозначение, по выражению Г. А. Товстоногова, сути характера актера и режиссера, который стал олицетворением «послесталинской культуры», олицетворением поисков духовной свободы и духовной независимости в стране, которой предстояло выползти из атмосферы сталинского концлагеря и обрести веру в традиционные общечеловеческие ценности.

В упоминавшейся выше книге Смелянского «Вертикаль Олега Ефремова» есть наблюдение, очень важное для понимания сути и ценности ефремовского творчества. Смелянский пишет о том, что эволюция Ефремова, успехи и кризисы его театра общезначимы и бесконечно поучительны, именно потому, что время катастрофически менялось, а Ефремов оставался похожим на себя самого.

Поверив именно этой мысли, мы и попробуем взглянуть на путь Ефремова-актера.

Уже в Центральном детском театре, куда Ефремов пришел после окончания Школы-студии МХАТа и дебютировал в розовской пьесе «Ее друзья» осенью 1949 года, он проявил себя как лидер. Именно как лидер, а не как «звезда», притягивающая восхищение зрителей самим фактом своего существования на сцене. В Ефремове сразу видны были не только большое актерское дарование, обаяние и свобода разнообразных преображений, которые предоставлял ему репертуар — от мольеровского Ковьеля в «Мещанине во дворянстве» до грибоедовского Молчалина и от Митрофанушки в «Недоросле» Фонвизина до сказочного Ивана в «Коньке-Горбунке». Добавим к этому списку ролей многочисленных школьников, молодых рабочих, комсомольцев-целинников, словом, современников актера и зрителей, которые доставались Ефремову по режиссерскому распределению в пьесах Виктора Розова, Вениамина Каверина и других отечественных драматургов.

Весной 1950 года он вводится на главную роль летчика Сани Григорьева в «Два капитана» по пьесе-инсценировке популярнейшего романа Каверина. Спектакль, поставленный главным режиссером ЦДТ В. С. Колесаевым, к тому времени шел уже два сезона и имел прочный успех, поддержанный всеобщей любовью московских школьниц и студенток к превосходному, красивому и темпераментному актеру Александру Михайлову, который исполнял роль Сани Григорьева на премьере. Назначение Ефремова, — «простака» и «резонера» на роль, естественную для «героя-любовника», а тем более в очередь с любимцем публики — не было в Москве тогда актерского капустника, где бы поклонниц Михайлова не вышучивали наравне с «лемешистками» и «козловитянками», — отличали обаяние и взрывные эмоции, которые он элегантно и убедительно демонстрировал в различных сценических ситуациях. Спектакль «Два капитана» — романтическая история о любви и о том, как верность девизу «Бороться и искать, найти и не сдаваться» в конце концов побеждает и трагические обстоятельства жизни, и происки подлецов, и даже разлуку с любимой — и был поставлен в расчете на Михайлова, и передача роли артисту совсем иного темперамента и внешних данных — даже во втором составе, даже дублером — породило множество сомнений.

Одна из центральных сцен спектакля — встреча главного героя с любимой девушкой, которую он находит во время войны где-то далеко на Севере в общежитии маленького гарнизона, — по режиссерскому рисунку был эпизод, в котором первый исполнитель демонстрировал самые яркие свойства своего темпераментного дарования. Он влетал на сцену, в глубине которой поднималась ему навстречу его возлюбленная, каким-то невероятным балетным прыжком в мгновение ока оказывался у ног девушки, и дальше вся сцена встречи шла под бешеные аплодисменты зала, с трудом прерываемые репликами, всхлипами и ликующими вскриками героев.

Ефремов в этой сцене появлялся из кулисы очень медленно, полусогнувшись, делал несколько шагов. Девушка в глубине сцены поднималась ему навстречу, запахивала легонький халатик и почти балетными маленькими шагами двигалась к нему. Ефремов делал еще несколько медленных движений, потом воздевал руки в огромных летных варежках, сбрасывал их очень резко, как бы освобождаясь и от пут, и от всего того времени, когда его руки не могли обнять и приласкать любимую, и застывал с протянутыми руками, а на его вначале суровом и уставшем лице расцветала нежная улыбка. Потом, словно не веря себе самому, своим глазам, он выдыхал имя любимой — «Катя» и застывал перед возлюбленной в молитвенном восторге.

Вот тогда, мальчишкой, я в первый раз увидел, как зал безо всякого, казалось, повода поднимается и аплодирует стоя, посреди спектакля, в нарушение всех привычек и традиций. Аплодирует, размазывая ладошками слезы на лицах.

Был в Центральном детском театре тогда свой круг зрителей, который официально назывался «Актив школьников». Руководила им Н. А. Литвинович, дама строгая, но очень любившая и театр, и детей. По ее предложению, активисты (а это были школьники старших классов) писали сочинения-отзывы на представления, которые они смотрели в ЦДТ. А так как каждый спектакль они могли смотреть по многу раз — их пускали бесплатно, это называлось «дежурные активисты», то из этих наивных школьных сочинений складывалась своеобразная летопись театральной жизни.

Самые лучшие сочинения и самые интересные наблюдения сохранялись в Педагогической части ЦДТ в специальных папках и альбомах, а некоторые даже попадали в школьные стенгазеты, которые вывешивались в «Уголках ЦДТ», обустроенных в тех школах, которые делегировали старшеклассников в этот самый «актив». Я храню до сих пор несколько таких рецензий, принадлежащих 14–15-летним мальчикам и девочкам, которых воспитывали в духе сталинской непримиримости к любым проявлениям человеческой слабости и к любым сомнениям.

Итак, несколько цитат из старых школьных тетрадок: «Я посмотрела «Два капитана» с артистом О. Н. Ефремовым в роли моего любимого героя Сани Григорьева из моей любимой книжки и задумалась о том, что представляла его себе, наверное, не совсем правильно. Мне он казался выплавленным из стали, как Зоя Космодемьянская и Павка Корчагин, а он, оказывается, нежный и душевный. Я подумала в первый раз в жизни о том, что любить свою страну по-настоящему можно, только когда научишься любить людей рядом с собой. Наташа К., 9-й класс».

«Оказывается, мужество и смелость, как и умение подчиняться, — это только ступеньки к настоящему мужскому характеру, надо уметь понимать других людей, уметь быть к ним искренне внимательным. Володя Г., 9-й класс».

Бывшие «активисты» ЦДТ — у них разные судьбы, есть среди них и учителя, и писатели, и артисты, есть и академики, и даже министры, — до сих пор собираются на новогодние елки в театре, но, к сожалению, все чаще встречаются и по менее радостным поводам. Некоторые из них пришли проститься с Ефремовым в мае 2000 года. Сели помянуть. Каждый вспомнил о своем, но почти каждый назвал «Два капитана» и ефремовского Саню Григорьева как веху в своей собственной биографии, в своем собственном познании ценностей этого мира и бытия.

Уже на этой ранней стадии творчества в Ефремове привлекала удивительная способность создавать центростремительное движение вокруг той художественной задачи, которую решал по ходу сюжета его персонаж. Нет, он не любил актерских вольностей, ведущих к самовыдвижению на авансцену. Однако он неизменно оказывался самым значительным и самым серьезным для зрителей действующим лицом спектакля, а в результате — поводом для многочисленных и разнообразных дискуссий и разговоров среди зрителей, которые возникали в кругу московских театралов всех возрастов уже после окончания спектакля.

Постепенно он выдвигался и как лидер-организатор.

Уже первый выпуск своего курса в Школе-студии МХАТа он формировал как новую театральную труппу.

«Студия молодых актеров» — такое название поначалу взял себе будущий театр «Современник». Какое созвездие талантов собрал он в весенние дни 1956 года, предчувствуя появление нового этапа отечественного театра, нового актерского поколения: Евгений Евстигнеев и Игорь Кваша, Лилия Толмачева и Олег Табаков, Светлана Мизери и Галина Волчек, Виктор Сергачев и Лев Круглый... Продолжение этого списка — энциклопедия достижений русской драматической сцены за всю вторую половину XX века.

«Современник» был фактом не только художественной, но и социальной истории страны.

«Театр Ефремова» стал первым театром, который не декларировал, а на практике утверждал идею «свободного театра для свободных людей», имея в виду не вседозволенность, а свободу самовыражения личности.

В 1963 году он ставит пьесу Александра Володина «Назначение» и играет в ней главную роль. На отечественной сцене впервые за много лет появляется тип, ни жизнью, ни искусством еще не проверенный, не исследованный, интеллигент, которому доверено распоряжаться судьбами других людей. После сталинских «железных наркомов», после руководителей, главной характеристикой которых были строки поэта Николая Тихонова «гвозди бы делать из этих людей, не было б в мире крепче гвоздей», на сцене появился умный, порой нерешительный человек, искренне верящий, что не абстрактные догмы государственной пользы, а внимание к людям, к их бедам, недостаткам и радостям, к их сугубо личным заботам и проблемам — только это и есть гарантия благополучия всего общества.

Спектакль «Назначение» и те идеи, которые нес актер и режиссер Олег Ефремов зрительному *залу*, произвели огромный эффект. Многие люди во время и после этого спектакля впервые задумались о том, что многократно повторенные лозунги сталинского государства о мощи и величии системы на самом деле нравственно порочны и духовно убоги.

Еще далеко было до разоблачительных книг Солженицына, еще слово «интеллигент» в устах немалого количества «строителей нового общества» звучало почти ругательством, а по сцене «Современника» ходил интеллигентный начальник, глубоко убежденный сам, а потому и убеждавший зрителей в том, что это самое новое общество должны строить добрые и внимательные люди.

Ему возражали:

— Деловые у добрых все разворуют.

А он упрямился:

— Деловые, но добрые.

Зрители поверили спектаклю — и в этом была была одна из величайших нравственных побед Олега Ефремова и его театра.

«Современник» — это новые пьесы, взлет В. Розова, пьесы В. Аксенова, А. Зака и И. Кузнецова, новая пьеса Константина Симонова, написанная специально для Ефремова, первые драматургические опыты А. Солженицына. Словом, это разнообразная новая драматургия, которая может показаться сегодня наивной и несовершенной, выражала неистребимую энергию времени и веры Ефремова в то, что театр должен и может делать человека чище, возвышеннее в мыслях и делах каждодневного бытия.

«Современник» символизировал и новую для тогдашнего советского искусства эстетику. «Вперед, к Станиславскому» — так формулировал Ефремов свои театральные воззрения и добивался «веры в правду произносимого» в каждой роли, в каждой реплике от верных ему исполнителей, воскрешая подлинные традиции «художественников».

Ефремов был внимателен ко времени, но никогда не подлаживался к нему. Большинство его спектаклей обнаруживали гигантский заряд социальной силы.

Он фантастически умел вводить начальство в заблуждение своей мнимой простотой общения, милой полузастенчивой улыбкой и чуть иронической игрой в «своего парня». Он еще на сцене Центрального детского отработал и эту улыбку, и эту особую пластику простого рабочего парня из предместья. Она возникла у него, когда в 1953 году в ЦДТ сразу после Иванушки в «Коньке-Горбунке» поставили розовскую пьесу «Страницы жизни», и Ефремову досталась роль рабочего Кости Полетаева. Весь конфликт заключался в вопросе — надо ли обремененному семьей молодому рабочему парню заканчивать вечернюю школу или сохранить время для более приятных занятий. Костя Полетаев был другом главного героя и весьма убедительно доказывал сначала никчемность всех этих школ, но потом, после душещипательных бесед со старой учительницей — ее играла В. А. Сперантова, — не менее убедительно ратовал за пользу среднего образования.

С того момента, как Ефремов в кепочке набекрень и в брюках, заправленных в хромовые сапожки, появлялся на сцене, от него невозможно было оторвать глаз. Он улыбался — и зал был готов расхохотаться, он хмурился — публика тут же настороженно затихала; потом эта кепочка появится во многих фильмах Ефремова и для части зрителей станет определяющей деталью его собственного характера. А ведь на самом деле он арбатский интеллигент, со всеми полагающимися этому человеческому типу чертами, и прежде всего с тягой к глубокому философскому познанию людей и уважением к чужому мнению.

Его самым близким приятелем школьных лет был сын Елены Сергеевны Булгаковой, пасынок Михаила Афанасьевича, Сева Шиловский. «Мастера и Маргариту» Ефремов на пике своей актерской славы почти полностью прочел у микрофона Всесоюзного радио. «Собачье сердце» и «Театральный роман» ему были хорошо знакомы задолго до того, как они были напечатаны.

Про театр он знал все, что полагается знать человеку, который пятьдесят лет был верен завету Станиславского о том, что надо любить искусство в себе, а не себя в искусстве. Знал все про амбиции, из которых часто складывается атмосфера не только за кулисами, но иногда и прямо на подмостках, знал, как беспощадна публика и даже самая доброжелательная критика, — с его помощью поднялись на свои пьедесталы многие критические авторитеты, особенно из поколения «шестидесятников». Знал о нетерпимости власти, готовой поставить ему в упрек любую неудачу, и будем честными — ему пришлось познать ненадежность, а иногда и прямое предательство людей, которых он считал своими надежными помощниками.

Нет, он не зря еще в юности прочел булгаковский «Театральный роман» и с помощью своих учителей познавал историю театра.

А старики-«художественники» любили его и верили ему, хотя и не взяли в труппу после окончания Школы-студии им. В. И. Немировича-Данченко.

Сохранилась легенда о том, как он, прощаясь с ректором Школы-студии В. З. Радомысленским, сообщившим ему, что он направлен в ЦДТ, сказал:

– Ничего, Вениамин Захарович, я еще вернусь сюда главным режиссером.

Радомысленский будто бы аж присел от такого нахальства, а Ефремов, просияв своей, уже тогда знаменитой смущенной улыбкой, спросил:

– А преподавать позовете?

– Позову, — неожиданно для себя ответил Радомысленский, и с этого момента началось восхождение актера и режиссера, будущего руководителя Московского художественного академического театра Олега Ефремова.

Он знал и победы и поражения, и «ничто человеческое ему было не чуждо». Человек театра, он был верен театру, его нормам и традициям существования. Но он никогда не говорил гадости о сослуживцах, даже о тех, кто очень сильно обижал его. Один из последних телефонных разговоров, незадолго до финала. Во МХАТе им. Чехова очередная заварушка, группа молодых актеров судится с руководством театра; банальный театральный конфликт перерастает в склоку, которая жирными пятнами выползает на экран телевизора и страницы газет... Разъяренный, я пишу статью на тему о том, что рожденные ползать в небо смотрят с тоской и ненавистью к тем, кто там летает. Статью набирают в одной из центральных газет, у меня в больнице раздается телефонный звонок: «Тебя разыскивает Ефремов». Я не могу говорить, и весь дальнейший диалог ведет моя жена. Ефремов благодарит за статью, но сомневается, не вызовет ли она еще больший поток грязи. Жена пытается убедить Олега Николаевича, что хамство нельзя оставлять безнаказанным, и вдруг слышит в ответ:

— Оленька, ну разве слоны должны реагировать на мосек? Мы же боги, зачем мы будем отвечать плебсу?

Иногда у Ефремова были работы, которые он сам, да и кое-кто из близких ему почитателей и друзей называли «спектакли-расквиты». Так происходило несколько раз, когда принципиально новые мысли о предметах, на первый взгляд хорошо знакомых, вдруг обретали новую окраску или просто в очередной раз будоражили воображение художника. Если бы Ефремов поставил «Горе от ума» в «Современнике», то Чацкий непременно оказался бы на Сенатской площади. Время от времени Ефремов ставил спектакли, в которых стремился доказать это. По моему впечатлению, самым ярким из них было «Назначение» Володина, где убеждения Ефремова и его товарищей в непременном успехе честного человека, в победе чистых помыслов над лживостью и приспособленчеством и над сановным мещанством было продемонстрировано со всей силой и обаянием актерских дарований.

Было время надежд...

Почти через два десятилетия Ефремов поставит спектакль, где в первый раз с болезненной пронзительной остротой опишет историю падения своего любимого героя. В пьесе Александра Гельмана «Наедине со всеми» требования карьеры, желание элементарного бытового обустройства оказывались сильнее не то что веры в идеалы, но и простой порядочности. Не подлеца и не злодея сыграл Ефремов в блистательном партнерстве с Татьяной Лавровой, но судьбу человека, в которой обстоятельства сильнее его собственной воли и желаний.

Прошло еще почти полтора десятилетия. И он поставил «Горе от ума» — но с каким неожиданным финалом. ...Александр Андреич Чацкий произносит заключительные фразы своего обличительного монолога, держа в руках «подвенечную свечу», а Софья нежно успокаивает его. А потом они вместе встают на колени, а за их спинами возникает хор во фраках и белых платьях, как и полагается на свадебном торжестве... На Сенатскую площадь? Помилуйте! Ведь и смысла в этом никакого нет...

«Горе от ума» не стало событием по причинам не художественным, а внутритеатральным: то ли у самого Ефремова недостало сил переломить актерскую инертность, то ли исполнителям не хватило времени (кто-то репетировал проездом из Стокгольма в Нью-Йорк, кто-то – в перерывах между съемками; швы, рожденные непониманием общей концепции спектакля, и спешка вылезли на сцену). А может быть, не хватило взаимной веры друг в друга и в необходимость именно такой трактовки «Горя от ума». Кто знает?! Но воплощение оказалось куда слабее замысла.

Однако круг замкнулся. Ефремов продемонстрировал эволюцию взглядов на взаимоотношения личности и общества. Следствия обозначены. Теперь стоило обратиться к причинам. Для этого лучше всего подходил «Борис Годунов».

В 1994 году, когда уже не было ни Советского Союза, ни единого и неделимого советского народа – «новой общности людей»; когда уже потерпела крах «перестройка» и демократы всех мастей оказались вовсе не демократами, Ефремов поставил пушкинского «Бориса Годунова».

Первое появление Бориса – Олега Ефремова. Из глубины сцены выходил на нас высокий, очень красивый и очень уверенный в себе человек. Говорил он спокойно, с достоинством, и в обращении к патриарху и боярам – «Обнажена моя душа пред вами...» – не было ни заискивания, ни царственного величия, ни лукавства. Он был прост. По-домашнему. Не теряя при этом царственного величия.

Реальный русский царь Годунов, естественно, не мог читать своего французского современника и сверстника, жившего за тысячи километров от Москвы. Но мудрый правитель России, созданный пушкинской фантазией и сыгранный Ефремовым, бесспорно, принимал за истину наблюдение Монтеня о том, что «умение достойно проявить себя в своей природной сущности есть признак совершенства». И так же не забывал, что «даже на самом высоком троне мы сидим на своем заду».

Поразительная органика, присущая Ефремову-актеру, проявлялась в роли Годунова естественностью и достоверностью каждого слова. Но с первой же фразы Бориса возникало ощущение боли, которую нес в себе этот человек. Потом он был всяким – жестоким, гневным, энергичным и слабым, злобным, добродушным, настороженным... И постепенно становилось понятно, что это не только боль раскаяния, которое, конечно, было в его душе. Но всеобъемлющая боль *знания* – тем более страшного, что оно не высказано никем другим.

Мне кажется, Ефремов сыграл в Годунове сразу всех правителей России – от Рюриковичей до Ельцина. Не пропустил ни тиранов, ни реформаторов. Они все были в его Борисе, ибо он выразил в этой роли то действительно уничтожающее человеческую душу понимание мира и событий, которое приходит к умному человеку на троне или на трибуне мавзолея (это уже безразлично). «Борис Годунов» во МХАТе им. А. П. Чехова — был спектаклем о бессилии любой власти в России, бессилии, не зависящем от формы правления, методов управления, перемены кнута на пряник и наоборот...

И о всесилии черни!

Ефремов не обольщался и по отношению к зрительному залу.

Однако при всей мудрости, которую накопил Ефремов за пятьдесят с лишним лет строительства Театра, он не потерял наивной веры в то, что люди, занимающиеся искусством, прежде всего должны быть порядочными, как бы это ни было трудно...

В разные годы он увлекался драматургией разных людей. Ближе других ему были Александр Володин и Михаил Рощин, в них он видел продолжение чеховской традиции русской драматургии. Чехов же был для него и критерием, и инструментом, и той самой синей птицей, о которой грезит про себя или открыто любой художник.

Иногда он наступал на горло собственной песне. Хотел сыграть в «Чайке» Дорна, но отдал роль Иннокентию Смоктуновскому. На одном из занятий с молодыми актерами — это было в Лондоне, в Эммерсон-колледже, куда вместе с английскими, русскими молодыми актерами и режиссерами приехали и несколько первоклассных «звезд» английского театра, Ефремов рассказывал о «Дяде Ване» и показывал, как он сыграл бы профессора Серебрякова. Видно было, что эта роль для него давно и сильно желанна. А во МХАТе, когда в 1985 году он выпускал как постановщик вместе с режиссером Н. Скориком спектакль, он отдал роль Евстигнееву.

Для Ефремова Чехов был еще и своеобразной «путеводной звездой». Он старался читать о Чехове все, что возможно; старался узнать не только мельчайшие бытовые или литературные подробности, но и бесконечное многообразие мнений, скопившихся в разных книгах. Псевдонаучное самолюбование Ефремов чувствовал очень остро, но легко прощал и его и именитым, и начинающим «ведам», особенно если находил в их трудах какие-то детали, ему ранее неизвестные. И тут же рассказывал об этом своему очередному собеседнику.

У него вообще была черта, которая даже некоторым близким ему по жизни и по работе людям казалась несколько странной. Взяв в руки новую книгу и обнаружив в ней интересные для него сведения и мысли, Ефремов с нескрываемым удовольствием при каждом удобном случае, а иногда и без оного, принимался пересказывать эту книгу друзьям и коллегам. Одних это удивляло, других раздражало, третьи считали эту черту его характера — особенно уже на склоне лет — возрастной придурью. А он просто радовался новому знанию и очень хотел поделиться им с близкими ему людьми и с товарищами по цеху.

В Чехове его интересовало все. Вспоминается один из его приездов в Мелихово, куда он собирался с огромным удовольствием, его призывали в чеховское имение не только интерес и служебные обязанности руководителя театра имени Чехова, но и дела чеховской комиссии Академии наук, в которой он председательствовал после В. Я. Лакшина в 90-е годы.

Очередная поездка на «Международную Школу Михаила Чехова», которая проводилась в Мелихове в середине 90-х годов, пришлась на время подготовки к выпуску «Трех сестер».

В своей небольшой лекции о Чехове Ефремов тогда обратил внимание на то, что в его пьесах часто встречается реплика-ключ и что если вдуматься в нее как следует, то и смысл всего произведения становится ясен. При этом каждое театральное поколение, разумеется, по-своему расшифровывает этот код и, может быть, находит другой ключ или другой шифр, а дальше дело лишь за фантазией и профессионализмом постановщика.

В «Трех сестрах», по мнению Ефремова, такой ключевой фразой была реплика «В этом городе знать три языка ненужная роскошь. Даже и не роскошь, а ненужный придаток, вроде шестого пальца».

Мысль была достаточно проста и понятна. Оставалось найти проекцию этой идеи в нашем времени. Вольно или невольно, но Олег Николаевич сделал это. В своем мхатовском спектакле «Три сестры» он выстроил своеобразную психологическую лестницу, по которой прошли несколько поколений отечественной интеллигенции, и прежде всего те самые «шестидесятники»: от надежды и уверенности в своем высоком предназначении к усталости, разочарованию. Вслед за Чеховым Ефремов и Скорик, режиссер, завершивший спектакль, задают бесконечные проклятые вопросы бытия и вслед за временем и собственным опытом демонстрируют тщетность нравственных попыток противостоять жлобству, хамству и хватательным рефлексам окружающего мира. И сделан спектакль с такой пронзительной болью и художественным изяществом, которые позволяют легко отличить правду жизни и искренность чувств на сцене от самой искусной имитации. Логика исторических перемен обусловливает перемены психологической атмосферы спектакля — от эпизода к эпизоду, от первой картины до последней...

Первый акт поначалу даже настораживает приподнятостью радостных интонаций, чрезмерным пафосом желаний, предощущением непременно грядущих новостей.

Прежде всего, конечно, у Ирины — Полины Медведевой: «Отчего я сегодня так счастлива?», и влюбленного в нее Тузенбаха — Виктора Гвоздицкого: «Вам двадцать лет, мне еще нет тридцати. Сколько лет нам осталось впереди!»... Им вторят и старшие: и рассудительная Ольга — Ольга Барнет, и вновь назначенный батарейный командир подполковник Вершинин — Станислав Любшин: «Вы не исчезнете, не останетесь без влияния <...> пока наконец такие, как вы, не станут большинством...» И даже старый доктор Иван Романович Чебутыкин — Вячеслав Невинный, хотя и провозглашает, что он ничтожный старик, но полон такой любви к сестрам и всем их гостям, такого милого доброжелательства и юмора, что кажется, будто и у этого человека еще много хорошего впереди. Пожалуй, только у Маши — Елены Майоровой, вкусившей прелестей семейной жизни с горячо нелюбимым ею мужем, прорывалось время от времени жесткое полуистерическое раздражение, но это понятно — в конце концов в одном из первых вариантов пьесы Маша кончала или по крайней мере намеревалась решить все проблемы самоубийством. (Господи, кто же знал, что именно этот путь через год после премьеры выберет для себя в реальной жизни превосходная актриса!)

И еще — в прелестных мечтательных интонациях Ирины вдруг маленькой тучкой мелькнет — «Вы говорите: прекрасна жизнь. Да, но если она только кажется такой». Но эта нота быстро растворяется в общем праздничном настроении, в безудержном желании прекрасных перемен.

Нами владели те же чувства на поэтических вечерах в зале Политехнического или в консерватории на премьере «Тринадцатой симфонии» Шостаковича?

...Умирают в России страхи...
Ведь не казалось — были уверены!

Ах, как надеялись мы тогда на победительность чеховских наблюдений из его записной книжки: «Сила и спасение народа в его интеллигенции, в той, которая честно мыслит, чувствует и умеет работать». Оказалось, что страхи не умерли, а на некоторое время только притаились. И снова пришла зима.

И в город, где живут сестры Прозоровы, тоже пришла зима. Снег идет прямо в гостиной дома Прозоровых. Ефремова и художника Валерия Левенталя ничуть не смущает эта условность (потом с неба-потолка посыпятся осенние листья и опять эта художественная метафора поможет изменить настроение на сцене и в зале).

И все стали тянуться к огню — к камину, к костру, просто к свечам и друг к другу — за теплом. И стали много философствовать, но уже «не на публику», а каждый, найдя себе пару.

Философствуют все — даже Наташа (Наталья Егорова), как кошка, бродящая из комнаты в комнату, от скуки на ходу она насилует Андрея и в самый «подходящий» момент продолжает рассуждать, как трудятся бедняжки сестры...

Ведь тогда еще надеялись.

А потом в городе случится пожар, едва его не уничтоживший, и пьяный или притворяющийся пьяным доктор Иван Романович скажет то, о чем думают все: «В голове пусто, на душе холодно». А Ирина подтвердит, плача сухими глазами: «Никакого удовлетворения, а время идет». И опять вспоминаешь уже о пережитом в наши дни... О крахе надежд и о том, как легко гасли огоньки, казавшиеся обозначением новой земли обетованной, обозначением тепла и света новых, благородных человеческих отношений...

Теперь о том, почему я начал словами «вольно или невольно». С описанными здесь впечатлениями и размышлениями после премьеры я разбежался к Ефремову и услышал в ответ:

– Интересно, может, ты и прав... Но я ни о чем таком не думал, а занимался только Чеховым, временами года, которые он «заложил» в пьесу.

И я в очередной раз подумал о природе таланта этого мастера, в спектаклях которого – даже вне его специального желания – непременно находят свое отражение болевые точки реальных современных ему и нам проблем. Впрочем, и сам Ефремов когда-то заявил: «Чехов – выше одной исторической эпохи», ибо его персонажи «сталкиваются не просто друг с другом, но и с общим течением жизни, роковым и неумолимым».

Я подозреваю, что приведенный круг ассоциаций даст основание придирчивому коллеге обвинить меня в «вульгарном социологизме», в примитивном подходе к художественному творчеству и к классике, а то и в том, что я сужаю эстетические и духовные рамки замечательного спектакля. Но ведь нам свойственно «примерять» художественные впечатления, если они серьезны и глубоки, на историю своего личностного познания мира. К тому же я уверен, что зритель другого возраста – старше или моложе найдет «свои опорные точки» в сценическом рассказе Ефремова и верных ему (и Чехову) актеров. Если, конечно, решится не только задать самому себе, но и ответить на те самые вопросы, которые стимулирует атмосфера чеховского спектакля О. Н. Ефремова «Три сестры».

Про себя лично большинство из нас ответы знают...

Ефремовская сценическая версия «Трех сестер» по своей органичности напоминала четырехчастную симфонию, в которой сохранена откровенная приверженность мхатовским традициям.

В этом смысле мне представляется символичным уже пролог, сочиненный Ефремовым с помощью блистательного в этой работе художника Левенталя. Откуда-то из глубины сцены, как бы из глубины театрального времени выезжает и разворачивается перед зрителем дом Прозоровых, стоящий в очаровательной березовой роще. (Глядя на нее, непременно вспоминаешь березки Владимира Дмитриева из легендарной постановки 1940 года.) А в финале этот дом вообще растворится в закулисье, как замечательно сформулировал Константин Щербаков, – «в обыденном и привычном пространстве нашего беспредела».

Конечно, Ефремов помнил, что значила эта пьеса для Художественного театра: и то, что она была вообще первым чеховским сочинением, написанным специально для «художественников»; и то, что уже первая постановка выразила в полной мере своеобразие чеховского подхода к изображению человеческих страданий. «Люди, которые давно носят в себе горе и привыкли к нему, только посвистывают и задумываются часто»[2]; и громадное впечатление постановки Немировича-Данченко 1940 года, посмотрев которую во время войны шестнадцатилетний Ефремов решил стать актером и режиссером.

Желая подчеркнуть преемственность нового обращения к пьесе, автор спектакля иногда расставляет для этого специальные знаки. Те же березки. Или такая деталь, специально для театральных гурманов: в гостиной у сестер Прозоровых, естественно, висит большой портрет отца. Так вот, изображен на нем артист Михаил Болдуман в гриме и костюме подполковника Вершинина, роль которого он исполнял в мхатовском спектакле сорокового года.

И в то же время именно в ефремовской версии очевидно принципиально новое понимание персонажей, их судьбы и всей истории, происшедшей в губернском городе N.

Много лет назад, еще во времена «Современника», я услышал от Ефремова примечательную фразу: «Чехов требует освобождения от большой, если не большей, части некопленного театрального багажа, а это редко случается у режиссера и у актеров одновременно». В ефремовских «Трех сестрах» получилось.

Ефремов поставил спектакль о людях, у которых нет никакой возможности хоть немного изменить жизнь в соответствии с собственными планами и желаниями. И все они знают это, оттого столь мучительна их попытка «сохранить лицо».

...Уходит бригада. Вершинин уже попрощался с Ольгой, уже попросил не поминать его лихом, а Маши все нет. Судорожным движением Любшин — Вершинин прячет часы и... обращается к Ольге таким тоном, будто они встретились на светском рауте, — «о чем бы пофилософствовать?». Он говорит чужие, банальные, фальшивые для него и для нее слова о будущей ясности жизни и поисках человечества, об образовании и трудолюбии, говорит спокойным менторским тоном, а тебя словно оглушает воющий, почти звериный, но немой крик, который исторгает его душа и который продолжит Маша — Елена Майорова, тоже ни на мгновение не позволив себе повысить голос.

Крик и стон зажаты в горле, потому что, вырвавшись, они только усилят боль — и свою, и, что еще важнее, хозяевам и гостям дома Прозоровых, боль близких им людей. Этот этический принцип блистательно реализуют и Андрей Мягков в роли Кулыгина, и Дмитрий Брусникин — Андрей, и Алексей Жарков – Соленый, и, в общем, все, включая Наталью Егорову, которая не менее блистательно демонстрирует нечто противоположное – всепобеждающее животное хамство.

Ефремов собрал великолепный ансамбль, в котором без преувеличения каждая из актерских работ достойна подробного разбора. Но пусть простят меня участники спектакля – это тема другой статьи, а в продолжение этих заметок только об одной роли, о которой много лет думал Ефремов и которую доверил в этом своем сценическом сочинении Виктору Гвоздицкому.

Мне кажется, что Ефремов передал Гвоздицкому две роли, которые примерял на себя. Сначала это был Тузенбах в «Трех сестрах», а потом Сирано – в переводе Юрия Айхенвальда в спектакле, над которым он работал уже накануне своей смерти. Мне все же представляется, что в эти работы Ефремов вложил не только свое режиссерское видение и навыки, но и некую полумистическую надежду на свое продолжение, соединяя свое представление о роли с могучим дарованием Виктора Гвоздицкого.

Итак, Тузенбах – Гвоздицкий.

Он мил, мечтателен и обаятелен в своем чуть ироническом общении с миром, искренен в «страстной жажде жизни, борьбы, труда», но аура обреченности окружает его. (Задача для очень крупного актера, и Гвоздицкий превосходно с ней справляется.) Он ведь никому не нужен, этот барон – ни армии, где не совладать ему со множеством Соленых, ни гражданской жизни – сняв мундир, он вызывает жалость даже у таких добрых и симпатичных людей, как сестры Прозоровы, ни любимой женщине, которая может выйти за него замуж, но не полюбить его...

Самое главное, Тузенбах – Гвоздицкий прекрасно все понимает и ни на мгновение не обольщается. Хотя на самом деле он, наверное, самый талантливый и уж точно самый внутренне свободный человек из всех, кто переступал порог дома Прозоровых.

Любопытный прием нашли режиссер и актер в рисунке этой роли: в течение всего спектакля Тузенбах разговаривает негромким, легким голосом, какие бы ситуации ни складывались на сцене, и только перед уходом на дуэль, после прощания с Ириной из глубины сцены раздается один-единственный раз его трагический вопль. Он прокричит имя любимой – отчаянно, из последних сил, как кричат, когда останавливается сердце и отлетает душа.

Этот крик остается в эмоциональном послевкусии спектакля, а еще позже приходит мысль, что у Ефремова и Тузенбах, и сестры Прозоровы, и подполковник Вершинин библейски изначальны в своей наивной, но неистребимой вере в человека, в любовь, в то, что жизнь может быть добрее и лучше. С этой верой Ефремов и поставил «Трех сестер» – спектакль, который очень трудно было смотреть многим зрителям. Потому что в рассказе о жизни трех сестер сконцентрировалась мысль о невостребованности интеллигентного человека в жизни и истории нашего Отечества.

...Военные покидают город. И тут вместо элегантного и бодрого полкового марша, который привычен в финале «Трех сестер», возникает нечто несусветное. Бухают барабаны, скрежещут пропущенные через синтезатор медные трубы, и в этой уродливой дисгармонии явственно слышится мелодия шансонетки начала века — той самой, что напевал по поводу и без повода Чебутыкин: «Та-ра-ра-бумбия, сижу на тумбе я, и очень весел я, и ножки свесил я...»

Но этот иронический изыск еще не финал. Ефремов не может позволить так попрощаться с сестрами Прозоровыми. Потому что отчаяние, в которое привели их обстоятельства жизни, — это смертный грех, и происходит еще одно преображение спектакля.

...Исчез в закулисье дом, и три сестры остались на авансцене в окружении солнечных берез. Зал заполняют прекрасные, чувственные, божественные звуки рояля, фрагмент одной из скрябинских поэм. И монолог Ольги о том, что пройдет время и их помянут добрым словом, звучит уже как молитва...

А что еще остается сестрам Прозоровым?..

Да и нам всем?..

Однако вернемся в летнее Мелихово середины 90-х годов.

Вечерами мы гуляли по усадьбе, смотрели, как молодые режиссеры и актеры репетируют сцены из «Чайки», — в программу «школы» входила коллективная постановка этой пьесы режиссерами и актерами, приехавшими из многих стран Европы, Азии и Америки. Играть предполагалось прямо на пленэре, где небольшой пруд мелиховской усадьбы, дом, в котором жил Антон Павлович, флигель, в котором была написана пьеса, и сами мелиховские аллеи служили естественной декорацией.

Хозяева мелиховского музея — директор добрейший Юрий Александрович Бычков и его помощники — открыли для гостей все двери. И, пользуясь возможностью, мы все по очереди приходили в тот самый заветный домик, где сочинилась история о молодом драматурге Константине Треплеве и не слишком удачливой актрисе Нине Заречной, чтобы посидеть возле стола, за которым Чехов написал свою «Чайку». Посидеть в тишине, подумать, мысленно поговорить с Треплевым, с Ниной, с Ириной Николаевной Аркадиной, а может быть, и с самим Чеховым.

Однажды я застал Ефремова, как мне кажется, именно за таким разговором.

— Скажи, пожалуйста, — спросил он, беря в руки ручку, лежащую возле чернильницы, — это та самая?

— Хранительница музея сказала, что здесь сейчас все подлинное.

— Ну да, — Ефремов обмакнул перо в чернильницу, — а чернил нет...

– Высохли за сто лет, – пытался пошутить я. Ефремов посмотрел сначала на меня, на ручку, потом аккуратно положил ее на место.

– А представляешь, если бы у тебя была возможность написать что-то пером и чернилами, которыми Чехов написал «Чайку»?

– Это наивно и непрактично, – опять отшутился я, – таланта чеховского ведь нет. Никакая ручка, никакие чернила не помогут.

Ефремов прищурился.

– В волшебство не веришь? – вдруг серьезно спросил он.

Я промолчал.

– А я верю, – вдруг сказал Олег. – Без театра нельзя. Он вдруг процитировал хозяина дома, где мы сидели. И после паузы добавил: – А ведь театр и есть волшебство...

И вот это ощущение правды и в словах, и в мыслях, а главным образом в чувствах, в способности оставаться искренним в самой неожиданной ситуации никогда не оставляли актера-Ефремова и режиссера-Ефремова в ситуациях, на первый взгляд, фантастических.

Однажды ему досталась роль Константина Сергеевича Станиславского.

Зрелище было уникальное, ибо по идее, по задумке спектакль, организованный в Центральном доме актера в Москве великой нашей театральной затейницей Маргаритой Александровной Эскиной, даже в самом фантастическом полете воображения мало кому мог показаться реализуемым.

А дело было так.

В Москве, в Шведском посольстве, в составе дипломатической миссии на должности атташе по культуре волею судеб оказался Ларс Клеберг, – театровед, много лет занимавшийся историей русского театра, и в частности творчеством Всеволода Мейерхольда. Он участвовал во многих мейерхольдовских конференциях, проходивших в разных странах, не один месяц просидел в наших архивах, известен был в кругу не только «мейерхольдоведов», но и вообще знатоков русской культуры, как глубокий и серьезный ученый, не лишенный к тому же и драматургического дарования.

Я помню, как во время работы над «Мейерхольдовским сборником» в начале 90-х годов мы собрали интересную компанию «мейерхольдоведов» разных стран и Клеберг привлекал внимание своими суждениями не только потому, что они были всегда глубоки и аргументированны, но еще и потому, что придавал своим суждениям острую и точную литературную форму.

А потом выяснилось, что он драматург, способный превращать казенный текст документа в элегантный диалог, вполне пригодный для того, чтобы получить затем и сценическое воплощение.

Так вот, в руки Клеберга попала стенограмма – подлинная стенограмма обсуждения московских гастролей гениального китайского актера Мэй Лань Фаня. Тот приезжал в Россию в начале 30-х годов, имел успех, кульминацией которого было заседание Театральной секции ВОКСа (по-нынешнему нечто вроде Союза Обществ дружбы с зарубежными странами), и в этом обсуждении приняли участие корифеи отечественного искусства.

Стенограмма прилично сохранилась, цензура не успела превратить ее в выхолощенный протокол, и Клеберг преобразовал ее в пьесу, где каждое слово каждого персонажа было документировано.

А персонажи были — закачаешься!

Председательствовал Немирович-Данченко.

Выступали Мейерхольд, Таиров, Станиславский. Свое мнение высказывали — Бертольд Брехт, Керженцев...

Словом, узнав о пьесе, Эскина решила, что московская театральная общественность начала 90-х годов вполне достойна познакомиться в этим необычным произведением.

Надо было обладать особым дарованием и особой энергией Маргариты Александровны, чтобы реализовать эту идею, причем в таком составе исполнителей:

В. И. Немирович-Данченко — О. П. Табаков;

К. С. Станиславский — О. Н. Ефремов;

А. Я. Таиров — Р. Г. Виктюк;

В. Э. Мейерхольд — С. Ю. Юрский;

П. М. Керженцев — А. Б. Джигарханян;

Бертольд Брехт — С. Н. Арцибашев.

И так далее, можно продолжать этот список их самых популярных актеров и режиссеров сцены и экрана.

Каким образом Эскиной удалось не просто придумать, но реализовать свою идею — тайна великая.

Вполне понятно, что собрать этих людей, у которых рабочее время расписано не по часам, а по минутам, и не на неделю, а на месяцы и годы вперед, — так вот, собрать их на репетицию более или менее «подробную» оказалось невозможным.

Сговорились на том, что, получив тексты «своих ролей», участники соберутся в Бахрушинском музее, посмотрят хотя бы, как выглядят на фотографиях их персонажи, и договорятся об элементарных мизансценах.

Такая «репетиция» состоялась накануне объявленного заранее то ли театрального представления, то ли веселого капустника, — до тех пор пока участники и зрители не заполнили сцену и зал Дома актера, истинный жанр предстоящего зрелища оставался неведомым не только участникам, но и Всевышнему.

О том, что в зале собралась элита отечественного искусства, говорить не приходится.

Гости приехали из Киева, из разных городов — ожидали, скорее, веселый капустник.

Но вот встал Немирович–Табаков, в полном соответствии с «системой Станиславского», то есть с полной «верой в правду произносимого», сказал несколько вступительных слов, и началось то театральное чудо, которое бывает истинным потрясением и для участников, и для зрителей, когда властвует подлинное ощущение «жизни человеческого духа».

Мгновенно затихли смешки, растаяли в воздухе две-три неудачные остроты, и присутствующих в зале захватила атмосфера дружелюбного внимания и понимания, уважения и взаимного доверия, которое отличает собрание истинно талантливых людей, способных, как говорил Пушкин, «над вымыслом» и слезами облиться, и счастье жизни ощутить.

Табаков владел залом и настроением людей виртуозно. Это был урок подлинного мастерства. Как положено было по сценарию, вполне достоверно воссоздававшему подлинную атмосферу события, Председательствующий – Немирович сказал слова благодарности за приезд Мэй Лань Фаня Коммунистической партии, Правительству Советского Союза и лично Вождю всех народов и Главному другу всех артистов Иосифу Виссарионовичу Сталину.

Зал, включившись в игру, устроил овацию.

Артисты падки на розыгрыши, и в зале раздались уже почти истошные крики: «Слава товарищу Сталину!», «Ура!» и даже «Спасибо Иосифу Виссарионовичу за наше счастливое детство!» Хохот утонул в аплодисментах.

Явно не желая превращать зрелище в капустник, Табаков–Немирович резким движением руки пригасил уже расхулиганившийся зал и объявил, что предоставляет слово Станиславскому.

Ефремов, сидевший сбоку первого ряда, медленно пошел к трибуне.

И вот тут произошло неожиданное – стихли, будто по мановению волшебной палочки, смешки, мгновенно изменилась сама атмосфера в зале.

Придерживая очки типичным для Станиславского движением руки – как пенсне, Ефремов сделал несколько шагов и поклонился коллегам, поднеся листочек с текстом «роли» к глазам.

И зал встал, будто перед ним действительно появился Стениславский. И не было смешков, не было привычных для капустного представления улыбок. А после реплики Табакова:

– Прошу Вас, Константин Сергеевич, – зрительный зал на полном серьезе устроил человеку на трибуне овацию так, что уже никто, ни в этом зале, ни вне его, не мог определить, кому же именно в этот момент аплодирует театральная Россия – самому Станиславскому или артисту Ефремову, который произносил давнюю речь великого театрального мага.

Зал аплодировал стоя, с полной верой в правду происходящего.

Когда Ефремов, читая по бумажке текст Станиславского, делал паузы, зал терпеливо затихал, ожидая, когда, откашлявшись, Ефремов–Станиславский продолжит свои размышления об искусстве гениального китайского коллеги.

И право же, не только для меня одного, но и для очень многих осталось загадкой, кому предназначалась эта овация и это внимание художественной элиты России: создателю Художественного театра или самому Ефремову, занявшему тогда трон мхатовских основателей.

Театральным завещанием Ефремова стала постановка ростановского «Сирано де Бержерака» в переводе Юрия Айхенвальда.

Он очень любил этот текст и, как мне кажется, немного жалел о том, что еще в давнем «современниковском» — в 60-е годы — спектакле не смог принимать участия как актер.

«Сирано» в «Современнике» — это отдельная тема, весьма закономерно вызывающая очень непохожие друг на друга рассказы участников событий. И у Михаила Козакова, сыгравшего Сирано в «Современнике», и у постановщика спектакля Игоря Кваши, и у актеров, занятых в том теперь уже легендарном представлении, которое одни критики объявили шедевром, а другие — провалом, впечатления остались неоднозначные.

Ефремов, как мне кажется иногда, не относил «современниковский» «Сирано» к большим удачам театра, но и к неудачам не присоединял.

При всех обстоятельствах «о пьесе Ростана и Айхенвальда» (переводчик не зря стоит здесь рядом с автором) он говорил, как о материале, в котором еще надо разобраться. Через паузу добавлял:

— И надо разбираться, и очень серьезно, и есть в чем.

Человек практический, он даже самые фантастические свои предположения любил сочетать с конкретными возможностями и нуждами театра.

Одно наблюдение из этого ряда, впрочем, кажется, к месту.

На ту самую лондонскую «Школу Михаила Чехова», о которой я уже упоминал, Ефремов прилетел в тяжелейшем душевном состоянии.

Мы встречали его на пороге домика, в котором он должен был жить, в предместье Лондона, в Эммерсон-Колледже, — учебном заведении антропософского типа, руководители которого приготовили к приезду Ефремова целое концертное действие.

Олег Николаевич вышел из машины, весьма светски раскланялся со всеми, а потом попросил оставить его «только со своими», сославшись на усталость.

Своих было двое — критик Майя Туровская, приглашенная прочесть несколько лекций о семье Чехова, и автор этих строк. Хозяева приняли уставший вид Ефремова за результат дорожного утомления, немного удивились отказу гостя от званого, то есть парадного, обеда и оставили нас одних.

— Что с тобой, ты болен? — спросила Майя Иосифовна, отлично знавшая выдержку Ефремова и его способность сохранять лицо и кураж в любых ситуациях.

– Кешу похоронили, – выдохнул Ефремов, взялся за голову, сжал виски, сел прямо на землю и заплакал.

Так он просидел больше часа, вытирая тихие слезы и закуривая одну сигарету от другой, прежде чем дал увести себя в предназначенный ему коттедж.

Поздно вечером, когда все немного пришли в себя, говорили о ролях, которые мог бы сыграть Смоктуновский, в том числе и о Сирано, разумеется, в айхенвальдовском переводе.

Вот тогда, в лондонском предместье Эммерсон-Колледжа, я и услышал рассуждения Ефремова о том, что история уродливого поэта Сирано, несчастного в любви, но счастливого в своей полноте ощущения жизни, во всех ее проявлениях, – привлекает его не только и не столько своеобразием характера главного героя, его искрометным талантом, его своеобразной мужской привлекательностью, сколько столкновением талантливой и потому свободной личности и миром толпы, готовой подчиняться любой плетке.

Для Ефремова проблема ростановской пьесы была прежде всего в органической невозможности талантливой личности быть внутренне несвободной, быть закованной в правила, принятые обществом, государством, строем.

Каким бы этот строй ни был...

Поэтому, воплощая свою трактовку «Сирано де Бержерака» на мхатовской сцене, он вместе с художником спектакля В. Ефимовым уходит от любых временны́х, географических или этнографических характеристик.

Построенная ими конструкция напоминает иероглиф, лишенный исторической и этнографической принадлежности, но привлекательный бездной сценических ассоциаций. Это своеобразный знак, символизирующий многообразие жизни, которая может вырваться на свободу из пут обстоятельств, условий и условностей, проблем и препятствий. И в то же время эта жесткая театральная конструкция способна ограничить не только свободу движений отдельных людей или целой их группы, или даже целой толпы, но и даже свободу их чувств.

В этом бесконечном противоборстве творческой натуры, рвущейся к свободе самовыражения и тяжести норм – норм жизни, норм поведения, норм приличий и неприличий, – в этом вечном столкновении свободы духа, олицетворенного в поведении и стихах Сирано, и казарменных обстоятельств декретированного бытия видел Ефремов истинный смысл истории поэта Сирано де Бержерака, который, на его счастье или несчастье – этот вопрос каждый зритель должен решить для себя лично, – был способен любить и быть счастливым, даже когда эта любовь оставалась без ответа.

Ефремов ушел, оставив свой последний спектакль как очередной нравственный экзамен, который каждый зритель сдает по-своему, опираясь на свои собственные представления о ценности, сути и смысле человеческого бытия.

Он и в своем театральном завещании остался верным тому представлению о смысле и ценности искусства, которое утверждал всю свою жизнь...

...Равняться по веку?
На коленях ползти, протирая штаны?
Выбрать мудрую тактику гибкой спины?..
Нет, спасибо! Останусь негибким калекой...

Примечания

[1] *Ефремов Олег.* О театре и о себе / Автор-составитель А. Смелянский. М., 1997.

[2] Письмо А. П. Чехова О. Л. Книппер от 2 января 1901 г. // Чехов А. П. Полное собрание сочинений и писем: В 30 т. М., 1974–1983. Письма. Т. 9. С. 173.

Нея Зоркая

Андрей Тарковский

Кино было изобретено, и вошло в жизнь человечества в самом конце столетия, и сразу было объявлено «чудом XIX века». Однако наступал канун века нового, того самого, где новорожденному зрелищу уготована была великая судьба. Уходя, XIX век восхищался «чудом». Чудом ожившей фотографии, натуральностью, феноменом достоверности. «Вино убывает в бокале на наших глазах!», «Ребеночек как живой!», «Морские брызги прямо настоящие!» — это восторженные строки из первых рецензий на «Синематограф-Люмьер». Общеизвестно, что во время демонстрации сюжета «Прибытие поезда» на ранних киносеансах при приближении к рамке кадра паровоза, двигавшегося по диагонали из глубины (сегодня это вовсе не кажется страшным!), в залах кричали от ужаса, падали в обморок. XIX веку техника подарила «чудо», аттракцион, новинку запечатленного движения, о котором люди мечтали еще со времен бега доисторического бизона на стене Альтамирской пещеры. XX век преобразит «чудо» в «Седьмое искусство», в «Десятую музу», как стали величать критики и поэты чарующе черно-белое, в луче проекции, таинственное зрелище на экране.

«Десятой музе», «Седьмому искусству» пришлось самоопределяться труднее, чем любому из старших художеств в их далеком младенчестве. Эра технических средств распространения и массового тиражирования — XX век — превращала художественный предмет в источник прибыли и коммерции, в дешевое развлечение для уличной толпы. К тому же еще «произведение искусства» — фильм создавался не «единолично», а целыми командами специалистов разных профессий и к тому же не в поэтических «очагах творчества» вроде мастерской живописца или театральной сцены, а на каких-то «кинофабриках», заставленных железной электроаппаратурой, опутанной проводами.

Тем не менее уже в 10-х — выделилась, а в 20-е — узаконилась фигура лидера кино — это *режиссер* в нашей русской терминологии, realisateur (*фр.*), director (*англ.*). Аналогия с театральной версией этого вида деятельности не совсем точна: в театре, согласно исторически сложившейся традиции, довлеет фигура автора пьесы, драматурга, в кино же, благодаря синтетической природе изображения, откинутого на пленку, возрастает роль организатора-композитора всего и вся — режиссера. И как только кинематограф, отыграв первоэффект «чуда», пустился в создание «эпоса города», «городского фольклора», «мифов, сказок, саг», то есть репертуара кинотеатров, из безымянности, из массовки ремесленников-служащих камеры проступили имена: Дэвид Йорк Гриффит, Чарльз Спенсер Чаплин, Сергей Эйзенштейн, Жан Ренуар, Карл Дрейер. Перефразируя некогда ходовые, ныне не модные, но точно ложащиеся на нашу тему слова Энгельса о Ренессансе, о том, что «эпоха нуждалась в титанах и породила титанов по характеру, многосторонности и учености», скажем, что кино, поднимаясь, нуждалось в гениях и своих гениев породило.

Следующая волна титанов, великих художников, каждый из которых — огромный и неповторимый мир, выплеснулась после Второй мировой войны под влиянием пережитых Европой потрясений. Начинает Италия: молодых людей, собравшихся вокруг антифашистского журнала «Чинема», звали Роберто Росселини, Лукино Висконти, Микеланджело Антониони, Джузеппе Де Сантис, Федерико Феллини. В Скандинавии снимает фильмы театральный деятель и писатель Ингмар Бергман, во Франции — Робер Брессон. Луис Буньюэль, уже на рубеже 30-х прогремевший своими сюрреалистическими лентами «Андалузский пес» и «Золотой век», теперь вступил на путь глубинного социального и нравственного анализа общества. В Польше из живой памяти трагического Варшавского восстания рождается национальная школа фильма, знаменем которой становится трилогия Анджея Вайды: «Поколение», «Канал», «Пепел и алмаз». Российский триптих о войне: «Летят журавли», «Баллада о солдате», «Судьба человека» — открывает миру новый этап советского кино — назовем его «гуманистическим», «оттепелью».

В это время в Москве начинающий кинорежиссер Андрей Тарковский произносил темпераментные и гордые речи-хвалы:

«За десятилетия своего развития кино уже завоевало возможность и право формировать и выражать духовный уровень человечества, уровень человеческой культуры своими средствами. Убежден, что нечего больше изобретать и накапливать — твердь от воды уже отделена. Кинематограф способен создавать произведения, равные по значению романам Толстого и Достоевского для XIX века. Более того — я уверен, что в нашу эпоху уровень культуры своей страны может выразить именно кино, как в античности это сделала драма»[1].

Он, наш соотечественник Андрей Арсеньевич Тарковский, рожденный в глухом волжском городке Юрьевце в 1932 году, выросший в Москве, скончавшийся в 1986-м в Париже, похороненный на русском кладбище Сен-Женевьев-де-буа, ныне неотъемлемо входит в плеяду художников, кого следует считать не только выдающимися кинематографистами, но — более! — властителями дум ушедшего XX века.

Посмертная слава его все громче звучит повсюду. Существует уже целая библиотека монографий о нем на множестве языков. Видеокассеты его фильмов в постоянном обиходе и кругообращении. Это — стойкое признание мэтра, классика, культовой фигуры, иконы. Однако — «Он между нами жил...» и его — до определенной поры — насквозь советская, можно сказать, «совковая» и вместе с тем истинно русская, российская биография, находясь в резком перепаде с его европейскими последними годами и посмертным признанием, может удивить и поразить лишь «чуждый взор иноплеменный». Для нас же, земляков, она насквозь понятная, родная. Но на этой личной, особой, трагической, может быть, даже провиденциальной судьбе отразились общие процессы, конфликты и исторические катаклизмы XX столетия.

Правда, Октябрьская революция ни как тектонический сдвиг, поднявший вверх новаторский киноавангард 20-х, ни как личное переживание (воспоминание, легенда) не повлияла на миросозерцание Андрея Тарковского. Он — целиком человек последующей эпохи, производной от Октября, предложенной ему в качестве советской данности. Место революции как трагического центра жизни заняла у Тарковского война. Впрочем, память его была ранней — в «Зеркале», фильме автобиографическом, хронология повествования совпадает с популярными гражданскими вехами жизни СССР: гибель стратостата, встречи героев-летчиков, испанские события 1937–1938-х. Этот «гражданский» исторический пласт накрепко соединен, поистине сращен с событиями глубоко личными, хроникой частной жизни, его собственной биографией.

Когда Андрею было 5 лет, а его сестре Марине всего 3, отец ушел из семьи. Казалось бы, заурядная история, сколько таких! Но для натуры с повышенной чувствительностью, каковой, видимо, изначально наделена была натура Андрея Тарковского, семейная драма превратилась в источник долгой, постоянной боли, дала камертон творчеству, пронизала, если вглядеться, его фильмы, всегда посвященные темам глобальным, космическим, — мотивами глубоко личными, заветными.

Такими станут страдания покинутой матери, ее одиночество, образ ее напрасной красоты, ее тревожная любовь к детям. И если в «Зеркале» (1975) все это выйдет прямо на первый план рассказа, то в других картинах, от «Иванова детства» (1962) до «Жертвоприношения» (1986), будет отражаться косвенно, существовать подспудно. Потому что фильмы Тарковского станут своего рода исповедями, одетыми в исторические одежды, как «Андрей Рублев», или фантастические, как «Солярис» и «Сталкер» (лишь «Зеркало» и по форме приблизится к подлинному жизнеописанию автора).

Вот почему так исключительно важны для понимания творчества Тарковского биографические факты, семейные обстоятельства, родство.

А родители были и вправду людьми редкостно интересными. Род Тарковских восходит к дагестанским правителям — Таркам, которым российское дворянство было пожаловано еще в XVII веке. Отец Арсения Александровича был народовольцем, ссыльным. По матери, Марии Ивановны Вишняковой, у Андрея — несколько поколений русской интеллигенции, учителей, врачей. Разумеется, в советское время такое происхождение семье никаких привилегий не дало, благо, что не погубило.

Не каникулами в Париже и не виллами на взморье, как у сына статского советника Эйзенштейна, не скромно-буржуазным и уютно-провинциальным довольством, как у мальчика Феллини из Римини, не регламентированным детством с тайной страстью к «Латерне Магике», как у пасторского сынка Бергмана, — бедностью и стойкой недостачей отмечено детство Андрея Тарковского. Он вырос в деревянной хибаре на улочке Щипок в дальнем Замоскворечье, учился в соседней десятилетке. Но при этом быт дома можно охарактеризовать несколько надоевшим словом «духовность». Деньги выкраивались не на новые ботинки, а на книги и альбомы, не на колбасу, а на билеты в Консерваторию. Когда Мария Ивановна осталась одна — особенно трудно. Она работала скромно оплачиваемым корректором в Первой образцовой типографии, правила верстки ночами. Незабываемый эпизод в «Зеркале», когда Мария под дождем бежит в типографию, боясь, что пропустила опасную опечатку, — воспроизводит реальную ситуацию.

В войну, когда мать и дети эвакуировались в волжский городок Юрьевец, Мария Ивановна по льду ходила за реку, таскала для детей картошку из дальних деревень.

В это время военный корреспондент фронтовой газеты гвардии капитан Арсений Тарковский после тяжелого ранения переносит ампутацию правой ноги по бедро. До конца дней он ходил на протезе, но всегда старался скрыть свою тяжелую инвалидность, собрания военных поэтов не посещал и, уж конечно, не пользовался своим законным правом покупать что-либо без очереди.

В последние годы жизни Арсения Александровича мне доводилось часто видеть его, слушать, бывать у него. Это — светлое счастье, самые благодарные воспоминания. Арсений Александрович Тарковский был человеком, в котором сочетались высокий ум и удивительная скромность, простота, юмор, образованность, замечательный литературный вкус и сверх всего красота.

Отдаленность от отца в детстве и юности была постоянным горем Андрея Тарковского — слишком глубокой и сильной была его к отцу любовь, восхищение его поэзией, его личностью. Но это же, создавая некое особое эмоциональное напряжение, способствовало и творческому формированию сына в прямой духовной от отца зависимости. Влияние поэзии Тарковского-старшего на кинематограф младшего Тарковского еще недостаточно изучено. А ведь это поистине «сыновнее кино»!

Позволю себе отступление. По-иному, но, возможно, еще более сильно, связь между литературным творчеством отца и кинематографом сына проявится в другом удивительном семейном «тандеме» — Юрия Германа и Алексея Германа. Фильмы «Проверка на дорогах» и «Мой друг Иван Лапшин» являются экранизациями произведений Юрия Германа — экранизациями абсолютно оригинальными, уникальными: канву отцовской прозы «наследник» насыщает таким богатством собственного видения, нюансов, грустного «ретро» воспоминаний, что образуется новая драгоценная ткань, а простые сюжеты преображаются в неповторимое германовское кино. В фильме «Хрусталев, машину!» сын создал alter ego своего отца в образе военного нейрохирурга генерала Юрия Глинского. Автор фильма соединил черты реального портрета, множество автобиографических данных и деталей, подлинных бытовых конкретностей из жизни семьи весьма привилегированного советского писателя, каким был Ю. П. Герман, — с судьбой так называемых «врачей-убийц», предсмертной провокацией Сталина, и абсурдной фантасмагорией советского 1953 года. В этом смысле фильм «Хрусталев, машину!» является следующей стадией «авторизации» киноискусства, начинавшегося, повторю, как анонимное («фольклор города») и хроникально фиксирующее действительность. Общий процесс XX века — авторская «маркировка», «индивидуализация» фильма, творения коллективного, прослеживается особенно ясно у нас, в России. Если же вспомнить амбивалентную, чтобы не сказать — многозначную «тему отца» в автобиографических признаниях и «Иване Грозном» С. М. Эйзенштейна, то можно найти здесь соблазнительные возможности для культурологического исследования: «Отец как знаковая фигура советского экрана» — или для сочинения психоаналитического: «Советское кино как Эдипов комплекс».

Возвращаясь к Андрею Тарковскому, еще раз подчеркнем огромное влияние поэзии отца. В «Зеркале», в «Сталкере» стихи Арсения Тарковского, которые читает сам автор своим глуховатым голосом, звучат за кадром, как своеобразный эмоциональный и опять-таки автобиографический контрапункт. В «Ностальгии» стихи Тарковского-старшего читает актер, исполнитель главной роли Олег Янковский. Стихи эти — особо любимые сыном, их он, Андрей Арсеньевич, сам замечательно читал. Но речь идет не только о цитациях и прямом включении стихотворных текстов в киноповествование. Влияние и воздействие поэзии отца на фильмы Тарковского — глубинное и всестороннее, мировоззренческое и эстетическое, — тема для специальных исследований (в том числе структурных) — еще недостаточно разработана[2].

Юноша Андрей Тарковский был наделен многими, но не вполне четкими талантами, не сразу нашел себя. В детстве он учился в музыкальной школе по классу фортепьяно; инструмента дома не было, занимался у соседей. Несколько лет ходил в художественную школу — хорошо рисовал. Т. А. Озерская-Тарковская, жена Арсения Александровича, рассказывала, что незадолго до поступления во ВГИК, в ту же осень он решил сдавать экзамен в Школу-студию МХАТ на актерский факультет и прошел первые туры, был в списках для последнего конкурса, но поступать раздумал. И хотя этому факту больше нет подтверждений, поверить рассказу можно: немногие появления Тарковского на экране в качестве актера (в учебной курсовой работе «Убийцы» во ВГИКе, экранизации рассказа Хемингуэя, где студент-режиссер играет посетителя бара и весь эпизод проводит на свисте, а в особенности — в небольшой роли белого офицера-карателя в фильме «Сергей Лазо») подтверждают наличие у этого мастера из «закадрового пространства», режиссера по призванию, специфически актерского качества — органики поведения перед камерой.

Призвание свое — кино — он осознал не сразу. Поступил в Институт восточных языков. И здесь в трогательно-наивной форме проявилась любовь к отцу и желание подражать ему творчески. А таланта стихотворца сын от отца не унаследовал. Во всяком случае, я, много лет изучавшая материалы к биографии Андрея Арсеньевича, а в молодости близко, по-домашнему, с ним знакомая, никогда не слыхала от него ни слова о собственных стихах, даже детских — наверное, слишком силен был пиетет. Но вот восточные языки вводили сына в отцовское поэтическое наследство: ведь Арсений Тарковский, чей первый авторский сборник вышел, когда ему, поэту милостью Божьей, младшему из плеяды Ахматовой–Пастернака, было уже более 50, в советское время подвизался как переводчик восточной поэзии — Маари, Махтумкули, Важа Пшавела. Переводы его были превосходны, это — классика переводческого мастерства, но переводил он с подстрочников. Вероятно, сын мечтал здесь быть «на равных» со своим кумиром. Но не выдержал, бросил институт.

Судьба вела его во ВГИК — поистине судьба, фатум! Осенью 1958 года он поступил на первый курс в режиссерскую мастерскую Михаила Ильича Ромма — этому замечательному человеку и огромному мастеру отечественное кино обязано самыми яркими талантами кинематографистов следующих поколений! В этот год вместе с абитуриентом Тарковским были приняты Василий Шукшин, Александр Гордон, далее режиссер-производственник «Мосфильма» и зять Андрея Арсеньевича, женившийся на его сестре Марине, Ирма Рауш, актриса и режиссер, первая жена Тарковского, гречанка Мария Бейку, ныне видный деятель культуры города Афины. Счастливые, безоблачные и веселые студенческие годы завершились для Андрея выпуском в прокат его дипломной работы — среднеметражного, то есть длительностью в 50 минут, фильма «Каток и скрипка»; для кино это редкость, ибо такой метраж прокату неудобен. Это была симпатичная, милая картина о мальчике-скрипаче, который подружился с рабочим, укатывающим асфальт. Сильно ощущалось влияние в ту пору необычайно популярного фильма француза Альбера Ламорисса «Красный шар». «Кинематографа Тарковского» там еще не было, но оппонент на защите, умный и тонкий критик Людмила Белова предрекла приход в советское кино большого таланта. И не ошиблась.

«Иваново детство» — первый его полнометражный фильм — означил в 1962 году истинный дебют художника нового, неведомого, неповторимого. Картину представлял на премьере в Доме кино М. И. Ромм, заявив со сцены торжественно: «Запомните это имя: Андрей Тарковский». Просмотр расколол зал на страстных приверженцев фильма и яростных отрицателей, равнодушных в зале не осталось. После великих фильмов конца 50-х — после «Летят журавли», «Баллады о солдате», «Судьбы человека», даже после них, этих реквиемов по военным жертвам, это было новое видение войны, очень жестокое, душераздирающее.

Между тем у фильма была предыстория, небезразличная (как, впрочем, все происходившее с этим человеком) к его так называемой «ментальности». Картина была снята по рассказу военного писателя В. Богомолова, который назывался «Иван». Экранизацию, выполненную профессионалом-сценаристом М. Папавой — это был рассказ о героическом мальчике-партизане, — снимал на «Мосфильме» молодой режиссер. Не получалось, грозил полный провал. Вот тогда Ромм предложил в качестве аварийной команды своего воспитанника Андрея Тарковского, тот явился вместе с группой, со своим другом и младшим вгиковцем Андреем Кончаловским, оператором Вадимом Юсовым и другими коллегами-единомышленниками.

Рассказ Богомолова назывался «Иван» — фильм назовется «Ивановым детством». Маркировка семейная — стилистический оборот взят в поэзии Арсения Тарковского — из стихотворения «Иванова ива». Вот оно:

Иван до войны проходил у ручья,
Где выросла ива неведомо чья.

Не знала, зачем на ручей налегла.
А это Иванова ива была.

В своей плащ-палатке, убитый в бою,
Иван возвратился под иву свою.

Иванова ива,
Иванова ива,
Как белая лодка плывет по ручью.

Именно эта поэтическая конструкция «жизнь–смерть–жизнь» станет основой фильма, переведя четкий, сильный, «стопроцентно прозаический» рассказ в иной кинематографический ряд.

Образы стихотворения преобразились, сохранив свою наследственность. Светлая летняя река — довоенная счастливая жизнь мальчика Ивана. Это — пролог фильма: солнечный лес, стволы сосен, кукушка, река за деревьями. К ней — к реке и бескрайнему песчаному пляжу вернется в финале-постскриптуме сюжета расстрелянный немцами маленький разведчик Иван. Иванова ива преобразится в обгорелое черное дерево, которое встанет на пути у бегущего по песку мальчишки, преградит ему дорогу и вырастет во весь экран — последний кадр, образ смерти. Мать с лучезарной улыбкой доброты и красоты, с полным ведром речной воды — символом счастья — станет олицетворением счастливого Иванова детства, жизни.

М. И. Ромм вспоминал, как это получилось — «второе авторство» фильма об Иване:

«Тарковский прочитал повесть и уже через пару дней, придя ко мне, сказал следующее: „Мне пришло в голову решение картины...“

— В чем твое решение?

— Иван видит сны...

— Что ему снится?

— Ему снится та жизнь, которой он лишен...»[3].

Действие фильма разделилось на два контрастных образа-начала: страшная, осенняя, с мертвым черным небом и мертвой черной водой реки Стикса, за которой стоят немцы, реальность войны и залитая тихим светом, в стуке кукушки, в светлой живительной ленте мирной реки реальность Ивановых снов.

Поразительны духовные связи между художниками, совпадения, переклички мотивов — то, что структуралисты называют «интертекстуальностью»! Ингмар Бергман, шведский маг кино и театра, писал:

«Открытие первых фильмов Тарковского было для меня чудом. Я вдруг очутился перед дверью в комнату, от которой до сих пор я не имел ключа. Комнату, в которую только мечтал проникнуть. А он двигался там совершенно легко. Я почувствовал поддержку, поощрение: кто-то уже смог выразить то, о чем я всегда мечтал говорить, но не знал как.

Тарковский для меня самый великий, ибо он принес в кино новый, особый язык, который позволяет ему схватывать жизнь как видение, жизнь как сновидение»[4].

Это говорит великий Бергман, в фильмографии которого к моменту выхода «Иванова детства» уже есть и «Седьмая печать», и «Земляничная поляна»! А влияние Бергмана на Тарковского, особенно явственное в «Андрее Рублеве» и в «Зеркале», — специальная киноведческая тема[5].

Два лика Ивана — солнечного мальчика из снов и худого, черного, с запавшими глазам, полными тоски двенадцатилетнего разведчика по кличке «Болдырев» — сам этот контраст потрясал. Но, когда выйдет «Зеркало», станет ясно, что Иван, каким сыграл его московский школьник Коля Бурляев, был ранним эскизом мальчика Алексея, героя фильма и alter ego Андрея Тарковского.

В «Ивановом детстве» война раскрывалась как гибельное и опасное искажение человеческой натуры, как безумие жажды мести и крови.

«Мальчик безумен, как безумна сама война», — написал Жан Поль Сартр в своем знаменитом эссе об «Ивановом детстве». Сегодняшним ли соотечественникам Тарковского, пережившим Афганистан и Чечню, которую он уже не увидел, не оценить поистине пророческой силы его интуиции?

1962 год остался счастливейшим годом его жизни. Золотой Лев Св. Марка — Гран-при на Международном кинофестивале в Венеции. Золото фестиваля в Акапулько, золото фестиваля фестивалей в Сан-Франциско... А у Тарковского тем временем уже готов сценарий, написанный им вместе с Андреем Кончаловским, «Страсти по Андрею», на экране это будет «Андрей Рублев».

Свое эстетическое кредо Тарковский изложил в статье «Запечатленное время», написанной по предложению Сектора кино Института истории искусств, ныне ГИИ, и опубликованной в институтском издании «Вопросы киноискусства», выпуск 10, 1967. Из статьи впоследствии выросла книга с тем же названием, изданная во многих странах и на разных языках. Кино, по Тарковскому, есть «ваяние из времени», времени как базовой кинематографической категории.

В «Андрее Рублеве» запечатленное время станет «перенесением в прошлое». Перед нами не просто исторический «костюмный» фильм, пусть даже высшего качества. Здесь был достигнут «эффект присутствия». Причем, казалось бы, простейшими средствами и вопреки своему замыслу. В фильм постановщик пригласил команду прекрасных и популярных актеров, не побоявшись, что их известность и «актуальные лица» помешают вере публики в подлинность бегущих на экране давних-давних дней. Снимались все без грима, без париков. Бороды, если это было необходимо, отращивали (например, Н. Сергеев в роли старого Феофана Грека). Сходство Анатолия Солоницына — исполнителя заглавной роли с ликами рублевских икон было удивительным, но никак специально не подчеркивалось. Более того — режиссер не боялся резко нарушать привычные амплуа актеров. Так великому клоуну и комику Юрию Никулину он дал героический эпизод умирающего во вражеских ордынских пытках звонаря из Владимира.

«Типажи» — жители старинных русских городов, где шли съемки, выглядели так, будто машина времени перенесла их на пять-шесть веков вспять. Такую же веру в свою истинность внушали главные персонажи — и Скоморох в виртуозном исполнении Ролана Быкова, и благородный Даниил Черный — Николай Гринько, один из любимых артистов Тарковского, и остальные. Здесь существовал некий иной феномен, нежели «игра», здесь была «документальность, обращенная в историю», безобманная достоверность воображения.

На высоте у Спасо-Ефимьевского монастыря в Суздале, в том месте, откуда снималась самая многолюдная и монументальная сцена фильма — «Колокол», ныне хрестоматийная, всяк побывавший был бы просто озадачен. Оказывается, эта композиция, поражавшая масштабом, простором, размахом, перед кинокамерой разместилась на узкой полоске земли между рекой и стенами противоположного Покровского монастыря! И дело, конечно, не в оптике и даже не в совершенном операторском мастерстве Вадима Юсова, но в силе фантазии, в умении любовно перенестись в далекий век родной земли. Иконописец, монах Андрей Рублев, разумеется, персонаж вымышленный (никаких претензий на житие святого, ныне канонизированного, здесь не было), проходит дорогами Руси начала XV века, томящейся под татарским игом, раздираемой феодальными распрями. Набег и пожар Владимира — фрагменты огромной народной трагедии, но трагические противоречия действительности здесь как бы растворены в воздухе, заглублены в людские судьбы, свидетелем и участником которых становится художник, искатель, страстотерпец. Камера — это взор художника и поэта, чернеца Андрея Рублева.

«Во многих сценах чувствуется дух великих советских кинематографистов. Перед нашими глазами проходит целый мир. Андрей Тарковский делает честь советской кинематографии. Если Тарковский сумел снять такой фильм, значит, Довженко и Эйзенштейн нашли себе достойного преемника», — напишет критик французской авторитетной газеты «Ле Монд»[6] после того, как фильм будет показан на фестивале в Канне «незаконно» — то есть по представлению французского продюсера, купившего картину. На родине же «Андрей Рублев» будет запрещен на несколько лет. Начнутся мытарства Андрея Тарковского. Его предложения одно за другим отклоняются — напомним, что в СССР кинематограф целиком и полностью субсидируется и контролируется государством.

Ныне полностью опубликованные обширные материалы так называемого «дела «Рублева» дают картину закулисной чиновничьей возни, говорящей более всего о глупости и безграмотности — никаких внятных цензурных претензий, по сути, высказано не было. После запрета фильма судьба художника продолжала оставаться трудной.

Дневники Тарковского, посмертно изданные в Германии (Ullstein Verlag, Berlin), названы им были «Мартиролог», то есть «мученичество». Там запечатлено поистине «кладбище» нерожденных творений, замыслов, предлагавшихся им начальству Госкино СССР, но отклоненных. Таков, например, список задуманных фильмов 1970 года:

1. «Банда» о процессе Мартина Бормана.
2. Тема физика, который становится диктатором.
3. Дом с башенкой (по повести Фридриха Горенштейна).
4. Эхо в лесу.
5. Дезертиры.
6. Иосиф и его братья.
7. Матренин двор — по Солженицыну.
8. О Достоевском.
9. Белый день — и как можно скорее!
10. Подросток (по Достоевскому).
11. Жанна д'Арк .
12. «Чума» по Камю.

Какой размах замыслов, какая творческая потенция!

Но воплотить на родине Тарковскому удалось лишь один из замышленных фильмов — «Белый день», в окончательном варианте получивший название «Зеркало».

Когда очередной пакет заявок режиссера был отвергнут начальством, Тарковский, чтобы не остаться совсем без работы, принял лестное предложение крупной итальянской компании РАИ-ТВ поставить у себя фильм. Италию Андрей горячо полюбил еще с первого своего успеха на Венецианском фестивале 1962 года. Рим встретил его радушно: до конца дней его «опекал» Микеланджело Антониони, знаменитый писатель Тонино Гуэрра, сценарист Антониорни и Феллини, стал близким другом и соавтором русского режиссера. А мэр Флоренции предоставил приезжему дом.

Так Тарковский начал работу над фильмом о русском человеке в Италии по сценарию Тонино Гуэрра. Документальный фильм по его же сценарию «Время путешествия» (1982) послужил ознакомлению с итальянскими провинциями, с красотами и народом этой прекрасной страны. Но не об Италии как таковой стал снимать он свой фильм с симптоматичным названием «Ностальгия» и с участием «Совинфильма» СССР.

Наступал новый период жизни кинематографиста — жизни на Западе, ибо вернуться в Россию Тарковскому уже не придется. Судьба его, медиума XX столетия, расколовшего мир на «две системы» и «два лагеря», провела его лабиринтами обоих.

Рим, в окрестностях которого в маленьком поместье Сан-Грегорио готовился он к съемкам «Ностальгии»; Лондон, где в старинном английском театре Ковент-Гарден он вместе с великим дирижером Клаудио Аббадо репетировал и выпускал шедевр русской оперной классики «Борис Годунов» Мусоргского; окраина Швеции, северный остров Готланд — место его последних съемок, его «лебединой песни», фильма «Жертвоприношение» — таков последний жизненный маршрут Андрея Тарковского.

Там, на Западе по-прежнему неуживчивый, неспособный на компромиссы, он работал не покладая рук. Не согнулся и не поклонился новому хозяину и новому гнету — деньгам, не стал коммерческим режиссером. Два его европейских фильма на новом материале прямо продолжают художественные принципы, эстетику его русских творений. Они и европейские и русские — одновременно. В них ощущается то, что Достоевский считал специфической особенностью русского творческого гения, — «всемирная отзывчивость». Но в них же центральным стержнем, смысловой осью служит типичное для русского искусства сопряжение: «человек и его время». Нераздельная связь личного существования и эпохи. «Судьба человеческая, судьба народная», пользуясь формулой Пушкина.

Как ранее маленький воин — фронтовой разведчик Иван из «Иванова детства», как иконописец Андрей Рублев, как астронавт Крис Кельвин в «Солярисе» или проводник по зоне — Сталкер — герои его российских фильмов взваливали на собственные плечи горести и трагедии своего века, так и новые герои Тарковского — русский писатель Горчаков и итальянец Доменико в «Ностальгии», шведский интеллектуал Александр в «Жертвоприношении» озадачены не личным счастьем или благополучием, но проблемами глобальными, нравственными, религиозными.

Казус, который лег в один из сюжетных узлов «Ностальгии», был извлечен сценаристом Тонино Гуэрра из газетной хроники: некий отец семейства в страхе перед атомной катастрофой запер свою семью в доме на целые семь лет. Однако в фильме у Тарковского жизненный случай приобрел совершенно иную нравственную окраску и продолжение: Доменико в ярком, идеально адекватном режиссерскому замыслу, исполнении шведского актера Эрланда Йозефсона — никак не паникер и не защитник лишь одной — своей родной — семьи, но пророк, озаренный безумец, который решает принести себя в жертву, чтобы предупредить об опасности гибели весь мир. На публичной площади итальянской столицы, среди белого дня, на виду у беспечной толпы старый Доменико влезает на конную статую Марка Аврелия, этого великого древнеримского стоика, и сжигает себя. Некий смягченный вариант подвига принадлежит в «Ностальгии» и русскому, Горчакову (Олег Янковский), который должен пронести через водный бассейн заветную свечу. Образ героя-искателя, раздвоившись в итальянском фильме на ипостаси москвича и римлянина, в «Жертвоприношении» воплотится уже в единой обаятельной и сложной фигуре философа, эссеиста, в прошлом актера Александра. Чтобы спасти человечество от атомной катастрофы (ее воплощение — то ли пророчество, то ли сновидение Александра — мы вместе с ним видим по телевидению — «экран на экране»), он решает принести искупительную жертву и поджигает свой дом.

Ситуация самосожжения, имея многовековую традицию в культуре и религии разных народов, на протяжении нашего цивилизованного и просвещенного XX века обрела новое воплощение как форма одиночного социального протеста в его крайнем выражении. Здесь можно вспомнить не только буддийских монахов или мусульманских фанатиков, но, скажем, чешского юношу-студента, католика Яна Палаха, который сжег себя в конце 60-х из протеста против советского военного вторжения в Чехословакию. Таким образом, при всей философской метафоричности самой темы жертвы во имя спасения здесь есть и аспект документальный, реалистический. Позволю себе высказать еще гипотезы объяснения особого пристрастия Тарковского к огню, к его спасительной, очищающей силе — ведь образ пламени проходит через все фильмы: печка, у которой греется и засыпает Иван, вернувшийся с вражеского берега, пожар и Неопалимая Купина — евангельский терновый куст, который горит, не сгорая... Можно было бы даже удивляться такой «пиромании» Тарковского, если бы не один кровно важный для него образ, перешедший к нему по наследству от отца: Жанна д'Арк на костре. Приведем стихотворение Арсения Тарковского, которое очень любил и сам хорошо читал Андрей, мечтая поставить фильм о Жанне-пророчице:

Дерево Жанны

Мне говорят, а я уже не слышу,
Что говорят. Моя душа к себе
Прислушивается, как Жанна д'Арк,
Какие голоса тогда поют!

И управлять я научился ими:
То флейты вызываю, то фаготы,
То арфы. Иногда я просыпаюсь,
А все уже давным-давно звучит,
И кажется — финал не за горами.

Привет тебе, высокий ствол и ветви
Упругие, с листвой зелено-ржавой,
Таинственное дерево, откуда
Ко мне слетает птица первой ноты.

Но стоит взяться мне за карандаш,
Чтоб записать словами гул литавров,
Охотничьи сигналы духовых,
Весенние размытые порывы
Смычков, — я понимаю, что со мной:
Душа к губам прикладывает палец —
Молчи! Молчи!

И все, чем смерть жива
И жизнь сложна, приобретает новый,
Прозрачный, очевидный, как стекло,
Внезапный смысл. И я молчу, но я
Весь без остатка, весь как есть — в раструбе
Воронки, полной утреннего шума,

Вот почему, когда мы умираем,
Оказывается, что ни полслова
Не написали о себе самих,
И то, что прежде нам казалось нами,
Идет по кругу
Спокойно, отчужденно, вне сравнений
И нас уже в себе не заключает.

Ах, Жанна, Жанна, маленькая Жанна!
Пусть коронован твой король — какая
Заслуга в том? Шумит волшебный дуб,
И что-то голос говорит, а ты
Огнем горишь в рубахе не по росту.

Здесь и заложена для Андрея Тарковского тайна бытия: сгорая ради людей, принося себя в жертву человечеству, герой слышит божественные голоса, соединяет себя с Богом. Но важен еще один — чисто личностный, «сыновно-тарковский» мотив: как бы «сбой» последней строки: «в рубахе не по росту». Из фильма в фильм прослеживается тема особого героизма, некоего «негероического героизма», подвига, на который отважно идет герой, не имея достаточно сил свершить его, победить в земной жизни. Дав обет молчания, поскольку один не мог справиться с окружающим злом набегов, войны, вражды, Андрей Рублев передоверяет свою миссию юнцу Бориске, который смело берется отлить великий колокол для князя. Но ведь и Бориска «горит в рубахе не по росту»: отлить великий колокол он взялся на свой страх и риск. На самом деле отец, знаменитый колокольный мастер, не оставил ему секрета колокольной меди, это была Борискина легенда, и чудо-колокол зазвонил малиновым звоном на всю округу только с Божьей помощью да ценой невероятного напряжения сил.

Возвращается в отчий дом на Земле астронавт Крис из «Соляриса», постигнув в космических далях нравственный смысл существования как ответственность перед близкими, перед теми, кто любит нас. Героическая тема у Андрея Тарковского раскрывается как тема нравственная.

Добровольный уход из жизни — главный стержень и сюжетный узел обоих поздних фильмов Тарковского. Финал «Жертвоприношения», когда после поджога его собственного дома медицинская машина увозит Александра в сумасшедший дом, — лишь метафора смерти. Но содержание этих картин названной темой, конечно, не ограничивается. Их содержание исключительно богато: страстный антимещанский пафос, высокая духовность, совершенная пластика, тончайше проработанный пейзаж — все это делает «Ностальгию» и «Жертвоприношение» шедеврами экрана, не уступающими в своей эстетической ценности «Андрею Рублеву» и «Зеркалу».

Болезнь подкралась к Тарковскому незаметно. По свидетельству Эрланда Йозефсона, артиста, игравшего главную роль в «Жертвоприношении», во время съемок на острове Готланд осенью 1986 года постановщик чувствовал себя прекрасно. Через несколько месяцев он скончался от рака легких в парижской онкологической клинике доктора Шварценберга. Вот его дневниковая запись от 15 декабря 1986 за две недели до кончины: «Гамлет... Весь день в постели, не поднимаюсь. Боли в животе и спине. Не могу пошевелить ногой. Шварценберг не понимает, откуда эти боли... Я очень плох. Я умру? Гамлет?.. Но сейчас у меня совсем никаких сил — вот в чем вопрос».

Роковые слова из шекспировского монолога «Быть или не быть» — вопрошание о бытии, о смысле жизни — волей судеб подытожили оборвавшуюся жизнь Андрея Тарковского. Он умирал в 54 года и, прикованный к постели, мечтал снять «Гамлета». Мечта эта не осуществилась.

К сонму классиков кинематографа XX века Андрей Тарковский был причислен после смерти.

Примечания

[1] Интервью с А. А. Тарковским, записанное мною в 1965 году. Частично опубликовано в книге: Мир и фильмы Андрея Тарковского. М., 1991. С. 315.

[2] Среди немногих опытов следует назвать содержательную работу В. Божовича «Поэтическое слово и экранный мир Андрея Тарковского» // Мир и фильмы Андрея Тарковского. М.: Искусство, 1991. С. 212–229.

[3] *Ромм М. И.* Беседы о кинорежиссуре. М., 1976. С. 102–103.

[4] Мир и фильмы Андрея Тарковского. Ibid. С. 8.

[5] Подробнее об этом: *Зоркая Н.* Как в зеркале. Бергман в текстах Андрея Тарковского // Сеанс. 1996. № 13. С. 75–80.

[6] Le Mond. 1969. 21 nov.

Лариса Солнцева

Анатолий Васильев. Путь к Школе драматического искусства

В 1973 году в Советском Союзе проходил фестиваль чехословацкой драматургии. Из тридцати четырех пьес, предложенных советским театрам для постановок, Московский художественный академический театр остановил свой выбор, пожалуй, на самой новой. «Соло для часов с боем» стало театральным дебютом молодого словацкого писателя Освальда Заградника. Пьеса повествует о завершающих жизненный путь людях и о тех, кто идет им на смену, о чуткости и ценности человеческой жизни, о душевной деликатности и людской коммуникабельности.

Творческая прозорливость Олега Ефремова, третий сезон возглавлявшего МХАТ, сказалась в точном ощущении особой значимости этого материала для уникальных стариков театра: М. Яншина, А. Грибова, О. Андровской, М. Прудкина и В. Станицына — в одном спектакле. А работу с ними Ефремов поручил вчерашнему студенту режиссерского факультета ГИТИСа — стажеру МХАТа, Анатолию Васильеву.

Воспользуемся впечатлением Освальда Заградника, которое было выражено в публикации 1996 года в журнале «Славенске дивадло»: «Все началось с международной телеграммы в адрес Министерства культуры ЧССР. В ней сообщалось о том, что Московский художественный академический театр (МХАТ) в следующем сезоне намерен осуществить постановку пьесы словацкого драматурга Освальда Заградника «Соло для часов с боем». Только при одной мысли, что пьеса может пойти на родовой сцене Антона Павловича Чехова, меня охватывала дрожь. Но получаю приглашение приехать в Москву для встречи с постановщиками... На аэродроме в Шереметьево вижу группу встречающих. От нее отделяется худой длинноволосый паренек с бородой, обрамляющей лицо, как на иконах святых или у анархистов начала столетия. В контрасте с энергичной походкой он почти шепотом произнес: «Освальд Заградник? — протянул руку, и я услышал неизвестное мне имя: — «Васильев».

По дороге из аэропорта мой спутник сообщил мне о завтрашней встрече с Олегом Николаевичем. Естественно, мне не приходило в голову, что речь идет о Ефремове, художественном руководителе МХАТа и популярном актере. Выяснилось, что Васильев — режиссер-стажер, будет под руководством Олега Ефремова (так и значилось — руководитель постановки) работать над спектаклем. Там же, в машине, он произносил на память целые пассажи текста пьесы, создавалось впечатление, что он их знает наизусть. А имена исполнителей — «золотой фонд театра» — произносил как-то по особенному.

Во время встречи с Ефремовым, очень дружеской и неформальной, договорились о «читке» пьесы. Я представлял себе ее как работу автора с исполнителями и постановщиками, когда текст пьесы по ролям читают актеры. Однако встреча состоялась на квартире директора театра, где помимо хозяев присутствовали Ефремов, Васильев и я.

Толя Васильев сидел с чашкой чая за небольшим столом, а на коленях держал папку с текстом пьесы. Он напоминал мне арабского коня перед скачками.

Покончив с чаепитием, Ефремов своим приятным баритоном произнес: «Ну, пожалуй, начнем». Хозяйка выключила яркое освещение. И Васильев при свете настольной лампы начал почти торжественно: автор, название, имя переводчика, действующие лица, первая авторская ремарка. Диалоги и ремарки он читал с увлечением, невольно заражал слушателей пульсацией особого напряжения. Слушатели были явно покорены магией васильевского чтения. Это было видно по их лицам. Так обычно ведут себя дети, погруженные в чары слушания. Я и сам был под сильным воздействием волшебства, исходившего от «читки», хотя не мог понимать нюансов перевода. Васильев кончил читать, и наступила тишина, возникающая обычно на концертах перед взрывом аплодисментов. Было видно, как Васильев себя исчерпал. Слишком много энергии он вложил в «читку». На премьере «Соло» 13 декабря 1973 года я стал свидетелем таинства ожившего текста на сцене театра, занавес которого окрылила чеховская «Чайка». Тогда я понял, что являюсь свидетелем мистерии, которая началась с «читки» Васильевым текста пьесы»[1].

Ради исторической справедливости следует заметить, что следом за упомянутой «читкой» последовал этап работы, который, думается, определил во многом успех спектакля «Соло для часов с боем» на сцене МХАТа. Сценическое решение потребовало определенной доработки автором характеров молодой пары, резко контрастирующей в пьесе с духовным миром стариков. Ефремову было важно дать Павлу, внуку старого лифтера, шанс духовной преемственности, отсутствовавший в замысле автора пьесы.

Поскольку Ю. Айхенвальд делал перевод пьесы с подстрочника, а Васильев словацкого языка не знал, Ефремов попросил автора этих строк поработать всем вместе над текстом, деликатно проводя задуманную режиссурой концепцию. Несколько дней Заградник, Айхенвальд, Васильев и я строка за строкой шли по тексту, выверяя каждое слово. Васильев здесь был в своей стихии. Ни переводчик, ни автор не могли с ним справиться: он был похож на часовых дел мастера, ювелирной работой заставляющего слаженно взаимодействовать все детали механизма. Чувство слова, емкого и точного, само собой приводило к нужной реплике персонажа. Работал Васильев самозабвенно, создавая атмосферу творческого праздника.

Результат проявился в спектакле, оформление которого тоже принадлежало дебютанту Игорю Попову, архитектору по образованию. Он служил в проектной организации, строил дома и никогда не оформлял театральные постановки. Ефремов как руководитель постановки предложил ему сделать декорацию в виде обычного интерьера квартиры с обстановкой, в которой мог жить старый человек со своим внуком — пан Абель.

У Васильева, однако, была своя идея. Попов воплотил ее сначала в рисунке, чтобы показать Ефремову, и, получив одобрение, реализовал в спектакле.

На сцене — странное сооружение из старой мебели, напоминающее своими очертаниями готическую башню. Сценическая конструкция устремлена ввысь, установлена на собственной площадке будто на некоем островке, затерявшемся среди огромного современного мира, чудом в нем сохранившемся и доживающем свои последние дни. В хаотичности оформления — своя поэзия, причудливая и любовная старомодность; в конкретной вещности — неожиданная сказочность. И мы уже не спрашиваем, почему на вершине сооружения раскрыт оранжевый зонтик, а у подножия сидит плюшевый медведь, почему у деревянной птицы может отвалиться крыло, а в доме пана Абеля так много часов. Мы просто входим в мир четырех стариков и пожилой дамы, которые встречаются по пятницам в тесной квартирке лифтера на пенсии, старого пана Абеля (*М. Яншин*).

Они приходят трогательные и нелепые: пани Конти (*О. Андровская*) — в старомодном туалете, в сопровождении бывшего рассыльного пана Хмелика (*М. Прудкин*), который, внося за ней внушительных размеров чемодан, почтительно принимает чаевые. Пан Райнер (*А. Грибов*) — часовых дел мастер, перед визитом которого хозяин предусмотрительно убирает все наличествующие в доме часы, дабы тот не отвлекался от цели свидания и не стал добиваться синхронности их хода.

Как искренне эти люди радуются встрече, придумывают трогательные сюрпризы и розыгрыши, пикируются, подтрунивают друг над другом. И как умеют понять то, что никогда не произносят вслух!

Изредка здесь возникает «напрошенный гость» — бывший полицейский инспектор Мич (*В. Станицын*). Вот сейчас, например, он приводит пана Райнера, который пытался забраться на башню с часами на городской площади. И вся сцена опознания «нарушителя общественного порядка» разыгрывается присутствующими с удовольствием и достоверным простодушием. Ведь Мич, как и другие гости пана Абеля, из дома престарелых, и он тоже хочет «тряхнуть стариной». Почему бы не потрафить и ему, тем более что эта «игра» всем присутствующим хорошо знакома. Все знают, что пан Райтер всякий раз, улучив момент, упорно карабкается по прогнившей лестнице на башню, чтобы починить остановившиеся городские часы. В его-то годы! И теперь, пойманный с поличным, он, сидя посреди комнаты и вобрав голову в плечи, колючим взглядом неодобрительно взирает на разыгрываемую паном Мичем комедию, азартно ковыряясь при этом в механизме вынутого из саквояжа будильника. Несколько сцен спустя мы поймем, что устремления Райнера — вовсе не старческая блажь, но желание принести зримую пользу людям, оставить после себя «знак», объединяющий жителей целого города. «Родители будут учить детей узнавать время, прохожие — сверять ход часов!» — с грустью и горечью поясняет пан Абель спортивно-оптимистичному внуку Павлу (*В. Абдулов*) и его подружке Даше (*И. Мирошниченко*) поступок своего друга, который раскрывает смысл и цену человеческой жизни.

Мир молодых представлен в пьесе О. Заградника парой влюбленных, для которых старость, пожалуй, — синоним вырождения. Их душевная глухота — в полной замкнутости на себе, на собственной логике, на собственных мыслях и желаниях. Поэтому мечты об устройстве семейного счастья могут соседствовать у молодых героев с идеей выселения пана Абеля из своей квартиры.

В пьесе Заградника Павел и Даша духовно едины. Театр, как уже упоминалось, предложил драматургу внести коррективы во взаимоотношения поколений. Заградник совместно с Айхенвальдом и Васильевым сделал поправки в линии молодых героев. Павел стал глубже и восприимчивее, нежели Даша, и поэтому более сложно складываются его отношения с паном Абелем.

В финале кружится в вальсе счастливая Даша: весь мир принадлежит ей! А минуту назад здесь озорно и грациозно танцевала пани Конти. Счастьем и добротой светился пан Абель, заботливо хлопотал неповторимо галантный пан Хмелик, притоптывал в плясе и дурачился пан Райнер. День рождения пани Конти явно удался.

И это все вдруг оборвалось: пани Конти стало плохо. Появились санитары, носилки, запыхавшийся от бега пан Мич... Кружится в вальсе Даша, ее партнер вдруг присел на табурет, в его глазах появился вопрос, затем тревога, затем боль. Кажется, он понял, почему так внезапно опустел дом. Внук пана Абеля задумался над чужой судьбой и в этот момент вместе со зрителями услышал бой часов...

Спектакль «Соло для часов с боем» стал событием не только для МХАТа, но и для советского театра. В нем пробивалась на свет новая театральная реальность. Внутри Художественного театра сложилось творческое содружество режиссера и сценографа, обогатившее мхатовскую традицию путем ее переосмысления и преображения на основе достижений современного театра.

Далеко не все удавалось Васильеву «внедрить» в сознание актеров. Мхатовские старики «бунтовали», сопротивлялись идеям дебютантов. Сценографические «реплики» иронического характера им претили. Так, например, словно отзываясь на текст о том, что квартира пана Абеля — сплошная развалюха и ни к чему нельзя прикоснуться, — стоявшая в центре колонна вдруг сама собой трогалась со своего, казалось, навечно предназначенного ей места и выезжала на первый план сцены. Из граммофона вместо звуков мог валить дым. Кое-что возмущеному «золотому фонду» театра удавалось отбить. «Откуда у меня, пана Абеля, эта странная птица?» — негодовал М. Яншин. «Представьте себе, что Вы выиграли ее в лоторею», — успокаивал его художник. «Да ничего я не выигрывал», — был ответ. Птицу изымали. Ефремова, как правило, призывали разрешать конфликты. Используя дипломатическую пластичность, он умело помогал прохождению замысла состоявшегося сотворчества. И для режиссера, и для сценографа спектакль «Соло для часов с боем» явился не только удавшимся дебютом, после которого они стали членами коллектива МХАТа, но и началом совместной творческой деятельности на многие годы.

Период ученичества для Васильева был завершен. Его путь не был прост, хотя однажды в разговоре со словацкими театральными критиками Анатолий Александрович признался — он еще в школе знал, что посвятит жизнь режиссуре[2].

И действительно, шестиклассником он пришел в драматический кружок Дворца пионеров родного города Ростова-на-Дону. Руководитель кружка Тамара Ильинична Ильинская, человек незаурядный и удивительный, стала его первым театральным наставником. Однако мама, учительница математики, полагала, что драмкружок мешает занятию сына музыкой, отвлекает от музыкальной школы, и Толс скрепя сердце приходилось периодически Дом пионеров покидать. Впоследствии, размышляя об этом периоде, он с благодарностью вспоминает мать: «Думаю, что искусство человек освоит скорее, научившись играть на пианино, чем посещая драмкружок»[3].

Тем не менее по окончании музыкальной и средней школ Васильев отправился в Москву с надеждой поступить во ВГИК и стать кинорежиссером.

«Моя тетя была режиссером документального фильма... Она свела меня с педагогами ВГИКа, которые объяснили мне требования к поступающим. В ту пору только что окончивших школу просто не принимали, надо было пройти военную службу или где-то поработать. Думаю, это было правильно. Режиссура требует ярких личностей. <...> Когда я получил аттестат зрелости, то точно знал, что хочу быть режиссером, но прежде должен обрести жизненный опыт и выбрать сферу, которая бы меня привлекала — так я выбрал химию»[4].

В 1959 году Васильев поступает на факультет органической химии Ростовского университета. Однако его творческие интересы по-прежнему связаны с театром — он продолжает заниматься театром во всех доступных ему в то время формах.

Помогая Тамаре Ильинской в Доме пионеров в качестве ассистента и режиссера, ставит с ней спектакли, оформляет их как художник, успешно выступает и как актер. Так, например, в спектакле о Пушкине «Юность поэта» Васильев выступал в роли директора Царскосельского лицея, в «Снежной королеве» — в роли художника. Будучи студентом четвертого курса университета Васильев впервые самостоятельно ставит спектакль «Продолжение легенды» А. Кузнецова — романтическую повесть о строительстве Братской ГЭС. В начале 60-х годов она шла в «Современнике». Васильев даже съездил в Москву, но инсценировку повести сделал собственную и сам сочинил музыку к спектаклю.

«Думаю, в драмкружке я ощутил свои театральные предпочтения, а в университете я развивался и мужал»[5]. Попробуем раскрыть тезис — «развивался и мужал», обратившись к диалогу Людвиг Фляшин — Анатолий Васильев, состоявшемуся в мае 2000 года во Вроцлаве, в центре Ежи Гротовского:

«Л. Фляшин: Как Вы пришли к тому, что сейчас делаете в театре?

А. Васильев: Вопрос неожидан. По капле вытягивал из себя советского раба. Мой путь — уничтожать его в себе. Выдавливать раба и из других. Этот процесс продолжается по сей день»[6].

Впервые Васильев окунулся в стихию молодежного театрального движения, охватившего всю страну с конца 50-х годов, когда был студентом. Уже на I курсе он возглавляет факультетский СТЭМ (Студенческий театр эстрадных миниатюр). Как известно, новую эпоху любительского творчества в СССР открыл VI Всемирный фестиваль молодежи и студентов в Москве (июнь–август 1957 года), давший мощный толчок раскрепощению творческих сил молодого поколения.

Студенческие театры эстрадных миниатюр, капустники, вечера веселых вопросов, предшествующие КВН, самодеятельные эстрадные ансамбли выходят за пределы местных сценических площадок, обретая популярность и известность. Так было и в Ростовском университете, где Васильев как лидер «стал первым человеком на факультете, а затем и в университете. <...> Я не был один, все пять лет у меня был замечательный партнер... Мы делали вечера, которые я организовывал и вел: оформлял сцену, режиссировал, придумывал сюжеты, сценки для эстрадных миниатюр, сочинял или подбирал музыку, музыкальные пародии, всю композицию программы.

Это была программа фестиваля, в котором принимал участие весь город»[7].

Обретение жизненного опыта происходило в экспедициях на Дальний Восток и в Западную Сибирь. Затем он служил в армии и работал в химлаборатории научно-исследовательского судна.

Море помогло почти физически ощутить стихию вольности, создать внутри себя зону раскрепощения и духовной свободы. Пришло время обретать профессию режиссера.

В 1968 году Анатолий Васильев становится студентом Государственного института театрального искусства им. А. В. Луначарского. Руководителями курса были Андрей Алексеевич Попов и Мария Осиповна Кнебель, мастера психологического реализма в русской сценической культуре. Васильев знал о работах О. Ефремова, спектаклях А. Эфроса, но ничего в Москве не видел. Зато, будучи студентом Ростовского университета, регулярно ездил в Ленинград смотреть спектакли Г. Товстоногова. Законы «жизни человеческого духа» на сцене, по Станиславскому, он усвоил, «поглощая» спектакли Большого драматического театра.

Когда Васильев поступал в ГИТИС, А. Попов задал ему вопрос: «Что Вы хотите сделать в театре?» Васильев ответил: «Хочу в театре создать таблицу Менделеева»[8].

«Что касается меня, то я вспоминаю своих педагогов с благодарностью. Мне с ними просто повезло.

Один из них — Андрей Алексеевич Попов. У него как у педагога есть драгоценный природный дар считать себя равным со студентами. И это не поза, не инфантильность, а свойство истинного интеллигентного человека. Его равноправие не порождает панибратства, отнюдь нет. От Андрея Алексеевича идут плодотворные токи, как бы утверждающие твое человеческое достоинство.

Мария Осиповна Кнебель. Ее педагогическое кредо таково: она воспитывает не режиссера, а человека, еще точнее — человека театра и еще точнее — человека искусства, развивает его эмоцию, его вкус, его образованность, его понимание жизни»[9].

Проникать в тайны режиссерской профессии учила Васильева Кнебель, которую он впоследствии считал своей духовной матерью. Возможно, именно она посоветовала Ефремову взять способного выпускника стажером во МХАТ. Однако после успеха «Соло для часов с боем» последующие работы Анатолия Васильева и Игоря Попова во МХАТе наталкивались постоянно на сопротивление Художественного совета. Даже авторитет Ефремова не всегда мог его сопротивление преодолеть. Так было с пьесой Л. Зорина «Ледяная бабушка» и постановкой пьесы И. Друце «Святая святых», которая просто не увидела свет. Режиссер и художник вынуждены были МХАТ оставить.

На счастье, через ряд лет Васильев и Попов обрели редкие условия для свободного самовыражения, когда А. Попов стал художественным руководителем Московского драматического театра им. К. С. Станиславского. Он сразу пригласил работать на его сцене своих учеников: А. Васильева, Б. Морозова, И. Райхельгауза, за короткий срок изменивших лицо театра.

Перед тем как стать режиссером московской сцены, Васильев получил возможность выплеснуть раскрепощенную фантазию, попробовав силы в ином жанре. По приглашению театра Музкомедии Ростова-на-Дону он поставил мюзикл «Хелло, Долли» Д. И. Германа (1975), где вместе с И. Поповым создал спектакль с эффектными трюками, юмором и веселой игрой.

Первый вариант «Вассы Железновой» М. Горького (1978) и «Взрослая дочь молодого человека» (1979) В. Славкина на сцене Московского драматического театра им. К. С. Станиславского стали событием не только для постановщиков и исполнителей, но и для советской сценической культуры вообще.

В 50-е годы А. Эфрос своими спектаклями на сцене Центрального Детского театра освободил искусство психологического реализма от рутины и заскорузлости, заявив во весь голос: «Режиссер — это поэт, только он имеет дело не с пером и бумагой, а слагает стихи на площадке сцены, управляя при этом большой группой людей...»[10].

Васильев в 70-е годы обогатил законы психологического реализма знанием психопластического пространства сцены. «Основа диалога-действия, — говорит он, — „Что я делаю“ в этой сцене, в этом куске и так далее. Сценография вводит это действие в степень. То есть действие структурное: „Я делаю то-то в определенной художественной системе“. Ведь форму действия, рисунок, пластику диктует именно сценография. Но сценография сама по себе — вещь неодушевленная. Мы воспринимаем ее через актера. Актер осваивает и этот рисунок, и эту пластику, и эту сценографию. Она как будто возвращает нам свой образ одушевленным»[11].

Первая редакция «Вассы Железновой» отличалась предельной психологической правдой характеров в сложно разработанной режиссером ритмической партитуре актерского исполнения: эмоциональной, пластической, динамической, звуковой, укрупняясь в сценографической среде, выстроенной из архитектурных элементов и вещей совершено подлинных.

«В „Вассе Железновой“, — рассказывает режиссер спектакля, — мы с художником Поповым рарабатывали невидимые залу стены столь же подробно и разнообразно, как видимые. Это давало исполнителям особое чувство достоверности интерьера»[12].

Чувство достоверности пронизывало поведение всех актеров, однако «четвертая стена» в спектакле отсутствовала. Атмосфера, творимая участниками сценического действа, одновременно создавалась на публике и в закулисье, ибо Захар Железнов, вокруг которого разворачивался сюжет, находился внутри скрытого от зрителя помещения.

И. Попов вспоминает, как в процессе работы над спектаклем Васильев «повторял, что ему необходимо ощущение промозглости, слякоти, чтобы то ли снег шел, то ли дождь. Он рассказывал мне свои физические ощущения пьесы.

На сцене не было ни снега, ни дождя, была мебель красного дерева, но холод и промозглость напоминали о себе. Как, в результате чего возникало это ощущение? Его создавала вся среда, где не было никакой бытовой (подчеркнуто мной. — *Л. С.*) логики, где соединялось, кажется, несоединимое: голубятня (с живыми птицами. — *Л. С.*) и стол Вассы, фабричная стена и сцена МХАТа»[13].

Актер в такого рода пространстве не может фальшивить, он обязан воспроизводить в содружестве с партнером энергию духа.

Васильев рассказывает: «Елизавета Никищихина в разгар репетиций «Первого варианта „Вассы Железновой“, когда роль у нее наконец „пошла“ (что случилось не сразу), не просто отключилась от бытовой жизни, вызвав на это время маму, чтобы передать ей все заботы о доме, но отказалась от участия во всех спектаклях и фильмах и в конце концов даже от „Антигоны“, которую очень любила играть. В моих глазах это очень высокий поступок — и человеческий, и художнический, и мировоззренческий. <...> Такое жизненное поведение, как поведение Никищихиной, требует от режиссера высочайшей ответственности. Ведь она так поступала во имя наших общих с ней художественных и человеческих идеалов. <...> Разумеется, роль делается профессионалом, это не подлежит пересмотру. Но не профессиональные, а какие-то другие человеческие качества актера делают искусство искусством, попадающим в зрительный зал. <...> Психологический театр вообще требует от человека серьезных нравственных усилий»[14].

Елизавета Никищихина — Васса и ее партнеры подчинили сценическое поведение своих героев, полностью доверившись режиссеру. Спектакль не иллюстрировал пьесу, а выстраивал согласно логике соотношения персонажа и пространства, текста действующих лиц, прямо зависящих от творимой среды.

Вот красноречивый пример сценического решения существующих в пьесе взаимоотношений Вассы с младшим сыном Павлом, требующим от матери своей доли наследства. Анатолий Васильев одну из сцен излагает так: «Сын Павел преследует свою мать Вассу. Сын — горбун и хочет ей отомстить за то, что она сделала его горбуном. Он всегда охотится за ней, калека, он ищет любви, мать ему нужна. Он любит свою мать, и он охотится за ней. Он охотится за ней как за женщиной, и он охотится за ней как за своим врагом. Это надо выразить в мизансцене и в действии через большую и малую пластику. Как я делал. На последнем плане, в каморке, за письменным столом сидела мать, она работала. С первого плана, от обеденного стола, отходил Павел, сын, и медленно шел в глубину сцены к матери, по дороге расстегивая пояс. Это — физическое действие. Вот в этот момент через этот ремень проходит психологический импульс мести. Дальше он делал так (складывает ремень пополам): подкрадывался к столу и накидывал ремень на шею матери. Но сын — не убийца, мать под ремнем сопротивлялась. Павел шутил, но это злая шутка. Он выбрасывал ремень. Через физический жест — выбрасывание — что переживается: я освобождаюсь от мести, мне легче. Мать начинает бежать за горбуном-сыном, он бежит (на первый план), но я знаю, что должен ей отомстить. Я, Павел, бегу от матери и по дороге, у обеденного стола вижу венский стул. Я его беру, стул моего умирающего родителя. Через этот стул проходит новый импульс мести. Я разворачиваюсь, догоняю мать и припираю ее к стене отцовским стулом. Васса оказывается между кривых ножек стула. Мать вскрикивает — я могу ее убить, потому что слишком ее люблю. Убираю стул, ставлю его. Сцена закончена.

Но для того чтобы такое сделать, надо сначала разработать последовательность психических действий, <...> они будут, конечно, меня наполнять чувством, но само чувство не сможет иметь необходимой темы и философии. Этот физический жест наполнит меня и физическим чувством вне философии (внешним без внутреннего). Тот предел, на котором остановился Художественный театр в советский период! Этого недостаточно — погладить — и почувствовать любовь. Надо, чтобы прошедший обратно импульс упал в колодец, где чувство от физического жеста омывается инобытийным содержанием»[15].

Первый вариант «Вассы Железновой» закрепил за Васильевым право свободного, независимого самовыражения. В него поверили не только актеры, но и зрители. Следующий спектакль по пьесе В. Славкина «Взрослая дочь молодого человека» развил и закрепил свойства, казалось, не соответствующие логике психологического театра, которые и стали характерной чертой режиссерского почерка Анатолия Васильева. Так в 70-е годы появилось понятие неонатурализма, уточненное самим режиссером: «неонатурализм, обращенный к поэзии».

Виктор Славкин и Васильев относились к поколению студенчества, в котором, как вспоминает драматург в «Памятнике неизвестному стиляге», восстанавливались их (студентов. — *Л. С.*) родовые гены. Молодые люди вдруг ощутили себя единым организмом, одним обширным телом, и это тело вспомнило свое предназначение, свою социальную функцию. <...> В традиционной советской идеологии это слово не имело социального смысла, оно обозначало лишь возраст»[16].

Так или иначе, но уже в студенческие годы Васильев познакомился со Славкиным. Знакомство произошло в Ростове-на-Дону, куда Славкин приехал в качестве корреспондента журнала «Юность» и где случайно оказался на обсуждении спектакля, поставленного Васильевым в университетской студии «Мост». Дал почитать свои одноактные пьесы, которые понравились, затем оказались вместе в студии Арбузова в Москве. И вот уже не случай, а судьба... Славкин принес свою пьесу «Дочь стиляги» в Московский драматический театр им. К. С. Станиславского. Пьеса всем понравилась, ее начал ставить И. Райхельгауз, художник М. Ивницкий сделал макет квартиры, в которой развивалось действие, однако случилось непредвиденное — Райхельгауз из театра ушел, и пьесу, по решению Художественного совета, было поручено ставить Васильеву. Используя уже существующий макет, Васильев вместе с Игорем Поповым осуществил прорыв во «вспомогательную среду» пьесы о джазе, о молодости, о студенческих годах... Спектакль назвали «Взрослая дочь молодого человека». И. Попов позже шутил: «Ивницкий придумал декорацию, Васильев повернул ее по диагонали, а я раскрасил». Однако сам Васильев сделал для себя достаточно серьезные выводы, которыми поделился однажды в разговоре с молодыми режиссерами: «Фронтально стоящая стенка (квартиры героя пьесы Бемса. — *Л. С.*) воспринималась эквивалентно бытовому ряду. А современные спектакли чаще всего и не получаются как раз из-за того, что быт не «накрывают» искусством.

Может быть, это и есть одна из тайн творчества: самое главное возникает из чувства.

В той декорации, которую нам «зарубили» пожарники, вся эта история встречи бывших институтских товарищей упиралась в быт. Именно из-за этой «настоящей» квартиры с «настоящими» обоями и паркетом все становилось примитивным и банальным. Между пошлостью и искусством иногда такая грань. <...> Я просто поначалу не разглядел, что «Взрослая дочь молодого человека» содержит в себе психологическое и игровое начало. А «соединила» все эта диагональ...»[17].

Персонажи спектакля существовали абсолютно реально, в кухне текла вода, стоял действующий холодильник, готовилась пища, которая реально поглощалась; в комнате реально работал телевизор и по нему передавалась одна из программ ТВ, но в то же время стены квартиры были подчеркнуто театральны или их не было вообще.

«Стенка, обтянутая тканью ярких локальных цветов <...> стояла, поддерживаемая одними лишь театральными откосами, хорошо видимыми зрителям через дверные проемы... Каждый предмет, каждая вещь, каждая часть декорации использовалась откровенно функционально. То, что отыгрывалось, со сцены убиралось — вопреки логике бытового правдоподобия, но согласно содержательной необходимости сценического действия»[18].

Изложенный принцип пространственного решения был необходим режиссеру А. Васильеву и его чуткому творческому сподвижнику для создания крупного плана внутренней жизни вполне заурядного инженера Куприянова, именуемого Бэмсом. Так прозвали бывшего стилягу за увлечение джазом в бытность студентом. И теперь при посещении его малогабаритной квартиры более благополучными однокурсниками — бывшим комсомольским «босом», в том числе клеймящим когда-то стиляг, Бэмс (артист *Альберт Филозов*) перебирал в памяти события своей жизни, вынужден признать, что его «протесты» с позиции сегодняшнего дня наивны и смешны. Песенка про Чаттанугу в исполнении оркестра Глена Миллера являлась для него не «преклонением перед Западом» (как считали официальные власти), а знаком свободы, и потому, танцуя под ее ритмы, он был готов слыть неблагонадежным.

Драматург и режиссер, памятуя атмосферу, в которой проходило противостояние Бэмса (достаточно упомянуть заголовки статей в официальной прессе — «Этот шпион по имени рок-н-ролл», «Длинноволосая музыка» — или запрет включать в программу концертов больше одной авторской песни и песни на английском языке), не позволяют своему герою признавать себя побежденным. Васильев ставил спектакль о личностной ценности каждого человека, «Взрослая дочь молодого человека», — говорит он, — о людях незначительных. Но это они незначительны в жизни, но не на сцене»[19].

Когда Бэмс, а вместе с ним и зрители уже готовы были смириться с тем, что у него, как у чеховского Войницкого, «пропала жизнь», произойдет нечто непредвиденное. У него окажется сообщник, носитель вольнолюбивых юношеских мечтаний — его собственная дочь. В бурный вызывающий ритм рока вместе с Бэмсом лихо пускается «взрослая дочь».

«Танец резко и окончательно „взрывает“ образ, — анализирует эту сцену сам Васильев, — постепенно (персонажи, окончив танец. — *Л. С.*) приближаются к портальной рампе — месту, противоположному стенке квартиры. Меняется масштаб. История обобщается. Возникает новое, совершенно неожиданное пространство чистого освобожденного духа. Эмоционально самый высокий момент спектакля, кульминация»[20].

Так, посредством пластической партитуры спектакля Васильев «накладывает» искусство на будничность и повседневность.

В финале Бэмс задергивает занавеской стенку квартиры, и все персонажи таким образом оказываются в «фойе» кинотеатра «Орион», у пианино, которое выкатывается в нужный момент на подмостки. В зале загорается свет, кое-кто из зрителей воспринимает такой ход режиссера как знак окончания спектакля: одни направляются к выходу, другие привстают с мест, а тем временем на сцене герои возле пианино то ли для себя, то ли для зрителя напевают мелодии юности, а на занавесе загорается экран с титрами фамилий авторов и исполнителей закончившегося спектакля.

Его успех, как и неослабевающий успех «Вассы», дали возможность говорить о новом периоде отечественной режиссуры, о творческом почерке Васильева, соединившего лучшие традиции психологической школы русской сцены с программной условностью, откровенно игровым принципом, отменяющим, по существу, «четвертую стену», открытую когда-то Станиславским. Большинство актеров, участников спектаклей, стали творческими союзниками Васильева. Поэтому следующий спектакль режиссер создавал уже со «своими» актерами, правда, «в гостях» у Театра на Таганке. В 1980 году — в год своего режиссерского триумфа — Васильев в одночасье оказался на улице, Б. Морозов работал в Театре Советской армии, Андрей Попов — во МХАТе (Райхельгауза «попросили» раньше).

Так столичные власти отметили творческий подъем Московского драматического театра им. К. С. Станиславского.

О. Ефремов предложил Васильеву ставить на сцене МХАТа «Короля Лира» Шекспира с А. Поповым в главной роли, а на Малой сцене — «О, счастливые дни!» Беккета — с М. Бабановой. Юрий Петрович Любимов предложил режиссеру перенести «Первый вариант Вассы Железновой» на Малую сцену Театра на Таганке (что и состоялось) и готовить со своими актерами новый спектакль.

Так в 1985 году на Малой сцене театра на Таганке состоялась премьера новой пьесы В. Славкина «Серсо», завершившей начатый еще в «Вассе» Васильевым и И. Поповым опыт перевода словесного текста в текст театральный.

В пьесе В. Славкина обычный московский служащий — Петушок или Петя (родной брат Бэмса, его играет тот же актер — *Альберт Филозов*), неожиданно получает наследство — дом. Вхождение в права наследника младший инженер Петушок решил осуществить не один, а с компанией знакомых и друзей, которым хотел бы предложить поселиться в этом доме во имя духовного сообщества. Каждый из приехавших знаком лишь с Петушком.

Спектакль начинается сразу при входе в зрительный зал. Все пространство Малой сцены занимает двухэтажный деревянный загородный дом, явно дореволюционный. Пока рассаживаются зрители, он стоит одинокий и заброшенный, наглухо заколоченный досками и закрытый пленкой. Раздается стук внутри дома, который все учащается, наконец, отлетает одна доска, за ней — другая. Так персонажи пьесы пробиваются к зрителю сквозь дощатую «скорлупу». В образовавшихся проемах мы видим группу людей, стоящих неподвижной кучкой. Вот они зашевелились, будто оживая и медленно покачиваясь, выходят наружу.

«Веранда освещается внутренним светом, и мы видим на ней склад заброшенных старых сломанных вещей, среди которых и будет происходить первый акт. Да и весь ее облик весьма неприглядeн: былая красота серебристой фактуры смыта дождями, облезла, облупилась. Но по-прежнему прекрасна и гармонична сама архитектура дома.

Благодаря этой гармоничной архитектурной форме выстроенный Поповым дом и воспринимался как поэтический образ «корабля», «ковчега», в котором персонажи совершают свое «путешествие» в другую давным-давно ушедшую жизнь, чтобы прикоснуться к той духовности и красоте. Но происходило это не сразу. Весь первый акт декорация была и для них, и для нас, зрителей, всего лишь обыкновенной дачей, куда герои собрались на свою встречу-пикник. Ее кульминация — развернутая сцена танцев»[21].

Персонажи при общении друг с другом не то пританцовывают, не то покачиваются, как бы накапливая энергетику. И вот зазвучала джазовая импровизация из рода буги-вуги, и танцем заполняется все пространство сцены, — балкон дома, веранда, двор... «Возьмемся за руки, друзья, и давайте не будем говорить, а только двигаться, — замечает А. Смелянский, — потому что в словах правды нет, а тепло рук не врет, музыка не обманет, и вот она уже заполняет все пространство, эта старая волнующая мелодия буги-вуги, и полная иллюзия счастья, и все двигаются, отвечают друг другу, чувствуя друг друга, ловят сигналы и отдают их назад. Серсо»[22].

Анатолий Васильев переводит таким образом персонажей пьесы в другое измерение, он эстетизирует их поведение не только движением в пространстве, но и тончайшими изменениями света, поворота головы, движением руки. Игра идет на крупных, средних и общих планах. Люди одухотворили дом, он помолодел и как бы открыл им сокровища своей души. Таков второй акт спектакля. В преобразившемся доме нет следов старения: снаружи он украшен филенками. Баллюстрада балкона — в вазонах, выбитая дверь на месте, прежде разбитые витражи также целехоньки, стены веранды — в старинных обоях. Преобразились и персонажи: мужчины — в белых рубашках, дамы — в нарядных платьях сидят на веранде за длинным, как на картине «Тайная вечеря», столом. На белой скатерти — высокие красные бокалы, ваза с фруктами, бронзовые подсвечники. Застолье словно молитва. Медленно, точно творя ритуал, сидящие передают друг другу белые листки писем Лизы и Коко, читают их — сначала отчужденно и иронически, да и возникший внезапно из прошлого времени Коко — Николай Львович (актер *Ал. Петренко*) дает для этого повод.

«Потом происходит своеобразная духовная игра — Серсо во времени. Что-то вспоминается, пробивается, выплывает в сознании, начинается таинственное присвоение чужой сущности и чужой судьбы. Затем игра обретает форму исповеди через чужой текст, случай, запечатленный в ахматовской строке: «А так как мне бумаги не хватило, я на твоем пишу черновике». Вдруг меняется свет, и обитатели дачи смотрят на огромной белой простыне лица людей начала века... Мы сидим в кинотеатре жизни, в доме, распакованном от зимней спячки, среди людей, которые пытаются понять, откуда они и зачем они»[23].

Здесь обретает наглядность создание атмосферы, которая определяет, по Васильеву, психологию поведения героев пьесы: прозрачный тюлевый занавес отделяет персонажей спектакля от зрителей, и за его дымкой почти уже рожденное духовное сообщество людей. Они играют в серсо, перекидывают друг другу через балкон, сквозь оконные рамы, кольца, изящно подхватывая их на деревянные шпаги. Это вдохновенное, красивое и грациозное действие грубо обрывается словами Паши, что пока все они жили в мире лирических грез, он уже купил этот дом. «Знаком возвращения героев к реальности горит подожженное Пашей кольцо... одно из тех, что минуту назад так элегантно парило в воздухе»[24].

В третьем акте старинный дом, снова как в первом, выглядит старым и неприглядным. И его снова заколачивают и упаковывают. Но обращает на себя внимание дверь, только что обитая дерматином, с новой блестящей ручкой — знак вторжения в мир этого дома Паши. Каждый из персонажей, расхаживая сам по себе, собирает вещи, готовясь в обратный путь. Их путешествие в «ковчеге» заканчивается ничем.

Для Васильева «Серсо» стал спектаклем, завершившим, с одной стороны, первый этап в его режиссерской биографии, а с другой стороны, открывший ему дорогу для новых поисков. Новый этап ведет отсчет с февраля 1987 года — от официального открытия театра-студии Васильева, получившей название «Школа драматического искусства».

Путь к Школе драматического искусства Анатолия Васильева вобрал в себя весь театральный опыт, им обретенный. Однако он не смог бы реализоваться со всей полнотой, если бы в 1987 году в стране не произошел так называемый «студийный бум», на гребне которого, согласно «Положению о театре-студии» (знак демократических преобразований), Васильев не обрел наконец поддержку московских властей. К тому времени за плечами режиссера был десятилетний опыт педагогического труда: в 70-е годы со студентами актерского факультета ГИТИСа на курсе, руководимом Андреем Поповым; совместная работа с Анатолием Эфросом на режиссерском факультете (1981–1984); и, наконец, собственный набор на заочное отделение актеров и режиссеров в 1984 году. Большинство выпускников этого курса и составили костяк коллектива Школы драматического искусств».

Примечания

[1] *Osvald Zabradnik* (Nase) prve stretnutie... // Slovenske divadio. 1996. rocnik 44. № 2. S. 370–371.

[2] *Lindovska Nadezda, Podmakova Dogmar*. Od myslacej emocie k prezivaniu myslienok. Rozhovor s Anatoliom Vasilievom // Slovenske divadio. 1996. № 3. S. 376.

[3] Ibid. C. 374.

[4] Ibid. C. 375.

[5] Ibid.

[6] Диалог Л. Фляшен — А. Васильев в Центре Гровского во Вроцлаве 19 мая 2000. Запись автора.

[7] *Lindovska Nadezda, Podmakova Dogmar*. Op. cit. S. 376.

[8] Диалог Л. Фляшен — А. Васильев в Центре Гровского во Вроцлаве 19 мая 2000.

[9] *Васильев А.* Давно хотелось перемешать, уничтожить и забыть все, что умею. Театр. 1983. № 4. С. 106.

[10] *Эфрос А. В.* Книга четвертая. М., 1993. С. 431.

[11] *Васильев А., Богданова Н.* Новая реальность пространства. Заметки режиссера и комментарии критика // Советские художники театра и кино. М., 1983. № 5. С. 286.

[12] Там же. С. 273.

[13] *Попов И.* Выступление на круглом столе «Сценография сегодня какая она?» // Театр. 1984. № 5. С. 101.

[14] *Васильев А.* Давно хотелось перемешать, уничтожить и забыть все, что умею// Театр. 1983. № 4. С. 106.

[15] *Васильев Анатолий.* О физическом действии и других секретах. Режиссерский театр от Б до Ю. Разговоры под занавес века. М., 1999. С. 75–76.

[16] *Славкин В.* Памятник неизвестному стиляге. М., 1996. С. 40.

[17] *Васильев А.* Давно хотелось перемешать, уничтожить и забыть все, что умею. С. 104.

[18] *Березкин В.* Творческое содружество. М., 1987. С. 38–39.

[19] См.: *Бубенникова Л.* ВИА и рок-группы. Самодеятельное художественное творчество в СССР. СПб., 1999. С. 80–81.

[20] *Васильев А.* Давно хотелось перемешать, уничтожить и забыть все, что умею.

[21] *Березкин В.* Указ. соч.

[22] *Смелянский А.* Песочные часы // Современная драматургия. 1985. № 4. С. 215.

[23] Там же.

[24] *Березкин В.* Указ. соч.

Научное издание

Люди и судьбы. XX век

Книга очерков

Составитель
Лебедева Виктория Ефимовна

Ответственный редактор *М. Шмидт*
Выпускающий редактор *Е. Савина*
Художник *А. Ирбит*
Компьютерная верстка: *Т. Донскова*
Производство: *Л. Самадашвили*

ОБЪЕДИНЕННОЕ ГУМАНИТАРНОЕ ИЗДАТЕЛЬСТВО
103009, Москва, Средний Кисловский пер., д. 3, стр. 3
Тел.: (095) 229-55-48;
e-mail: info@ogi.ru

Книги издательства ОГИ можно приобрести:
Москва, м. Чистые пруды, Потаповский пер., 8/12, стр. 2, клуб «Проект О.Г.И.»;
кафе «Пироги»: м. Третьяковская/Новокузнецкая, ул. Пятницкая, 29/8;
м. Охотный ряд/Театральная, ул. Большая Дмитровка, д. 12/1, стр. 1.

Заказать по почте наложенным платежом книги ОГИ можно по адресу:
103009, Москва, Средний Кисловский пер., д. 3, стр. 3, ОГИ
e-mail для заказов: tirazh@zhurnal.ru

Оптовые продажи: Москва, Средний Кисловский пер., д. 3, стр. 3, тел.: 229-55-48

За пределами России наши книги можно купить:
www.esterum.com

ЛР № 065416 от 22.09.1997

Подписано в печать 15.07.2002. Формат 60×90 1/16. Гарнитура GaramondNarrow.
Объем 17 печ. л. Бумага офсетная. Печать офсетная. Тираж 1000 экз.
Заказ № 563

Отпечатано в ООО «Типография Полимаг»
127247, Москва, Дмитровское ш., д. 107